RECONSTRUCTING KNOWLEDGE AND EXHIBITION:

Museum Architecture,
Space and
Audience Experience

知識展示重構

博物館建築空間與觀眾經驗

殷寶寧 ——— 著

巨流圖書公司印行

國家圖書館出版品預行編目（CIP）資料

知識展示重構：博物館建築空間與觀衆經驗 /
殷寶寧著. -- 初版. -- 高雄市 : 巨流圖書
股份有限公司, 2022.02
　　面；　公分
ISBN 978-957-732-648-5（平裝）

1.CST: 博物館建築　2.CST: 博物館觀衆
3.CST: 博物館展覽

069.2　　　　　　　　　　　　　　110021977

知識展示重構：
博物館建築空間與觀衆經驗

作　　　者	殷寶寧
責 任 編 輯	林瑜璇
封 面 設 計	莫浮設計
發 行 人	楊曉華
總 編 輯	蔡國彬
出　　　版	巨流圖書股份有限公司 802019高雄市苓雅區五福一路57號2樓之2 電話：07-2265267 傳真：07-2264697 e-mail: chuliu@liwen.com.tw 網址：http://www.liwen.com.tw
編 輯 部	100003臺北市中正區重慶南路一段57號10樓之12 電話：02-29222396 傳真：02-29220464
劃 撥 帳 號	01002323巨流圖書股份有限公司
購 書 專 線	07-2265267轉236
法 律 顧 問	林廷隆律師 電話：02-29658212
出版登記證	局版台業字第1045號

ISBN 978-957-732-648-5（平裝）
初版一刷・2021 年 2 月

定價：380 元

目　次

圖表目次

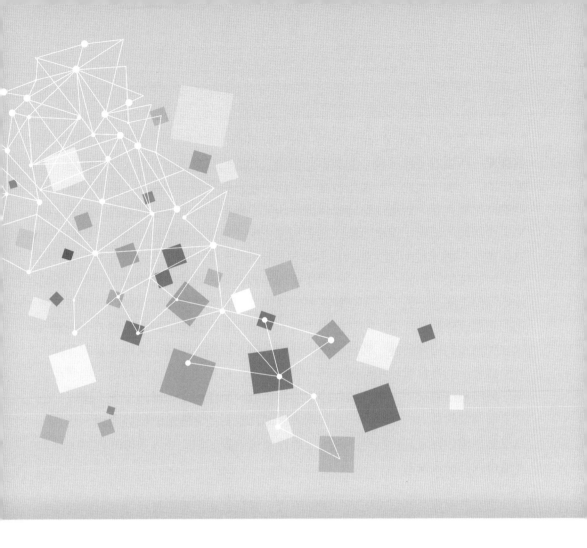

Introduction　序論

知識展示重構：博物館建築空間與觀眾經驗
Reconstructing Knowledge and Exhibition: Museum Architecture, Space and Audience experience

「跨領域」（trans-disciplinary / interdisciplinary）一詞為近年經常被提及的價值觀點。所謂的「跨領域」強調不同主體之間的相互穿透與交會，及其相遇所交織出的、一加一大於一的複相特徵。不僅可能為既有的研究視角，開展出難以預期的碰撞與火花，對既往堅守學科邊界研究場域言，一方面看似鬆動其邊界，帶來未曾想像的新局，但也可能成為更加強化學術邊界差異的對照關係。相較於前述每個學科訴求於明確主體與邊界游移的兩端，「博物館學」的學科本質即具備跨領域的特徵。如此一來，以不同學術理論觀點切入博物館學的迷人世界，既可能如同扮裝變身一般，看到嶄新不同的樣貌；也可能是從本質根底的，思索著博物館可能或應該是什麼。同時，也由於一座博物館從政策的遊說、議定、設置、建立到穩定的日常營運、教育推廣與展覽策劃，以迄於後續的永續經營與發展，其所震盪出的社會服務和輻射效應，對於地方行銷和文化經濟的推展；進而在意識形態與象徵層次上，舉凡國族國家形象建構、原住民文化權的主張、國際文化交流與國家軟實力的表現；一直到期許於博物館對社會變遷的積極回應，及其作為推動平權包容之文化基礎設施的主體性價值等等。如此迷人多樣的世界，有太多值得我們深入探索。

立基於前述含括理論概念、學術價值、實踐意涵與專業實務等各層面的探索意圖，本書綜合了研究者近年來持續探問與挖掘之經驗研究的累積，從階段性地、跨領域視角出發，回歸於對博物館學相關課題的討論；特別是聚焦於博物館學次領域，諸如博物館建築、博物館觀眾研究等研究視角的持續對話。

一、博物館建築

「博物館建築」（museum architecture）同時具有「博物館」、「建築」雙重的身分。在英文的表達中，這兩個用字都是名詞，構成複合性的、等同的關係，而非是形容詞與名詞，意即並非前者僅為修飾、後者始為主體的從屬關係。語意學上即已凸顯「博物館建築」這個概念，既需要滿足博物館在實質環境、空間體驗、展示條件、觀眾服務與行政後臺等各種面向，不同機能的複雜需求；更因著建築乃是特定社會經濟文化歷史脈絡下的產物，必然承載著其空間生產過程的多

樣價值。加以建築同時在實質環境與文化符號表現上的抽象象徵意義，以及博物館所被賦予的文化功能、定位與價值。

既然博物館建築具有「建築」這個範疇的特徵，建築學領域的各項分析元素與模式，同樣有助於分析博物館建築。

舉例而言，從建築學角度言，「建築形式」（architectural form（與「建築機能」（architectural function））乃是最為簡化卻又關鍵的一組分析概念。特別是現代主義建築（modernism architecture）理論之核心見解，乃是建立在任何建築必然服膺於其所應具有的特定使用需求，亦即所謂的建築機能的基礎上。

立基於現代化工業生產下的技術革命思維，材料與工法的改變，專業建築設計與營造體系的建構，使得現代建築得以朝向以建築師／設計者為核心的設計與營造過程發展。相較於以往，人們擁有自力興築自己所需要之建築空間與環境場域的技能知識與能力，現代化社會強調的專業分工與殊異化，循著這個建築設計專業所發展出來的專業知識脈絡，逐漸演變為「業主／使用者」與「受委託者／設計者」這兩端的社會關係，更甚且是「業主／規劃主辦者」vs.「受委託者／設計者」，以共同營造出為第三方使用者所購買或使用的建築。舉例來說，以往住宅家戶可能可以透過自行雇工或委託建築師，為自家興建所需的住宅空間與建築。這一組關係為「業主／使用者」與「受委託者／設計者」，兩邊的權利義務關係相對明確，設計師依據業主的需求、喜好，甚至是預算規模，提供相對應的服務，完成建築設計的終端產品。因為使用者相對是明確的，需求是清楚的，預算也是可以雙方協商的，甚至，業主可以依據其自身喜好，選擇其所信任、喜愛或是慕名的專業設計者；或者是情況不理想的狀況下，可以依據實際狀況，解除實質的合作關係。

然而，正是由於現代化高度分工的社會情境，這類由業主與設計者直接面對面的設計實踐模式，漸漸地被中介其間的各方作用者所取代。例如，同樣是住宅設計，特別是在臺灣社會的情境裡，業主自行擁有或購得土地，邀請建築設計師執行住宅設計的情況，即使近年來略微增加，但仍非主流模式。大多數仍是倚賴於建設開發、代銷、廣告公司與建築設計等不同類型的專業分工，共同組織起龐大的住宅建築市場，經由建設與代銷公司所中介的住宅產品需求，轉譯給建築設

計團隊，而消費者僅能全盤地接受這些住宅產品，或最多透過室內設計師的方式，調整其實際使用需求。也就是說，在這組關係裡，建築設計者並未直接面對使用者，而是透過中介的轉譯，或者是超譯，或者是扭曲。簡言之，使用者／消費者的真實需求，是否真的能夠傳達，進而透過建築設計的過程，得到滿足與確保，則顯然是個問號。

在這樣的架構關係中，建築師／設計師依照業主方的需求、偏好、預算規模，再加上基地環境、相關法規等外部因素考量評估，完成這個建築設計與營建的終端產物。在這其中，兩邊據以執行工作的理性依據，在建築設計的專業領域中，稱為「建築計畫書」（program），操作製成則是一個具實質內容構想的擘劃過程（programming），其分別來自於業主的期待與需求、現實環境的條件與限制、以及建築設計者投入解決問題的思考方向。

因此，建築計畫書的撰寫（programming）乃是一個「界定設計工作範圍與性質的專業作業過程」，是能否發展出好的設計方案之重要基礎，是一個定性與定量的過程，定性乃是設定建築的任務方向與目標，定量則是據以設定合理的設計規模。在撰寫計畫書的過程中，立基於業主期待的實質需求外，尚需蒐集與分析環境現況資料，以提出設計的限制與可能性，包括設計目標、基地、使用者、法規、社會文化等資料，要能在過程中回應周邊社區，或未來基地與建物使用者的真實需要。一個典型的計畫書可能包含以下的層級結構，從任務與目標（goals and objectives）、展現的效能要求（performance requirements）、到空間設計構想（design ideas）等等（李峻霖、莊亦婷，2016）。建築計畫書有點像是食譜裡的菜單，即今天想著要做出什麼特定的料理，有賴於食譜系統性地整理出所需要的食材與份量，應用的烹調方式與工具材料，以及實質操作的工法，來掌握烹製食物過程中所需留意的各種挑戰與問題，以期達成預期中食物的風味和特徵。可以想見，對於一個從未下廚的人來說，沒有食譜，大概完全難以想像，從無到有地生產出一座建築，是多麼困難的任務。而有了食譜，再加上具有基本烹調知識與技能的廚師，相信做出來的料理，應該不至於太離譜，甚至，會因著廚師的技能與經驗，添加出不同的風味與特色。

　　然而，依循著前述這樣的說明，在博物館建築的場域中，我們最直接地面對兩項挑戰。第一，博物館的設置者替代了參觀者／使用者的角色，與建築設計者直接對話。博物館館方中介了這樣的建築設計過程，如此一來，館方所欲傳達的價值，得以透過建築設計的過程形構而成，滿足其在博物館場域中的實質機能需求，以提供其專業服務。但也可能在這個過程中，忽略或簡化了觀眾的需求？

　　其次，如前所述，建築計畫書為設計過程中據以執行的關鍵文件。然而，博物館專業人員是否具備足夠的知識，能夠傳達出從定性到定量的各種確切的需求？舉例來說，需要多少的典藏空間，每個展間所需要的空間屬性特徵與機能條件？對應的面積和尺寸？以及對參觀者最為友善的展間規模與尺度？這其中固然有許多建築設計技術面的專業細節，可以透過既有的技術手冊與量化模型來取得資訊。但更重要的是，在整體建築框架中，對這座博物館建築的期待與想像。既然博物館館方已經成為替代觀眾的中介溝通者，那麼，博物館專業者準備好了嗎？

　　「博物館建築」可說是建築類型中，文化形式表徵最為複雜多元的一種。檢視文獻，針對博物館建築的研究大致可以觀察、整理出三種討論方向：第一類主要是從博物館演進之專業建構發展歷程來討論，特別是環繞陳列與展示概念變遷，及其與建築空間的連動關係，將「博物館建築」視為專業建構中的次領域，是一個人類建造物、營建工程導向的關注與思考。其次，則是將博物館建築設定為滿足博物館機能的空間容器與物質性客體，關注於各項實質設施與空間結構等環節，是否足以執行任務，旁及「環境心理學」（environmental psychology）理論從「人與環境行為」（human and environmental behaviour research）切入觀察，「博物館建築」被視為一個被關注的容器與客體，服務於人類使用的需求，如何提升或確保其使用需求和效率，是機能主義導向的研究取向。第三類則為近年的發展趨勢，關注博物館建築在文化產業中扮演的角色，及其所能帶動都市再生、文化觀光的效應。特別是在全球化潮流中的城市軟實力競逐賽中，許多城市紛紛透過邀請具國際知名度的明星建築師（star architect）來設計名牌（signature architecture）與地標建築（landmark architecture），以期經由都市空間大尺度、區域性都市地景面貌的改造計畫，來創造城市行銷的話題及媒體效應。博物館建築關切的不同範疇所足以衍生出的研究取徑與課題，可參見下表1。

表 1　博物館建築範疇與相應研究主題關係表		
範　疇	研究重心與基本概念	可能的研究取徑或主題
第一類	博物館建築演進之專業建構發展歷程	1. 博物館建築設計 2. 博物館空間規劃與設計 3. 展示空間規劃
第二類	博物館建築設定為滿足博物館機能的空間容器與物質性客體，關注於各項實質設施與空間結構等環節，以及使用者在空間中的經驗感受	1. 環境心理學 2. 人與環境行為 3. 博物館觀眾經驗 4. 博物館物理環境檢討
第三類	博物館建築與文化研究	1. 博物館與城市行銷 2. 博物館與文化引導再生 3. 全球化下博物館建築美學 4. 博物館與文化治理

資料來源：本研究編製。

　　博物館與畫廊（museums and galleries）的建築形式乃是複雜世界一個整合性的局部。不像其他美學物件可以自外於社會脈絡，建築物乃是複雜文化與政治經濟力量中的產物。如此一來，他們乃是整合在這個博物館所創造出來的文化、經濟與政治敘事中。毫無疑問地，博物館與畫廊之建築形式，乃是前述特定社會經濟過程中的物質性再現，而設計實踐則是呼應了社會特定條件，經由實際的使用機能，而創造出其空間形式（Jones and MacLeod, 2016: 208）。博物館早期發展的歷程，曾經與帝國主義和殖民拓展有緊密的相互作用，而被銘刻了「接觸地帶」（contact zone）這個深具殖民反思意涵的名稱，凸顯出博物館具有不同文化相遇交接的場域特徵，是一個讓故事得以發生的舞臺。既提供了歷史發生的場景，也讓歷史在此不斷地向人訴說自身——人們在博物館建築裡相遇的諸多故事，為本書試圖在博物館學領域中，同時關注的建築空間與觀眾經驗的研究視角。

二、章節結構與討論主題

本書分成兩大部分，第一部分聚焦於「博物館建築空間再現與文化治理」，第二部分則以「策展空間與觀眾經驗」為討論核心。

「博物館建築」同時以其所牽動之實質環境課題，以及在建築的象徵意義與文化意涵兩個層面，受到持續的關切與討論。如此一來，當「博物館」作為傳遞「國族國家」意識的政治機構的一環時，該博物館建築之文化表徵即成為賦予傳達此意識形態之實質載體。易言之，隨著「博物館」在文化政策變遷過程中的角色更易，其建築表徵相應地也揭露出這樣的時代特徵。本書第一章從文化治理的視角切入，以臺灣博物館政策歷時性地變遷為討論主軸，檢視不同歷史時期階段，博物館建築如何藉由建築空間表徵，同時傳遞出博物館在社會教育與知識形構過程中的價值——從博物館任務到博物館建築象徵兩個向度的共同作用，實則強化了以傅柯（Michel Foucault）所稱「差異地點」（heterotopia）概念來詮釋博物館的有效性。在這個差異地點中，博物館得以經由空間經驗與場域精神，在既有的展示教育內容中，進一步形塑與強化觀眾的知識學習建構經驗與過程。而這也正是「博物館建築」值得持續探索的諸多課題面向之一。

除了從博物館建築形式與象徵意涵的轉變，來觀察臺灣文化治理與社會變遷外，本章也企圖從時間軸的向度，觀察臺灣博物館政策上的變遷：不論是從最初殖民階段的「臺灣總督府民政部殖產局附屬博物館」、尊崇故國國族正統的故宮博物院、到邁向具現代化意義與文化牧民的博物館建設階段，一直到解嚴後各地積極訴說自身在地文化特性的地方小型文化館，以及全球化與在地化所催生的各縣市政府積極以博物館作為地方文化治理正當性的制度性介入，第一章也試圖提出一個理解臺灣博物館建構歷程的歷史性詮釋，一方面企圖檢視博物館設置任務與建築形式風格的關聯性，同時建構起對臺灣博物館發展歷程的歷史性想像。

同樣關注於肩負國族國家任務的博物館場域議題，第二章的研究個案為中國陝西歷史博物館。這座由張錦秋建築師所設計的歷史博物館，被視為中國改革開放後，具有突破性價值意義的現代化博物館。位於千年古都西安的博物館，一方面肩負著訴說中原歷史文化正統的任務，同時，也需要向世人傳達，中國已經是

個改革開放的現代化國家，表現在博物館的建築形式上，則一方面必須展現中原文化的傳統建築風格，同時表達出現代建築空間機能系統的完善與理性。

因此，第二章採用的研究方法，取材建築符號學的模型作為分析架構。從語言學發展出來的「符號學」，於 1960 年代以降，歷經了相當豐富的理論發展與演繹過程，並且廣被跨學科地運用，成為一個有助於深刻挖掘不同文化深層意義與其結構關係的有效分析工具。挪用卡彭（David Smith Capon）在《建築理論》（Capon, 1999）一書中，以維楚維斯（Marcus Vitruvius Pollio）《建築十書》（De Architectura）提出建築三個範疇：堅固（firmitas）、實用（utilitas）、美觀（venustas），延伸出討論建築形式（form）、功能（function）、意義（meaning）這三項分析項目，再分別以符號學中的「符徵」（signifier）與「符指」（signified）的概念，嘗試建立起對博物館建築的分析性方法。易言之，由於國內針對博物館建築的討論仍相對有限，本章引用建築符號學之理論架構，乃是意圖建構起有助於討論博物館建築的分析方法。

相較於前述以新建之博物館建築及其博物館設置之任務角色的視角切入，第三章與第四章則轉向另一個近年來更具探討價值的課題──舊有或閒置空間／文化資產轉化為博物館的經驗研究。

不論是出於新自由主義架構下，政府部門對於文化投資的縮減，或者是關注於舊有建物再生的環保永續和經濟思維，以及出於對文化資產活用的政策考量，前述三項重要的公共政策與社會發展趨勢，使舊有建築轉用為博物館的案例越來越多，舉世皆然。如此一來，針對舊建築活用為博物館，其所遭遇的具體課題為何？有哪些足以參照的多樣化經驗可以具有啟發性？或者是經驗之間的比較研究？

徵諸臺灣經驗，許多文化資產的活用，往往經驗性地期盼可以轉化作為博物館使用，特別是大量日治時期的公共／官衙建築，以其量體恢宏雄偉，建築精緻優美等因素，廣受青睞，期盼藉由轉化為博物館，經由開放參觀拜訪，讓更多人能夠貼近古蹟／歷史建築。另一方面，正是由於文化資產的歷史性與美學藝術性價值，相對具有較高的文化資本，足以成為地方上具有特殊性與吸引力的觀光景點，支撐地方行銷與文化觀光。基於前述兩個出發點，各地均可以觀察到由文化

資產所轉用的博物館建築案例。

如前所述，建築必然有其基於理性考量被設定的空間機能任務。但普遍來說，較少出現系統性地檢視，這些經由文化資產華麗轉身的博物館，其空間機能的轉化是否能順利周全地協助其完成博物館任務？抑或因為古蹟維護種種法定的限制，導致兩者之間相互牽制，空間難以使用？似乎經常性地聽聞，古蹟被過度地工具化利用，滿足如收取門票等經濟上的需求，而較少看到古蹟如何經由轉化為博物館後，能夠更加有利於傳遞其文化資產意涵與價值的討論。

針對古蹟活用為博物館是否可以善用其社會教育的模式，傳達古蹟建築本身的文化與歷史意涵，研究者已經進行過相關研究，且正向地支持這個假設（殷寶寧，2014）。但從建築學的層次來看，古蹟建築究竟應該如何轉化活用，會遭遇何種問題，應該如何轉用，第三章透過國內外四個不同個案的比較研究，期許能為國內古蹟活化為博物館建築的議題，提供從個案實踐、經驗研究到理論建構等不同面向的參考。

依據廣義的定義來說，「建築類文化資產」也屬於博物館的概念範疇。有論者以「類博物館」的概念來指稱，與歷史悠久的宗教建築，例如廟宇、教堂等等，都是蘊含豐富人類生活軌跡與歷史的場所，再現人們的意念與信仰之際，傳遞文化價值，也記錄過往的集體記憶。

第三章提出的核心概念在於，指定與保存古蹟背後的深層價值在於認可該建築的文化歷史或藝術美學價值，應透過精心規劃的展示與教育方案，讓社會大眾更認識這些建築類文化資產，及其所蘊涵的豐富歷史意涵。亦即，將這些古蹟建築本身即視為博物館展示的一環。然而，與此同時，許多建築本身原本的使用用途與空間屬性，例如倉庫或工廠廠房類建築，因其本身的機能性較強，通常量體較大，內部空間開敞，結構性強，裝飾較少，適於各類的改裝與再利用。因此，也有些被指定的古蹟建築，往往僅視為是提供博物館展示機能的空間盒子時，而較忽略其建築自身的歷史價值意涵。但這樣的古蹟再生為博物館的活用型態，似乎是國內較常見的模式——古蹟建築本身的歷史意涵受到的關注，尚不及於其轉化為博物館的空間機能課題，而這也正是本研究作者所欲強調的論點——期許於古蹟活化為博物館建築之際，古蹟本身的歷史涵構得以被更細緻與深刻地再現與

轉化，否則就顯得僅是一種空間拜物的態度，失去了古蹟指定與活化的價值，損及古蹟的真實性意涵。

　　古蹟建築轉換使用固然面臨其空間機能改變的挑戰。要轉化原有的空間使用模式，有其硬體改造上的課題。然而，同樣地，一座建築從原本的使用機能轉換為博物館，特別是古蹟建築往往在社區生活軌跡中，已經存在很長一段時間了。讓博物館重新以不同的機能和角色，融入在地社區生活，取得人們的信任與興趣，並且願意參與其所提供的各類展示與教育活動，無疑是個相當漫長的過程，不僅無法一蹴可及，更必須持續植入相應的、具想像力的硬體與軟體計畫，以改造該建築空間長期以來在人們心中的形象與價值，朝向更多樣化博物館角色建構。這個不斷跟時間賽跑的文化資產活用與博物館建構歷程，對於長期以來多關切效率與預算執行的文化政策步調，勢必也是個必須不斷調整與磨合的過程。

　　第四章則將古蹟活用為博物館的議題，從建築硬體本身轉而聚焦於觀眾和博物館教育活動的面向——以臺北市新富町文化市場的古蹟活化案例，探討經營團隊如何從原本將日治時期開闢的傳統市場，轉化為在地老社區的新興文化學習場域，透過「市場小學計畫」的構思與規劃，以邀請小學生認識傳統市場為起點，讓人們走進傳統市場、貼近社區，從一座老市場的空間結構性轉型，朝向一個以軟體營運、展示講座、體驗學習、社區共學為主的文化資產場域。本章甚且提出一個類比性的觀點：社區的菜市場就如同社區的博物館一樣，承載地方記憶與故事，也展現地方的經濟活力，記錄在地生活軌跡，與社區步調緊密結合；而透過菜市場生活空間的點滴精彩，轉化為博物館鮮活展示的主題，邀請社區居民得以自我詮釋其日常生活，重新思考地區博物館如何轉譯在地生活各種文化符號，以及作為其他博物館教育體驗活動的規劃參考。

　　從第四章的在地社區與居民體驗的視角出發，第五章到第八章的內容從博物館建築的硬體議題，轉為聚焦於軟體與空間體驗面向。

　　「非營利」、「常設」、「推動教育」可以說是描述博物館的諸多定義中，具有共識的幾項重要特徵。所謂「常設」的概念，凸顯其不僅具有恆常的組織成員、預算與相對應的規章，以支撐其得以順暢地執行日常事務之外，有著不輕易變動且定著的建築物空間，乃是確認其穩定常設的關鍵要素。反過來說，舉辦各種特

定期間內的特展或活動，則是在博物館機構恆常穩定中，持續性地創造各種變化與彈性的要素。雙年展、三年展等等具備了既是伴隨博物館與美術館機構的特展，也屬於特殊的「事件」（event）；而這樣的模式也可能被挪用為特定期間的展會模式，例如世界博覽會、花卉博覽會、各種設計展會或文件展等等。

　　「展示」固然為博物館內重要的活動類型之一，甚至可以說是博物館空間中的主角。博物館透過展覽和觀眾溝通與互動。透過跟觀眾說故事，經由對展件的詮釋，創造跟觀眾之間雙向對話。然而，當這樣的展示活動變成特定的文化或節慶事件，且從固定空間場域的活動，轉為以期間限定、限於特定空間場域舉辦時，由誰去搭建起這樣的舞臺？在這些特殊的場域中，又會有何種不同的故事發生呢？

　　第五章以 2015 年在義大利米蘭舉辦萬國博覽會，以及 2016 年倫敦設計展這兩個特定時空場景，闡述臺灣團隊積極透過策展行動，意圖讓臺灣透過文化和設計，和世界交朋友。如同「接觸地帶」這個概念所寓含的不均質關係，以及傅柯所謂「差異地點」的批判性視角──意圖透過藝術策展來訴說臺灣文化主體性過程，正如同一面鏡子，照見我們如何看待自身，如何將自我想像投射於展示物件中，訴說一個自我想像中的臺灣文化主體與其間的認同政治。

　　第六章同樣聚焦於策展的議題。但刻意挑選的展覽主題與展館，一方面意圖凸顯當前展覽主題的走向趨勢；同時，則是融入了以展館本身的所在政治，探討展覽空間與文本的概念。

　　環境永續的課題為全球共同關注焦點所在。所謂「全球在地化」的概念，透過在地環境條件與生態特徵，乃是最直接的表徵。然而，當引入殖民記憶中的博物館知識，並且加上藝術家的美學詮釋之後，這些故事如何透過美術館的展示空間來重新構成與觀眾共鳴的展示文本？更進一步地，當展覽安置於曾經在 921 大地震受災後重生的鄉村地景間精緻展館裡，環境智慧的在地話語，又是如何融會於藝術家對物件、標本和影像複製的詮釋中呢？借用展示空間與文本的概念，本章意圖將展示與物件思考，置放於博物館展示空間，以及博物館所處更宏大的環境場域中，思辨人類在廣袤生態中，如何思索自身所在何處，如何回應於生命經驗與群體記憶。在此，博物館建築與空間獲得了更為深遠的想像視角，其定義也得以透過展示空間與文本再次拓展。

第七章與第八章處理博物館的觀眾經驗。當博物館不再只關心物件，而著眼於人的經驗與感受之際，「觀眾經驗」成為博物館學的要角。檢視本土博物館觀眾研究特徵，早期多聚焦於學齡兒童，近年來則以樂齡、銀髮、包容、共融、無障礙、平權、新住民等角度切入，持續關注個別特定族群，及其可能的博物館經驗與需求。但研究者在此提出的觀察為，大學生族群與博物館的經驗，似乎是較少受關注的面向。相較於學齡兒童乃是被要求、被指定，或者是被帶去校外教學，教師與照顧者，扮演著引導其知識學習與體驗的角色。但對大學生群體來說，即使仍然可能面臨課業教師指定作業的情境，但大學生屬於可以獨立思考與行動的主體，更是相對有選擇權的消費者。這群學習者／消費者如何看待「博物館」、擁有何種博物館經驗，不僅攸關於這個群體的知識學習過程，以及文化消費體驗經驗，也可能決定了他們如何引導自己的下一代，是否貼近博物館的關鍵因素。

相較於博物館觀眾研究多採取量化取徑，第七章是以訪談建構起來的大學生博物館經驗圖像。研究中引用博物館學者佛克（John Falk）所提出的五類博物館觀眾分類範疇為討論基礎，並針對臺灣大學生參觀經驗研究所得，重新調整這個分類架構。同時，再加上觀光遊憩研究場域中，探討消費者經驗的分析指標，以及行銷管理中評估服務品質的分析方法等，建立一個從三維視角來解析的大學生博物館經驗。一方面，建立起對臺灣大學生參觀博物館經驗的初步理解，另一方面，也意圖在研究與分析方法上，建立起更具分析性的理論架構。

第八章對於博物館經驗的個案研究，則聚焦於特定場域中的市民經驗。本書的核心探索概念聚焦於博物館建築。然而，除了建築本身與其身處的文化社會即歷史脈絡密不可分，建築本身亦牽動著其所處城市空間與發展。舉凡城市歷史、城市行銷、都市再生、古蹟活化與街區經驗等，均屬於博物館建築所牽動的外在脈絡。如何以博物館作為在地品牌建構、城市行銷、古蹟活化、都市再生的輻輳點，在西班牙畢爾包的古根漢博物館的傳奇故事之外，我們是否可以有自己的博物館與城市對話經驗的故事可以訴說？

本書最後一章取材於臺南市美術館的經驗。這個年輕的美術館，來自於臺灣的文化古都，分別以古蹟活化和邀請明星建築師打造名牌建築的兩個模式，呼應

古都意象，同時帶來嶄新的建築美學。那麼，對古都的市民記憶來說，這樣的兩棟美術館建築，具有何種都市空間的意義呢？市民的博物館經驗，如何來詮釋他們自身的城市空間記憶呢？

針對臺南市美術館的研究期間，正值全球新冠疫情的高度警戒狀態中。因此，以邀請市民受訪者撰寫其「環境自傳」作為資料收集與研究切入的方式——即經由引導，邀請受訪者寫出對臺南市美術館的空間經驗與參訪感受。特別是立基於參訪者自身的市民記憶，如何看待美術館與地方場所精神的改變，以及市民對城市歷史的詮釋視角，是否有助於我們重新理解一座美術館在城市文化治理中，所可能挖掘出的故事與意義？

本書挑選與探討的案例，以博物館場域近十年來的幾項重要發展議題與趨勢，扣連於博物館建築、博物館展示與觀眾經驗這兩大研究主軸。從理論概念出發的探索，期許於能夠更深切地掌握博物館研究相關議題。從現象出發，則意圖在研究方法的層次，找尋更多具臺灣在地特性的博物館發展與探索視角，並期許於引發更多對話，共同貢獻於博物館這個如此引人入勝的繁花盛景之域。

博物館是生產與傳遞知識的所在。博物館建築與空間場域共同承擔了這些任務。「展示」的視覺主導體驗過程，慣常地被認知與期待為知識流動的核心，並循此凝結出策展政治及其實踐批判的新興論述場域。博物館建築空間生產根植於社會、文化、歷史、政治與經濟各個面向的共同交織，自然也會因此而從建築與空間生產促成博物館的改變。

本書以知識及展示的重構過程為思辨所在。博物館建築與空間生產為切入的知識路徑，以觀眾經驗與策展論述觀察，總結為階段性的紀錄及反思。

本書的完成感謝過程中提供各種協助的同事、共學者、受訪者與組織，嚴謹的學術審查者專業交流，以及巨流出版社團隊的專業支持，更感謝毓繡美術館、國立臺灣博物館林一宏博士、國立臺灣文學館蔡沛霖研究員、饒祐嘉博士提供的精彩照片，為本書發揮畫龍點睛之效。

個人階段性的研究產出，隨著光陰流逝，持續跟歷史對話著，也面對時間的淘選與檢驗。期許持續擁有接受挑戰的能量，並邀請更多的對話與討論。

參考文獻

李峻霖、莊亦婷（2016）。《建築計畫：一個從無到有的設計思考過程與可行之道》（2版）。臺北：五南。

殷寶寧（2014）。〈以博物館為方法之古蹟活化策略探討——淡水古蹟博物館觀眾經驗研究個案〉，《博物館學季刊》，28(4): 23-53。

Boast, R. (2011). Neocolonial Collaboration: Museum as Contact Zone Revisited. *Museum Anthropology*, 34(1): 56-70. https://doi.org/10.1111/J.1548-1379.2010.01107.X

Jones, P., & MacLeod, S. (2016). Museum architecture matters. *Museum and Society*, 14(1): 207-219.

第一部分
博物館建築空間再現與文化治理

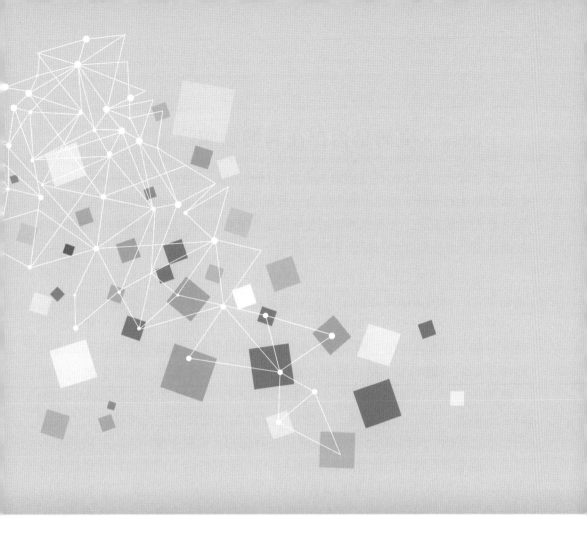

臺灣博物館建築形式與
文化治理變遷歷程

知識展示重構：博物館建築空間與觀眾經驗
Reconstructing Knowledge and Exhibition: Museum Architecture, Space and Audience experience

一、前言：臺灣是否存在著博物館政策？

從全球文化政治的尺度或國內社會發展的角度，「博物館」都是個日益重要且受到關注的主題。然而，國內的文化政策及其思維，是否有明確的博物館政策呢？歷史性地來說，臺灣的博物館發展與建制歷程是個什麼樣的樣貌？博物館發展與臺灣社會整體變遷的關係又是什麼呢？

張譽騰依據政治與社會的不同發展階段，將臺灣的博物館政策區分為「日據時期」、「國民黨威權時期」、「民進黨主政時期」，以及「當代民主思維」與「消費者導向」五個不同時期。這些不同時期文化政策反映出來的博物館特徵，承載了日本的殖民主義、泛中華文化精神的主張、臺灣本土文化與消費社會等不同的意識形態，使得過去百餘年來，從「去日本化」、「去中國化」到「臺灣化」與「消費者行銷導向」成為國內博物館發展的主題（Chang, 2006: 68；張譽騰，2007）。張譽騰的分析點出了臺灣博物館政策的曖昧不明。其他研究者也有類似的觀察。朱紀蓉以較為長時間的、宏觀角度切入，主張國家力量介入是主導臺灣博物館發展的關鍵性作用，迥異於西方國家博物館發展的多樣起源，也非屬於上流社會階層累積文化資本的場所（朱紀蓉，2014）。羅欣怡雖然也循著前述張譽騰（2007）的觀點，認為博物館事業是不同時期文化政策的倒影（羅欣怡，2011：4），但其認為，文建會成立，代表臺灣文化事務的積極開展，博物館相關政策也漸次依序展開，1990 年代後，為臺灣博物館的快速劇增與政策多樣變動的階段（羅欣怡，2011：1）。接續著 1990 年大量浮現且加速發展的博物館事務，蘇明如（2011）將國內博物館治理典範精神移轉區分為殖民主義、國族主義、現代主義與社區主義四個時期與歷史階段的軸線，但進入 21 世紀後，則是多元文化的時代，開啟了臺灣地方文化館的文化政策，其關切 2000 年之後整體趨勢的轉變，將研究聚焦於地方文化館的討論（蘇明如，2011）。慕思勉以「異質地方」（heterotopias）的概念切入，主張臺灣進入 1990 年代後，各地紛紛浮現的博物館發展潮流（慕思勉，1999）。

前述這些研究共同勾勒出臺灣博物館發展史的圖象是——進入 1990 年代後，博物館發展的課題才較廣泛受關注與討論，不論是官方文化政策，或民間主張以設置博物館或文物館作為社區（群）在地歷史保存手段的眾聲喧嘩。然而，

這意味著臺灣在 1990 年代前沒有博物館的設置嗎？答案當然是否定的，那麼，究竟在此之前的博物館發展史的圖像為何呢？我們可以如何拼湊出更具有歷史想像的理解呢？

文化部官方網站中對博物館政策的摘要描述：

> 「隨著時代的演進，人民知識水準的提升，社會對博物館的需求日益殷切，近年來各種類型的博物館亦陸續設立、興辦。建立良好制度，確保博物館提供專業、優質的服務品質，透過政府對博物館及其從業人員的輔導與管理，使得臺灣的博物館在質與量上都能有優異的表現，並促進臺灣博物館兼顧深根泥土、重視文化平權、邁向國際，帶動博物館事業發展，乃為博物館業務的施政重點。」[1]

這段簡要文字描繪的博物館文化政策可以再延伸出幾個問題。首先，人民知識水準的提升，致使社會對博物館的需求增加，此足以成為官方積極介入博物館發展的主因？「博物館」向來被視為促進與提升知識教育的機構，這個命題推導出「社群集體知識水準」與「對博物館的需求」兩者之間的因果關係，值得詳加剖析。其次，博物館及其從業人員的「輔導與管理」被文化部視為官方介入的主要任務？這裡所謂的輔導管理指稱的是經費上的補助與扶持？協助其發展？或者是一種管理與控制呢？第三，深根泥土、重視文化平權與邁向國際，為博物館施政的重點與政策目標。換言之，強化對本土文化的關照與再現，以博物館作為文化平權之表徵，與全球化文化競爭的基地，為現階段博物館文化治理的核心思維。相較於前述不同研究者歷時性地，試圖以較為宏大架構來觀察與闡述臺灣博物館發展趨勢與變化，以及引導不同歷史階段政策施為的意識形態作用，官方博物館政策描述顯然缺少了歷時性向度的論述，雖然形同確認了過往博物館文化政策的低度發展狀態，而這亦指向了新的政策與治理範型浮現的真實。

本章提出的假設是，將博物館建築視為承載了文化治理軌跡的物質性存在，藉由分析各個時期不同博物館建築文化形式的表徵，揭顯不同歷史階段之

1　資料來源：文化部官方網站，取自http://www.moc.gov.tw/business.do?method=list&id=14，檢索日期，2014. 06.13。

意識形態，如何透過空間符號的表意系統作用於博物館建築，為博物館機構的自我表徵，且凸顯銘刻於其上的文化治理軌跡，及相對應的社會變遷歷程。建築符號與象徵為社會文化歷史作用的表徵，其空間生產過程同時在物質、社會實踐與想像層次運作，有助於解析社會變遷與各種動態角力關係。換言之，雖然歷史性地來看，戰後臺灣長期缺乏明確的博物館文化政策，但興建或發展博物館事務的文化治理實踐並未稍歇，於拼湊翻找史料與重新詮釋歷史演進之間，博物館建築提供了詮釋與想像博物館文化政策的一種切入角度與物質性。

更進一步地，博物館建築屬於公共建築，特別是由政府興建的公有博物館通常具有高度視覺化與地標建築的特性，加以臺灣戰後初期經濟的發展，公共建設與建築產業投資有限，「博物館建築」成為少數公共建築類型代表之一，經常也構成觀察每個歷史階段建築風格演變的典範性個案，為討論戰後臺灣建築發展史另一個側面，此建築空間文化演進的特徵，提供解讀國內博物館發展歷程的不同線索。

二、文化政策、文化研究與文化治理中的博物館建築

相較於布迪厄（Pierre Bourdieu）及其團隊進行的博物館實證研究討論觀點，論證博物館乃是凸顯不同階級美學品味（distinction）與文化資本（cultural capital）的重要場域，其所牽動的經濟資本（economic capital）、社會資本（social capital）與社會空間（social space），為再製（reproduction）其社會階層的重要機制之一（Bourdieu and Passeron, 1977; Bourdieu, 1984; Bourdieu, et al., 1990），主流對博物館文化政策的思考與討論，雖然仍多停留在將「設置博物館」視為一個國家、社會提升其人民文化水平之機構化、自由主義式的觀點；近年來逐漸意識到將其納入文化政策的思考，視博物館為文化治理之場域。

布迪厄與其團隊的批判性觀點，試圖處理個別主體實踐與社會結構條件客觀決定之間的緊張，即建構主義（constructivist）與結構主義（structuralist）分析觀點的交疊（Wacquant, 2008），如何從日常生活物質向度的實踐，經由習癖

（habitus）、資本（capital）、場域（field）等概念切入，建立跨越實質行動者施為和抽象價值的分析。布迪厄開啟從表意系統到日常生活慣習間的接合，即從意識形態產製運作及其操作軌跡、社會主體如何擺脫結構性的限制與束縛。文化研究（cultural studies）學術場域中也從過去較為關注符號、表意系統、文本、再現與意識形態和霸權批判等上層結構的論述模式，開始浮現應將「文化政策」（cultural policy）帶入文化研究討論場域的論點，這樣的轉向大致可以含括了四個理論軸線與批判觀點——首先，文化研究經常被質疑過於強調意義與再現層次，缺乏物質實踐的關切；其次，文化研究場域過於強調意義與象徵層次之外，過度擴張消費者民粹的後現代主義觀點，經常可能陷入相對主義的樂觀論點，缺乏批判與反省能力；故此，是否可以透過「公共領域」（public sphere）的概念來接合文化研究中多元主義的主張；而延續傅柯的治理之術的論點，是否可以在文化政策中引入文化研究與治理性的思考，成為近年來文化研究場域的討論焦點之一。

學者麥克古根（Jim McGuigan）以「文化民粹主義」（cultural populism）提出對文化研究場域的批判（McGuigan, 1992）。麥克古根認為，後現代差異政治雖日益消融文化的雅俗之分，但過於耽溺於堅信閱聽人均有主動產製意義和抵抗意識形態能力，則不啻為所謂「消費者主權」（consumer sovereignty）意識形態的共犯。以布迪厄的文化與社會資本觀點來看，文化研究似乎過於誇大了閱聽人拆解意識形態的能力，忽略其資本能力可能因著其性別、種族、階級、年齡而有完全不同的資源條件。失去文化價值（cultural value）的理念，這些意義及訊息的消費者與閱聽人，是不具有批判消費文化能力的（McGuigan, 1996: 177）。

哈伯瑪斯（Jürgen Habermas）等人以馬克思主義的另一個知識資源出發，試圖從現代性（modernity）、理性（reason）與民主（democracy）價值切入，以「公共領域」作為一種「理想溝通情境」想像。公共領域代表一個中介於市民社會（civil society）與國家機制間的空間，是公眾進行自我組織與「民意」形成所在，眾人得以在此領域中發展自己，介入社會發展方向的辯論，在這個理想語境進行各類的真理宣稱（truth claim）（Habermas, 1989; Barker, 2008: 455）。

雖有論者質疑，以平等對話為基礎之溝通關係的公共領域概念是否確實存在，特別是許多社會群體是否掌握同等機會或取得任何對話資源，以及不同群體間，是否能建構出單一的公共利益（the public good）主張，均屬不爭的社會真實；進而主張應以「多重公眾」（multiple public spheres）來取代單一的公共概念，這些積極尋求平等對話的多重公眾，正是反對單一主流觀點的反公共領域（counter public spheres）（Fraser, 1995）。然而，公共領域的概念乃是與自由主義架構下的多元民主相互支撐的，在自由主義的架構下，包含民主、正義、多元等等原則為其讚頌和維護的價值，也因此可以接合上文化多元主義與文化平權，得以從此邊界介入國家和政府管制與政策的場域。在哈伯瑪斯所架構的公共領域溝通想像中，「博物館」作為一個傳達公民意識、大眾教育的現代性機制，自然成為多元價值與差異得以對話的理想場域。雖然此處仍隱含過於理性、理想與避免了衝突與矛盾溝通情境、溝通資源差異的假設，但相較於布迪厄關注於階級品味的區辨，以及博物館如何扮演社會中結構性的、特定階級社會關係的文化再生產角色，哈伯瑪斯的公共領域想像，凸顯讓價值辯論有其場域存在的必要性及價值。

　　學者班奈特（Tony Bennett）積極主張應該將文化政策的討論引入文化研究場域中（Bennett, 1999）。班奈特一方面援引葛蘭西（Antonio Gramsci）的霸權理論（cultural hegemony），及其對意識形態、贏取同意（consent）與共識（commonsense）、有機知識分子（organic intellectuals）等主張的分析（Gramsci, 1968），發現不僅這些概念均落在抽象的意識形態層次，而知識分子為了要能夠取得領導權，必須發展出具體的對抗技術與知識，特別是對應於哈伯瑪斯公共領域與民主的理想圖像，班奈特主張，當代的後現代文化已全然地融入於管制與實踐過程中，而透過這些管制與實踐過程才可能召喚出民主。即為了要達致民主、提升市民的生活品質，對政府管制與政策，及其治理技術的討論已無可避免，對文化的分析、或所謂的文化研究勢必須完全地涉及這些管制與政策中。

　　為了避免如葛蘭西霸權理論聚焦於意識形態層次的討論，班奈特引用傅柯的觀點，特別是關於國家權力與治理術的討論。班奈特對傅柯（Foucault, 1991）概念的運用乃是建構在一個根本的信念——即政府主義已經滲透到整個文化，貫穿

整個意識形構、分布與消費過程中，正是這個過程的機構與物質效果必須成為文化研究的核心。治理的概念不僅強調制度性的政府機制，更是關於治理、管理與控制的無所不在。班奈特提出以政策為基礎的文化研究呈現出下列幾個特徵：（一）聚焦於機構與機構實踐。（二）認知到文化研究乃是運作於教育機構內，這些機構並轉而成為政府與治理的工具。（三）文化研究存在於治理性架構中，涉及了特定的管制實踐。（四）當各種權力技術透過機構實踐時，文化研究會質疑各種權力技術（Bennett, 1999，引自 Lewis, 2002: 428）。

「文化治理」的概念含括權力體制與其運作的實質操作面，以及在意義與再現層次，面對價值的變動與挑戰——文化治理的概念企圖同時處理政府部門與機構官方政策與管制、市民社會中不同作用者的施為、以及治理組織網絡化的複雜狀態，將文化治理視為文化政治的場域，是透過再現、象徵、表意作用來運作和爭論的權力操作和資源分配，與認識世界和自我的制度性機制（王志弘，2003：130；殷寶寧，2013：9）。

循著既有體制文化政策的軌跡來看，博物館與古蹟保存可以稱得上是探討文化治理最為典型的場域，因其不僅涉及政策法令等組織體制層面，也牽動市民社會對文化資產與社會教化的象徵意涵的競逐，更捲動著從個體到社群之集體記憶層次的文化認同政治（殷寶寧，2013：11），加以前述從培養國族精神、公民素養到維護傳統的價值，在博物館與古蹟維護等政策想像中，開始浮現美學化的傾向而逐漸被新自由主義論述框架與市場價值論述所取代。「文化治理」概念成為本章書寫採取的分析與觀察視角。

在當前文化全球化的時勢潮流中，「博物館」經常被視為全球城市競爭的美學象徵符號，是重要的都市象徵，因此，將博物館建築的空間生產過程，放在都市層次的建築符號分析更有其必要性：建築具有實用性格為其內在本質，但在都市生活與都市景觀中，廣大的人潮流動與意義產生的過程，並不必然涉及建築的使用，反而是建築的形式及其象徵層次呈現出的意涵，其所創造的視覺與美學化經驗，成為分析都市景觀與博物館價值時無法忽視的主題。

如前所述，治理概念意圖同時掌握意識形態及意義生產，以及實質機構權力運作的軌跡，故本章研究對象設定從「博物館建築」來討論臺灣的博物館文

化治理過程，討論重心置放於從建築的文化形式及其空間生產，進行意識形態與文化政策發展軌跡的分析。聚焦於「建築」這個實體的、物質的向度，除了「博物館」在「物質文化」（material culture）層面寓意的人類歷史文明結晶化表徵外；「建築」同時具備了物質的實體、以及抽象的象徵兩個不同層次，即在這三個向度上，博物館「建築」滿足其被設定的機能與實質需求；在美學、藝術、技術層面被賦予承載、傳遞人類智慧結晶的深刻期待；「博物館」這個組織與機構，經由實質建築營造來滿足高度專精的需求，貫徹保存文物的任務，同時在空間形式表徵層面，傳遞出博物館文化設施欲與社會大眾溝通的內在意圖，特別是置放於官方所設置之博物館脈絡來看，博物館建築是執行官方保存文物、貫徹國家意識形態教化歷史性計畫的實質載體；博物館建築的文化符號一方面承載這些價值的傳遞，同時，觀察博物館建築空間文化形式的轉變軌跡，則成為檢視文化治理變遷的實質線索之一。

三、文化政策分期與本研究的呈現

討論任何歷史性的課題均必然碰觸歷史分期的問題。前述雖提及，臺灣戰後並沒有清晰明確的博物館政策主張。然而，比對相關研究對臺灣文化政策所提出的分期概念，仍可作為本章書寫推演之參考依據。

戰後以迄於 1981 年設置文建會經常被視為臺灣文化政策之肇始（郭為藩，2006）。文建會成立之前，較為關鍵的作用力量包含：如何摒棄日本殖民化的歷史作用，以及對應於中國 1966 年「文化大革命」的「中華文化復興運動」，為牽動戰後文化政策發展走向的兩大線索。李亦園、陳奇祿兩位先生在討論臺灣的文化發展階段時，將歷史的觀照點拉回戰後。李亦園的分期觀點將 1945-1950 年視為摒棄日本殖民文化、重建中國文化傳統的階段；但下一個階段，1951-1966 年則是為切斷與中國母文化的連帶，而逐漸形成自己的文化與生活傳統的時期（李亦園，1985）。陳奇祿則主張，1945-1965 年為光復初期的文化政策發展階段，而並未多著墨於日本殖民文化、中國和臺灣之關係。但 1966 年均為這兩位主張的文化政策萌芽期，官方開始有了積極作為介入文化活動中。楊式昭對於臺灣戰後重要文化政策之觀察，也抱持同樣的看法，將 1966 年視為「文

化政策的萌芽階段」。相較於 1981 年文建會的正式成立，被陳奇祿與楊式昭稱為「文化政策的實施期」，1977 年起所提出的國家十二項建設方案，到 1981 年則被稱為「文化政策的規劃期」。不過由於這些討論時間停留在 1994-95 年間，故文化政策的規劃期的下一個階段僅簡略地被稱為「文化政策的實施期」（楊式昭，1999；洪玉菇，2004）。

　　另依循著政策思想脈絡的分期觀點，則是區分為殖民主義（1895-1945）、國族主義（1950-1970s）、現代主義（1980s）與社區主義（1990s）、公民主義（2000 年以降）（陳其南、孫華翔，2000；張譽騰 2010）。另一個類似的分期與命名則為國族主義、中華文化復興運動階段（1966-1970 年代）、現代主義階段（1980 年代）、去中心化階段（1990 年代）、文化創意產業時期（2000 年以來）、2005 年所提出來的文化公民時代（揭陽編，2006）。

　　前述兩組主要的分類概念中，第一組乃基於政府組織架構的施為，第二組則對應於政府治理所承載之意識形態主張，若再加上本章所關切的物質面再現，即以博物館機構作為承載這些組織機構化、意識形態作用的具體物質呈現，以期讓臺灣的博物館文化治理軌跡可以拉出第三個向度的觀察切面，故本章提出的博物館文化政策分期區分為：（一）殖民時期的博物館開端。（二）戰後確立統治正當性的國族主義階段。（三）邁向現代化的博物館建設時期。（四）地方分權與在地主體建構的博物館多元分化現象。（五）全球化與在地文創化的博物館化趨勢。每個階段大致以相關的社會歷史與文化脈絡來對應其時間軸範疇，特定時空條件作為論述與詮釋建築空間文化形式之基礎，詳盡內容於下節闡述。

四、臺灣博物館發展歷程概述

　　依循前段試圖勾勒出的文化政策發展的分期，及其與臺灣博物館建置的關聯，本節依序進入每個歷史階段的討論。圍於篇幅限制，每個階段僅選取其代表性或說明性的博物館建築案例來分析，但這並非意涵著以特定的、個別案例作為一種全稱式（holistic）的描述，或以此作為論斷歷史的全視性（panoptic）觀點。相反地，本章試圖以這些個案的討論，作為拼湊歷史的一個物質性的片斷，或建構出一個可能的詮釋視角。

（一）從殖產到順民的日據時期殖民地博物館

根據陳其南、王尊賢（2009）的研究，臺灣第一座私人博物館，應屬馬偕博士來臺灣醫療傳教時於淡水設置「理學堂大書院」（即現今的真理大學校園內國定古蹟牛津學堂）。受當時西方博物學影響，馬偕藉著在臺灣北部四處行腳，行醫兼傳教的過程，同時採集與認識臺灣各地的花草植物、蟲魚貝類，收集原住民的器物，以及從加拿大引進如顯微鏡、地球儀、望遠鏡等現代科技器具，設置於其學堂空間內，作為其當時訓練傳教人才、傳遞學生知識，開啟民智的教材之用。雖然這個博物室的規模不大，但以其個人之力持續累積的能量，已充分展現博物館具有之典藏、研究、保存與教育等功能。而臺灣第一座公共博物館則是 1901 年出現在臺南，當時為日本統治臺灣的第六年，日人在臺灣各項事業尚未展開，學校教育制度亦未普及，但卻已有在臺南設置博物館的構想（陳其南、王尊賢，2009：39），依據日人所頒《臺南博物館規程》記載之設置功能：「**本館蒐集古今中外物品及圖書記錄等，以供一般民眾縱覽，啟發智識，並以誘助農工商業之進步為目的。**」（陳其南、王尊賢，2009：49）19 世紀博物館的發展演進，與國族國家（nation state）的逐步形構緊密相關，博物館作為對推動一般社會大眾教育的機構，以期提升國民整體水平，建構出可茲產生集體記憶與認同的溝通過程。但放在殖民地的角度來看，尚增加了「**誘助農工商業之進步為目的**」──知識的傳遞與提高人民素質之外，創造更佳殖民地經濟利益為殖民者關切所在。故早在 1897 年，日人宣布要開設「物產陳列所」，說明日人據臺時即已有利用商業展示來發展產業的想法，這種物產或商品展示與後來的博物館設施，經常交混出現（陳其南、王尊賢，2009：48）。由於 19 世紀後期的世界博覽會、商展與貿易，以及博物館等發展模式均仍屬起步階段，而有許多相互重疊或類似的軌跡，但這些現象亦可說明，何以後來的「總督府博物館」隸屬於殖產局，而非我們現在所熟悉的教育體制。

臺南博物館於二次大戰期間毀於美軍的轟炸而不復存在，故現今對日治時期最初且延續至今的殖民博物館記憶，多以目前臺北市館前路的「國立臺灣博物館」，即昔日的「臺灣總督府民政部殖產局附屬博物館」為首。1908 年，為擴大慶祝鐵路縱貫線全線貫通，總督府欲配合一連串的活動舉行盛大通車儀

式，包含籌備宣傳臺灣建設成果與各項產業縮影的展覽。原本短期性的展覽活動規劃與籌備雖漸次進展，但限於經費，無法覓得理想展出場地，適逢一棟原欲作為發行彩票的建築物，因政策轉向，即將完工的建築物頓失需求功能，幾經多方討論，最後以「設置博物館」之用獲得共識，臨時性的展覽計畫改為朝向設置為永久性機構，遂演變成為今日所見，臺灣最早設置的「臺灣總督府民政部殖產局附屬博物館」，後於 1915 年遷入現址的新建建築中。

　　從現今的國立臺灣博物館的建築來看，基本上乃是承襲 19 到 20 世紀的博物館建築風格。19 世紀後期至 20 世紀初，科學與技術的進步，工業化與大量生產模式的出現，以及近代考古學的發展，對博物館發展產生重要影響，博物館逐漸成為一種專門的建築類型。受當時古典建築樣式復興風格，及歐洲宮殿式建築影響，其建築平面多呈現典型「日」字型或「田」字型，外觀為古典建築柱廊樣式。1830 年申克爾（Karl Friedrich Schinkel）所設計的柏林博物館舊館（Altes Museum）被視為博物館建築之原型，曾被廣泛地模仿（蔣玲，2009：14）。國立臺灣博物館即屬沿襲此博物館建築類型的典型案例。這座原址為臺北大天后宮的博物館建築，其建築外觀仿希臘羅馬建築的古典主義樣式，以柱廊、山牆、穹頂等建築元素，加上穩重對稱的空間格局，凸顯該時期博物館的設置之殖民教化與追求近代化之「文明進步」的建築意涵。其興築時期除日本正積極西化、以高度紀念性、儀典性的建築風格來傳遞帝國主義的威儀，放在現今的歷史脈絡來看，讓臺灣從 20 世紀初期，即接軌上了當時全球的博物館建築熱潮，展現出殖民現代性（colonial modernity）時代特徵。

　　這棟建築以「博物館機構」的存在，執行博物館的物件展示與教育功能，於空間文化形式的意義層次來說，對內乃是殖民帝國進行殖民地人民的教化馴訓、對外展示其帝國之壯盛威儀、以及具有現代化、文明化的符號。選擇以古典建築樣式寓意希臘羅馬建築代表人類亙久的文明象徵價值外，日本這個「年輕帝國」更挪用古典建築的外觀實體，搭配山牆、柱廊、拱頂、對稱式的平面配置，以館前路對應臺北車站的軸線端景等空間格局，以都市中心性軸線作為表徵殖民帝國威儀大道的現代化都市核心意象；除此之外，這座外觀古典主義風格、實則是日本近代化歷程的鋼筋混凝土造建築，以現代主義機能觀滿足博物館專業在展示、教育的功能，以現代建築手法服務殖民地的博物館空間需

求。這座博物館成為見證臺灣經由殖民邁向現代性歷程的具體物質表徵，明確傳遞出統治權威所欲架構的文化治理企圖。

（二）確立統治正當性的國族象徵博物館：故宮博物院與南海學園

以博物館建築的空間文化形式表徵符號，作為確立統治威權文化象徵、建立統治正當性的做法，在國民黨統治時期可說是與日治期間如出一轍。

國民黨接收臺灣，在國家經濟困窘的 1950 年代，南海學園的建制工程在1955 年起陸續完成，包含將日治時期「商品陳列館」重新改裝為中國宮殿式建築的「歷史博物館」，收藏來自河南博物館的珍貴中原文物藏品；日治時代的「建功神社」則變身為「中央圖書館」；園區內其餘文化設施與建築，包含藝術教育館、教育資料館、科學教育館等陸續新建完成，其中仿照北京天壇樣式建築的「科學教育館」成為園區的亮點與代表性建築[2]，論證當時文化政治如何透過中原沙文主義的文化表徵來再現自身，更是一個透過博物館的建構來取代前一階段日本殖民統治權威的文化治理實踐。

1965 年臺北外雙溪新建的故宮博物院現址，同樣採取中國北方宮殿式建築樣式而興建的龐大建築群。興建臺北故宮博物院時，雖然採取公開競圖的途徑，但當時獲得首獎的作品因未能展現中國傳統宮殿建築樣式而遭到當局撤換[3]。此建築文化形式的刻意操作過程同樣論證了在這個歷史階段，建設「博物館」的文化政策在臺灣文化政治扮演的角色。

從這個階段主要的博物館建築來看，南海學園建築群中的歷史博物館、舊科學教育館、故宮博物院三棟建築共同呈現的一致性，在博物館建築物的外觀形式層次，均以中國北方宮殿式建築表徵其空間文化形式，以博物館外觀作為承繼中華文化正統的表現。例如故宮代表古典中國帝王宮廷的統治者權威形象，而舊科學教育館的外觀造型仿造北京天壇，則為君王祭拜天的神聖空間所在，紅色柱

2　科學教育館在遷建士林後，原址建築物以其獨特的建築樣式風格指定為臺北市市定古蹟，將再利用為臺灣工藝研究發展中心。

3　當時故宮博物院的建築設計以競圖方式產生，原本由王大閎獲得首獎，但因蔣介石不滿意王大閎的設計過於展現現代主義建築風格，而改由黃寶瑜設計的宮殿式建築方案替代。

廊、重簷廡殿、雕梁畫棟、斗拱柱頭等等，以這些具體的中國傳統建築細部與構件，提供其外在形式作為中國古典文化傳承的想像、複製與轉化。舊科學教育館仿擬北京天壇天圓地方的支配性視覺意象，隱喻科學知識上通天文下知地理，更加凸顯這個時期的博物館建築隱含統治者以文化治理來統攝知識與科學的意圖。

　　在舊科學教育館與故宮的建築表現上，其雖然均作為博物館、科學教育館使用，但在功能的層次，除了臺灣在邁向現代化的進程中，擺脫過去殖民地的情境，具有設立表徵自身文化的博物館機構，且這些北方宮殿式建築均係以現代的鋼筋混凝土材料工法興建，雖然看似以中國古典建築來表現「故國情懷」，但實則同時具有邁向現代化的意涵。再從意義的面向來觀察，戰後窮困而百廢待舉的「中華民國在臺灣」，以建立博物館、科學館的文化設施，作為走向現代化國家社會的具體指標。這些以帝王宮殿式建築的符號，以高聳的量體展現威權統治國家權威的震懾與崇高——仿中國宮殿建築樣式的故宮博物院[4]，以現代建築的材料與工法，複製出封建帝國王朝的宮殿建築形象，固然呼應該博物館與皇室遺珍的連結，但也暗喻了國民黨政權集權統治將博物館視為文化治理與權力象徵的一環。帝王宮廷建築樣式隱喻統治權威的延續性，及現有政權承襲中華文化的正統，「博物館」為這個文化繼承最直接的宣示機制與溝通媒介。

（三）邁向「現代化」的博物館建設

　　1970 年代的臺灣，正從農業社會轉型到工商業發展，臺灣經濟「起飛」之際，蔣經國任行政院院長時期提出的「十大經濟建設」創造出帶動臺灣社會與產業轉型的計畫經濟模式。在意識形態層次強化臺灣已成功轉型為工商業社會的自我主體投射與認知。1977 年，蔣經國接續提出的「國家十二項建設」中，包含「文化建設」的主張與論述——將「文化」與其他國家公共工程並列於重大施政中，主張「文化」也需要「建設」，成為日後「行政院文化建設委員會」設置論述的歷史根源，奠定下以比照於工程硬體「建設」、「發展」為思考角度的文化治理路線，「設置文化中心」即為最典型文化建設思考之展現。

4　但不可諱言地，故宮博物院雖然與北京紫禁城建築形式神似，但皇宮禁苑建築和博物館的公共教育價值仍　是形成強烈對比，特別是隨著時間推進，博物館社會教育功能持續深化的影響力不容忽視。

1978 年 11 月通過「教育部建立縣市文化中心計畫大綱」，宣示文化中心的建立至少包含三項政策：（一）繼續推動中華文化復興運動。（二）文化建設與物質建設並重。（三）全國各地文化建設均衡發展。「**每一縣市建立文化中心，包括圖書館、博物館、音樂廳（演藝廳）**」。國家行政單位等級，縣市人口數等分級，將文化設施分為國家級、都會級、縣市級等。為配合文化中心建設，同年 12 月通過「加強文化及育樂活動方案」。1981 年行政院文化建設委員會成立，1982 年《文化資產保存法》循序在此歷史情境中完成立法工作。

這份於 1978 年 11 月通過的「教育部建立縣市文化中心計畫大綱」實可視為中央政府開始認真經營現代化博物館事業之肇始。計畫擘劃經費高達 200 餘億元，除了以各縣市為單位，設置以圖書館為主力的文化中心外，各縣市政府可以其財政能力現況，考量增設「文物陳列室」及「演藝廳」等其他文化設施。直轄市臺北市則另興建社會教育館、美術館、圖書館。在中央層級則興建包含國家音樂廳、國家劇院、自然科學博物館、科學工藝館、海洋博物館與中央圖書館的遷建等。這個文化建設方案催生了臺灣首批具現代化意涵的博物館，如臺中的自然科學博物館、臺北的美術館等，於 1980 年代後陸續誕生。檢視這個計畫大綱揭示的目標價值為：

1. 配合臺灣地區綜合開發計畫，提供主要文化活動設施。
2. 透過圖書館、音樂廳及博物館的興建，促進各縣市文化中心的形成。
3. 促使社會文化活動與學校文藝教育結合，以增進青年身心正常發展，變化國民氣質，培養國民良好風尚。
4. 加速復興民族文化，促進國家現代化，增進我國對外競爭能力。（轉引自羅欣怡，2011：115-6）

放回到歷史情境來看，1980 年代，國際間對博物館的定義，如國際博物館協會（ICOM）於 1989 年 9 月，在荷蘭海牙召開第十六屆全體大會時，列在其章程第二條第一款的定義：「博物館是一個為社會及其發展而服務、對公眾開放的非營利性、永久性的機構，為了研究、教育和娛樂的目的，而徵集、保存、研究、傳播與展示人類及其環境的物質證據。」當時對博物館文化機構的寄寓，實在於提供國民教化功能，以提升整體國民素養、文化水平與國家整體競爭力，博

物館的設置寓意了國家治理從經濟建設跨越到文化領域的文化政治企圖。在這個歷史階段中，雖然是以各縣市作為均衡文化建設發展的論述軸線，但國家有計畫地引導大型的、國家級的、中央集權式的博物館建制方案，隱含了臺灣日後博物館建設的潛在危機。

　　另一方面，前一階段國民黨政權為鞏固其在臺灣統治的正當性，強調中國大陸中原文化的正統，貶抑臺灣僅為博大深遠中華文化的邊陲末節，除博物館建築所傳遞的中國北方宮殿建築樣式，表現在各方面的政策思考，在教育領域與大眾媒體推行國語運動、打壓方言；教材內容宣揚中華傳統文化，揚棄臺灣本土民俗傳統；為凸顯其集權統治的政績，以美國作為仿效對象、將「美國化」等同於「現代化」，現代化等於進步的各種等號之間的文化發展模式，在面臨臺美斷交、退出聯合國等國際發展困境時，愛國情操的危機感連結上在地民粹情感，與原本累積對本土文化遭漠視的矛盾結合，先後爆發了「鄉土文學論戰」、「林安泰古厝」等事件，一方面看似抗拒盲目地現代化，以及西化等同美國文化的批判，架構出以現代化 vs. 傳統的對立關係，同時也醞釀出思考中原文化與臺灣文化緊張關係的各種討論，預言了「本土化」論述在文化治理場域登場。

　　綜言之，從這些計畫項目中，可以看出臺灣戰後到民國 70 年代，文化政策的思考已從抽象到具體，從意識形態轉向實務為主；從政治、教育的附屬部門轉變為文化專責化發展；從國族文化的打造，轉變為以文化藝術的自由表現為考量機會之浮現；更揭開從中央政府、首都臺北的中央集權思考主軸，逐漸朝向地方分權、本土化的文化治理想像。

　　這個階段代表性的博物館建築為 1983 年年底開幕的「臺北市立美術館」和1986 年元旦開館的「自然科學博物館」這兩座典型的現代主義建築。其建築落成精確地暗喻了臺灣社會邁向現代化發展的歷史階段。這兩棟建築均強調其借用現代主義建築風格所強調的理性、秩序，樣式簡單的現代主義建築樣式，表徵臺灣進入了現代化的發展階段。在造型與表現上，則是以現代主義慣用的幾何量體、簡單樣式與單一色彩計畫，以期在功能上，充分體現現代主義的「形隨機能」（Form follows functions）主張，亦即以滿足其功能需求為最高原則，充分滿足博物館的空間需求的理性思維，反過來展現臺灣整體社會的理性與現

代性表徵。北美館簡潔的白色盒子幾何堆疊，加上大片玻璃，為典型現代主義建築常見的元素，此博物館建築形式恰如其分地宣稱了臺灣的博物館場域進入現代化時期。在建築空間文化形式的意義層次上，突顯了中華民國作為一個現代化發展完善的國家，以現代化樣式表達整體社會進步意識形態的建築風格，幾何量體的理性表徵社會的穩定、秩序、進步與開化，自然有能力建構現代化的文明教育機構，有著代表社會穩定進步的臺北市立美術館這個藝術文化機構，也有象徵現代理性與科學研究成果累積的科學博物館機構。而這些以簡潔穩定而理性的建築量體融入了整體的都市地景中，更強化了臺灣社會的現代化發展趨勢與歷史情境。

（四）地方分權與在地主體建構的博物館多元分化

1987 年解嚴後，臺灣在文化政治場域的氛圍除了亟欲鬆綁解除管制、突破既有的重重監控外，凝聚民間社會力量與草根聲音的能量持續匯聚。故有論者認為，此時期的文化政策是處於一個「去中心化的階段」（揭陽，2005）。「去中心化」的現象帶動了本土、草根性力量的持續討論與擴延深耕，即這個階段的文化治理模式可說完全由民間力量所催動，而逐步形構出官方的文化政策。「社區總體營造」的政策概念即為最典型的產物。

「社區總體營造」一詞出現於 1994 年，時任文建會主委申學庸施政報告首次提出以「社區總體營造」作為日後重要施政方針。事實上，這個以「社區」為主體作為其推動後續文化建設概念與政策方向，可視為回應自解嚴以來，豐沛的民間活力對各個層面解除管制的強烈意圖。

無獨有偶地，1970 年代後，西方社會所孕生的博物館概念同樣面臨強烈衝擊，原本強調整合式的、上對下的智識傳遞關係，與隱含了知識權力（knowledge power）菁英強勢的教育推廣模式，在 1960 年代後期，於世界各國家與地區逐漸面臨挑戰。歷經 1970 年代的民權運動、婦女運動、反文化運動等社會運動的洗禮，衝擊民主化與多元文化價值的腳步，具體表現在美國的博物館經營，博物館開始意識到既有服務模式隱含的整合主義與菁英經營導向，轉而調整服務模式，包含提供館外活動、巡迴展、設立分館等等（王啟

祥，2000：7）；考量觀眾的社經條件差異與社會多元文化樣態，更積極於提升博物館對觀眾的可及性，主動將教育活動與服務送到觀眾手中。表現在歐陸的經驗則是法國「生態博物館」（eco-museum）運動與「新博物館學」（new museology）的出現。在日本，則是所謂「第三世代博物館」的概念主張。亦即，國際博物館發展趨勢，從定義、功能、經營等面向均產生根本的改變，承載來自博物館內在價值、外在社會環境趨勢，以及相應在經營管理端變動等層面的因素。從價值內涵的層次來看，包含生態博物館、新博物館學到第三世代博物館等概念轉變，其發展過程反映出博物館從以「物」為主體的思維模式，轉移為從「人」出發，博物館由以往統整式的、現代啟蒙觀的教化導向，轉向以觀眾為主、建構式的溝通學習模式，博物館的重點從典藏物件轉移到觀眾（Kotler and Kotler, 2000）。由於日漸關切觀眾，博物館研究重心從館藏、環境、物件，逐漸轉移到這些設施條件如何有利於觀眾的學習，與博物館經驗的滿足（Loomis, 1993）；從工業社會大量生產轉化為後現代社會的消費世代，博物館連結上大眾消費與流行文化的休閒需求（黃俊堯，2003；郭義復，2001），使博物館場域重新成為一個意義競逐與文化霸權運作的基地。

　　要求文化自主權的下放，透過文化保存宣稱其文化主體性的治理趨勢，連結上官方的社區總體營造政策，以及各地對保存自身社區或社群歷史軌跡的積極施為，全臺灣各處要求進行古蹟指定、保存的主張不絕於耳外，閒置空間活化再生、在地歷史的整合性保存等等，再加上文建會「閒置空間再生示範計畫」的推動，逐漸累積為一座座在地的文物館、博物館與生態博物館（園區），俯拾皆為案例——蘆洲李宅、北投溫泉博物館、美濃客家文物館、坪林茶業博物館、金瓜石（金礦）博物館、猴硐煤礦博物館、白河蓮花產業文化館、宜蘭設治紀念館、高雄甲仙平埔族文物館、新竹影像博物館、新竹玻璃文物館、臺南七股鹽業博物館、高雄橋頭糖廠、花蓮林田山、花蓮酒廠、臺北西門紅樓、臺北蔡瑞月舞蹈社、嘉義民雄廣播文物館、高雄市立歷史博物館等等。從社區總體營造的文化政策誘發各個在地社區的自我主體身分的建構與認同工程，透過一個個生態博物館的建構，看似百花齊放的眾聲喧嘩樣態，為官方文化政策與資源分派，以及地方本土草根認同之間的鬥爭，劃下一個暫時性的休止符，彷彿文化的主體性得以獲得貫徹與伸張，得以永續發展而不朽。但當社區營造逐漸轉型出地方文化館

政策後，又浮現出新的課題與挑戰（林曉薇，2009；林崇熙，2013；施岑宜，2012），雖非本章研究主題，但值得持續關注與後續的深化討論。

　　另一個值得注意的現象是，原本由中央主導的博物館設置牛步化問題。除臺中的自然科學博物館於 1981 年設置籌備處，且於 1986 年、1988 年、1993 年分三期順利開館，被視為臺灣現代化博物館的經典代表作外，其餘幾座中央級的博物館，均有著極為漫長的籌備過程——高雄的科學工藝博物館於 1986 年設置籌備處，1998 年展廳開放；臺東的史前文化博物館於 1990 年成立籌備處，2002 年正式開館。原本於 1978 年國家十二項建設的文化建設中，預計在南北分別設置的國立海洋博物館，南方的屏東海洋生物博物館於 1991 年始設置籌備處，2000 年正式開館；而北方的基隆海洋科學博物館過程坎坷，原為最初規劃設置的海洋博物館，卻因土地徵收等問題，遲至 1997 年始成立籌備處，推遲至 2013 年年初開館。這個跨越了超過三十年，國立、中央級大型博物館設置的過程中，也正是臺灣對博物館專業論述蓬勃發展，產生諸多變化的關鍵時刻。

　　首先，連結前述主張文化權力充分下放與社區營造聲浪下，是否應維持中央一統的博物館政策框架，引發許多質疑。其次，原本均歸屬於教育部管轄，將博物館視為社會教育、終身教育機構的政策思維，在催生文化部、主張擴大文化事務主管權限與預算的歷史脈絡下，博物館主管機關的權屬範疇也歷經了不穩定的爭鬥。第三，從 1978 年的文化建設方案中，便規劃應制定《博物館法》，但這三十年間博物館治理政策的高度變異，致使《博物館法》難產，一直推遲到 2015 年才完成了各界普遍共識仍有待大幅改善的《博物館法》。第四，博物館行政法人化的聲浪隨著全球新自由主義的政策發展趨勢，以及國內政府預算困窘而漸趨高張，多所博物館在政策引導下，開始朝向以委外或行政法人化等經營模式，在委外廠商以營利導向為思考的前提下，博物館原本的非營利價值、教育與研究本質使命感、以文化保存為依歸的理想，被迫浮現了經營導向、市場化的文化治理樣態。

　　這個階段博物館與文物館以古蹟或歷史建築整建為另一個重要發展趨勢，故建築樣式極為多元，凸顯各個地域文史發展獨特性。然而，在這個博物館往地區發展的歷史脈絡中，仍是有新的博物館誕生，蘭陽博物館即為其中彰顯社區營造價值與精神的經典案例。

自 1989 年即有地方知識分子積極倡議設置「開蘭博物館」，宜蘭縣政府於 1992 年決策定案，完成選址頭城烏石港區，時為游錫堃擔任縣長任內。1999 年成立籌備處，2004 年開工，2010 年從試營運到正式開館。

循著自陳定南就任縣長所提出的「文化觀光立縣」主張，宜蘭在地聲音與文化工作者主張，將整個宜蘭視為一座博物館，除善用歷史建築資源改造為博物館，如宜蘭郡守宿舍改為「宜蘭設治紀念館」、縣定古蹟碧霞宮設置「岳武穆文史館」與「宜蘭進士楊士芳紀念林園」等，設置堪稱臺灣首座以保存在地史料、家譜、典藏政府公文書的「宜蘭縣縣史館」，足以見證其對於保存在地歷史與主體認同的努力。而這些累積「蘭陽博物館家族」的組織性動員力量，連結在地的中小型博物館能量，經歷了近二十年的籌備工作，最終在頭城凝結為「蘭陽博物館」的建設[5]。2010 年 10 月開館以來，蘭陽博物館引發高度關注，也創下開館不到四個月即超過百萬觀眾拜訪的紀錄[6]。

審思蘭陽博物館成功創造話題的因素，除了在地文化工作者的用心努力，另一個關鍵因素是「地標性建築」（landmark architecture）為博物館加分及創造話題。宣稱以龜山島及水的意象為核心，傳遞蘭陽平原山海意象的博物館建築量體本身，是視覺上的亮點，亦設定為認識與體驗宜蘭的城市意象窗口。

相較於前兩個階段分別訴諸於國族象徵與統治權威的意象，或是現代化的抽象理性意涵，這個階段在文化治理上呈現出強烈在地認同與地方特色的主張，表現在建築形式上，同樣企圖與在地風土及地景對話。但比較有趣的是，蘭陽博物館仍是以高度現代化的簡潔量體再現這座博物館的現代開化價值，而不是以鄉土建築的風格呈現——走出現代主義幾何堆疊的理性框架，解構與後現代主義建築強調尊重在地多元差異的眾聲喧嘩。蘭陽博物館量體以單面山躺臥水岸的形式，仿擬龜山島的視覺意象，訴諸於在地的地域特色為臺灣這個階

5　值得關注的是，「自然科學博物館」為臺灣培養第一批的博物館專業人才；而蘭陽博物館的籌備工作則自臺中科博館借將，以期將博物館專業知識傳遞給地方博物館的人才，深化臺灣在地博物館工作的人才培育與專業知識拓展。

6　但開館十年後，宜蘭縣政府不堪「蘭陽博物館」連年虧損狀況的狀況，考量是否應改採用委外經營方式的新聞報導出現，相關發展趨勢雖尚未有清楚定案，但地方經營博物館面臨財務上的困窘與挑戰，於此可見一斑。相關報導可參見，林敬倫（2021）。〈蘭陽博物館年年虧損縣府找專家評估委外〉，《自由時報》，取自 https://news.ltn.com.tw/news/life/breakingnews/3696675，檢索日期：2021.10.07。

段博物館各地百花齊放的發展趨勢。換句話說，透過以單面山強烈造形的建築形式，在象徵層次上再現宜蘭的地景語言，但詳加檢視這棟建築仍是以鋼骨、混凝土、玻璃等現代材料打造，其簡潔造形除了呼應宜蘭山海景觀外，要傳遞即使是財政條件並不寬裕的宜蘭縣，仍是有能力經營一座現代化的、代表宜蘭與時俱進、跟上時代的博物館文教設施。位於頭城的蘭陽博物館是蘭陽博物館家族群的龍頭，象徵開蘭的腳步，所處的烏石港遺址區有歷史遺跡，連結宜蘭的過去，有著其地理區位與空間政治上的重要意涵。而從文化生態觀光所引導的宜蘭發展模式，則以博物館這個機構作為建構另類發展模式的起點，是一種強調地方文化主體性、呼應這個階段文化治理去中心化價值的博物館建構論述。而蘭陽博物館的建築美學與空間文化形式從這個在地主體性的層次來分析，更可以詮釋為展現宜蘭在地風土特徵的地域性建築。

（五）全球化與在地文創化的博物館化趨勢

1980 年代美國雷根政府與英國柴契爾夫人高舉的新保守主義以降，倡議小而美的政府，大幅刪減社會福利教育文化預算，浮現倚重包含贊助與創造利潤商業力量導引文化藝術發展趨勢。博物館等文教機構面臨嚴峻的預算壓力考驗，諸如前述的「行政法人化」等組織變革即為一例。大幅刪減預算與人力組織的壓力，使得博物館必須積極尋求如何創造自身文化魅力或藉助商業邏輯，以增加對觀眾的吸引力（Goulding, 2000）。

進入 21 世紀的全球化時代，快速流動成為新的社會樣態，各個地區或城市面臨了全球性的競爭壓力，透過創造在地化差異與自身的獨特魅力，成為軟實力競爭場域的關鍵課題。兩股作用力量加乘後，可以觀察出幾項重要的全球博物館發展趨勢——首先，朝向博物館角色功能極大化，取得市場優勢來引導城市之間的文化競爭；其次，對照以往大量仰賴政府預算挹注，各博物館紛紛朝向企業化經營；第三，在朝向企業化經營之際，周邊產業鏈所帶動的文創產業與私部門亦開始蓬勃發展；第四，要加入這場戰局的中小型、地方與私人博物館面臨更嚴峻的考驗、或必須更積極地創造自身獨特的魅力。

檢視各個國家進入 21 世紀後，在文化治理與博物館政策的腳步，先後於1990-2000 年間推出許多「大博物館計畫」，包含大英博物館、巴黎羅浮宮、

北京故宮整建、倫敦泰德千禧年計畫、荷蘭阿姆斯特丹國立博物館、日本東京國立新美術館、紐約大都會與現代美術館等等，均有著相當規模的改建、增建與遷建計畫，說明這場文化戰爭的激烈盛況，吸引到訪遊客、藉由全球巡迴展覽輸出自身展品與博物館品牌價值，是博物館加入全球文化戰局的具體表徵。「文化觀光」（cultural tourism）的力量既帶動全球產業結構往服務業發展，更直接促成每個來自不同歷史文化背景觀眾，彼此之間的文化與美學感官交流經驗，而博物館正是交流的前哨站，必須營造出足以打動跨文化造訪者的博物館經驗。既要朝向更企業化的經營、同時又不減損博物館在文化場域中的象徵資本角色，電影的置入性行銷，博物館中時尚走秀的異業結盟等模式成為被善用的方式，創造出電影《達文西密碼》（*The Da Vinci Code*）、《博物館驚魂夜》（*Night at the Museum*）、《波特小姐》（*Miss Potter*）等整合行銷手法的成功經驗。連帶著全球巡迴展與周邊授權商品的開發，跨國拍賣公司、策展公司、公關公司等文創部門產業鏈，串聯著全球各地與主要城市的博物館、展覽會、拍賣場到商展。這些全球博物館發展趨勢影響所及，臺灣的公立博物館除面臨前述行政法人化與自籌經費的壓力外，如何朝向更企業化的經營模式，走向國際，同時創造在地文化主體特色，引導文創產業發展等軌跡，在故宮博物院等館所均可窺見。另一方面，對更多中小型、地方與私人博物館來說，走向與在地產業緊密結合的文化產業化，是各地方文化館的重要方向依歸，也具體表現在官方的文化政策中，成為接續社區總體營造論述的核心文化策略。

　　蘭陽博物館模式寓含了以地標建築（landscape architecture）、名牌建築（signature architecture）整合城市意象與文化行銷，再加上博物館文化機構的品牌三者共構的模式。這個模式並非唯一，而是開始。循著這樣的路徑前行，臺中市市長胡志強清楚運用這樣的都市治理策略，於 2002 年引入古根漢臺中分館話題，加上札哈‧哈蒂（Zaha Hadid）的國際競圖設計作品，後雖因地方政治等各種因素作用，未能成功植入舶來品博物館，但已經創造出新的城市文化行銷模式。2005 年國際競圖，伊東豐雄取得臺中大都會歌劇院設計權，持續開展出臺灣推動國際競圖的腳步。南方的高雄，從 2001 年的城市光廊為起點，愛河與光榮碼頭等水岸及流域改造、駁二倉庫改造為藝文特區、打狗英國領事館的成功商業經營模式等，意識到城市建築特色、都市意象、城市競爭力與文化行銷之間的連動關係，2006 年，高雄啟動了三個重大的國際競圖，包括伊東豐雄的「世

運會場館」，於 2009 年順利完工；「大東藝術中心」國際競圖結果，由荷蘭 de Architekten Cie 事務所負責設計，2012 年順利啟用；「衛武營國家藝術文化中心」2007 年由荷蘭籍的建築師法蘭馨‧侯班（Francine Houben）取得設計權，2017 年工程完工，2018 年 10 月正式啟用。

2010 年年底，原臺北縣升格為新北市、臺中縣市合併改制臺中市、臺南縣市合併改制為臺南市、高雄縣市合併改制高雄市；再加上 2014 年年底，桃園市升格直轄市，與臺北市合稱為六都，這個行政體制架構為臺灣地方自治體系帶來改變，前述地方行銷與城市品牌之間的競爭趨勢，不僅在文化治理的場域益形強化，且透過全球化的趨勢產生交互作用。新一波的市立美術館的籌設、轉型，不僅是當前從文化治理、美術館設置到博物館建築等面向，均值得持續關注的重要課題，而從六都當前其美術館設置與發展軌跡來看，大致呼應了前述的相關趨勢，包含現有館舍的整建與擴大規模，以期與周邊城市公共空間有更好的整合，提升都市整體生活環境品質與都市景觀改造。這可以從臺北市和高雄市的經驗中觀察到。其次，則是善用國際競圖來城市行銷，結合現有的文化資產與閒置建築活化，以發揮「文化引導都市再生」（cultural-led urban regeneration）的治理效果。

六都中，臺北市立美術館為 1980 年代中央政策支持下的產物；同為直轄市的高雄市，1983 年許水德市長任內開始倡議，於 1994 年高雄市立美術館正式開館。然而，在前所描述的時代趨勢下，北美館於 2017 年以建築老舊的考量，閉館整修一年；但隨即在 2018 年發布，預計以 53 億元左右的預算，推動「臺北藝術園區：臺北市立美術館擴建案」，不僅將整合周邊約 10 公頃的原花博園區等綠地，也將往下發展，拓展美術館的典藏空間。高美館於 2017 年，率先於地方政府層級，將市立美術館轉型為行政法人；與此同時，也積極向中央爭取預算，宣示啟動「大美術館計畫」，在原美術館園區西側創設「內惟藝術中心」，由高美館、高雄歷史博物館與電影館三館共構，以綠地系統整合這些館所，從整體城市空間尺度，來重新改造都市公共空間。

新北市與桃園市立美術館目前同樣正積極籌備中；其中，新北市於 2015 年舉辦國際競圖，由國內的姚仁喜建築師團隊勝出，編列金額 21.7 億元，預估 2022 年完工。桃園市立美術館分成四個部分，分別是桃園市立美術館主館、兒童美術館、橫山書法館與中路美術館。美術館主館於 2018 年舉辦國際競圖，由

石昭永與日本山本理顯團隊取得設計權，編列近 30 億元，預計 2022 年完工。另一棟新建築為「橫山書法藝術館」，甫於 2021 年 10 月下旬全新開幕；而桃園市兒童美術館已於 2018 年開始營運；中路美術館則是原有的公有建築活化再利用，目前處在籌備狀態中。臺南市美術館同樣也舉辦國際競圖，由日本建築師坂茂和石昭永建築師合作，重新活化市定古蹟原臺南警察署，作為臺南市美術館 1館，並於歷史城區核心區新建臺南市美術館 2 館，該館於設置初期即以設定為以行政法人方式營運，並順利於 2019 年年初，兩座館舍正式營運[7]。

　　至於臺中市立美術館則歷經了不同市長多次決策的改變，籌備進度與相關圖像較為模糊。前述提及，胡志強市長任內曾經欲引進古根漢美術館臺中分館，後計畫最終未能成功。而水湳機場遷建後，廣達 250 公頃的大面積土地，在胡志強任內後期，提出意圖創造舊區更新的「大宅門計畫」，傳遞出更為旺盛的都市文化行銷企圖。許多原已規劃諸多文化設施，陸續完成國際競圖，委託知名建築師展開各項工作。包含預計興建高達 300 公尺的臺灣塔，由日本建築師藤本壯介獲選；中央生態公園（清翠園）由法國設計師 Catherine Mosbach 取得設計權；而「臺中城市文化館」則於 2013 年的國際競圖中，由日本的 SANNA ／妹島和世，和臺灣劉培森建築師合作團隊獲選。原本所謂的「臺中城市文化館」建築計畫包含臺中市立圖書館、美術館，與臺中城市博物館，後決議將臺中城市博物館納入臺灣塔建築內部，連帶也改變了臺中城市文化館的空間計畫。林佳龍 2014年出任臺中市市長後，終止了臺灣塔的計畫，臺中城市文化館因實質空間內容為美術館與圖書館，後則更名為「臺中綠美圖」，而在經歷多次預算追加、工程流標等問題後，2019 年終於順利開工，預計於 2022 年完工。原本文化部有相關館舍開發計畫在臺中市，包含國美館 2 館、電影博物館與漫畫博物館等計畫，均因為首長更替而產生政策的變動，這自然也牽動著臺中市自身的文化設施規劃與博物館設置開發計畫，成為後續可持續關注的課題。

　　除了前述的直轄市，有意思的是，幾座縣市的美術館都是由舊的公有建築改造而來。臺灣最南方的屏東市，1953 年興建完成的屏東市公所建築，於 2005 年遷址後，2007 年，在文建會的補助支持下，改造為屏東美術館，為臺灣第一座

7　臺南市美術館的籌設開幕營運可以說是臺灣近年來，各地採用國際競圖、興建文化設施的經驗中，相當罕見可以在預計規劃的時程與預算規模中，順利完成的案例。

鄉鎮市級的美術館。東北角的宜蘭美術館，則是以原本臺灣銀行宜蘭分行改造而成。該建築為 1898 年年初設於此的「臺灣銀行宜蘭出張所」，後於 1949 年重建為「臺灣銀行宜蘭支店」，因銀行位於此處的歷史相當悠久，長期以來為市民在宜蘭舊城區的重要歷史記憶，也已登錄為歷史建築。後於 2014 年，改造為宜蘭美術館，由臺灣銀行委託營運，成為宜蘭縣政府打造的「蘭城新月」文化廊帶之要角。嘉義市立美術館於 2014 年即展開籌備，主要由原本菸酒公賣局嘉義分局的四棟建築物改造而成。中間歷經規劃與建築改造工程等多項因素影響，最終於

表 1-1　臺灣博物館建築及其發展歷程

分期及主要特徵	1945 年之前	1950-1970 年代
面向特徵	殖民時期的博物館開端	戰後確立統治正當性的國族主義階段
博物館文化治理特徵	作為殖民統治文明開化的物質化象徵。	延續與複製前一階段殖民統治權威的國族主義象徵體制。
博物館建設基本任務與營運方針	教養、馴化殖民地人民，傳遞現代化知識，炫耀殖民統治的政績。	保存與展示中國大陸搬遷來的文物，以宣揚華夏文明及歷史悠遠為榮。
展示特色或技術	以西方博物學為認識論基礎，大量蒐羅、展示臺灣原住民文物及動植物的靜態、文明史論述。	以中國大陸搬遷來臺的文物為主，漠視忽略臺灣在地的文物及其脈絡。
擬召喚之主體	日治時期被殖民統治的大眾、在臺的日籍人士。	對國民政府統治權威產生敬畏與信仰的國民。
對應之社會政治情勢或意識形態	殖民體制逐步穩固，為紀念縱貫線鐵路通車等殖民事業進展設博物館。	意識形態以反攻大陸兩岸統一為前提，臺灣為「復興中華文化」基地。
該時期博物館建築形式特徵	直接挪用與接枝西方希臘羅馬古典建築樣式，凸顯博物館乃為西方文明進步的象徵。	以中國北方宮殿式建築樣式作為博物館建築外觀，以博物館作為訴求國族主義、政權統治正當性的機構。

資料來源：本研究製表。

2020 年 11 月順利開館。若更進一步地詳加檢視這些縣市美術館的設置論述，以及其所規劃推出的各項展覽，不難發現，以在地美術館作為扎根地方藝術教育之餘，如何經由地方美術館作為城市行銷的一環，並強化市民的城市認同，顯然已經是各地方政府的文化治理圖像中，無法忽視的一片拼圖。

　　針對前述五個不同歷史階段的文化治理、博物館設置及其建築的產製過程與重要形式特徵，整理如表 1-1。

1980-1990 年代	1990-2000 年代	2000 年以後
邁向現代化的 博物館建設時期	地方分權與在地主體建構的 博物館多元分化期	全球化與在地文創化的 博物館化趨勢
承載整體社會邁向現代化的進步意識形態。	凸顯在地多元文化特性及其主體性表徵。	納入全球化流動，以博物館搭配名牌建築作為城市行銷與觀光環節中。
宣示臺灣已進入現代化社會之列，以博物館來教化現代化國民素養。	地方政府以在地歷史與環境為經緯，以博物館為體制，以強化在地認同、活化地方經濟。	博物館被設定為全球城市競爭、從製造業導向服務、觀光與文創產業的引導性機制。
以現代化為意識形態的展示技術與收藏政策為主，如現代美術、科學等作為博物館的主題。	多運用古蹟活化再生與地方文化館的形式，結合生態博物館概念展示在地生活與文化。	仰賴數位與虛擬等高科技的展示技術，加上全球巡迴展模式，不再僅依賴真實的展品或文物。
積極尋求現代化的、抽象概念層次的國民。	在地居民、以及受地域文化特色吸引的觀光客。	觀光客、將博物館及展示活動視為休閒娛樂者。
強人威權統治體制逐漸鬆動，解嚴後自由民主開放等價值逐漸浮現。	首次中央政權政黨輪替，社區營造強化由下而上草根力量意識崛起。	全球化作用致使個別城市訴求其獨特魅力，城市與文化治理匯集融合。
現代主義精簡理性的形隨機能主張，不具地方或歷史深度的建築外觀，博物館抹去地方主體性與差異，訴求知識的科學文明理性。	宣稱強化地方特色的建築風格、在地文化資產活用，或顛覆現代化理性風格、解構主義風格的博物館建築大量出現。	以名牌建築或地標性的建築美學來引導城市行銷和博物館的主題，建築外觀優越性及受到的關注，往往超越博物館典藏內容與設置宗旨。

五、從名詞變動詞的博物館？

本章討論不同歷史階段的博物館建築文化形式與象徵，以作為理解臺灣博物館發展歷程、文化政策與文化治理的軌跡，及其物質性面向的方法，經由前述五個不同歷史階段的討論，本章擬提出的觀點為，臺灣文化治理與博物館發展中，似乎呈現一種將博物館「從名詞變動詞」的現象。這個概念所欲表達的觀察是，早先將設置博物館視為一個被動、靜態、被決定的客體，是個透過主體施為而產出的對象物，是個名詞的概念。然而，從臺灣最初的博物館肇始迄今超過百年，一開始是由殖民者與國外傳教士所建構，之後「博物館」成為一種保存地方歷史、再現集體記憶的工具與思考模式，原本設置、產出一座博物館乃是作為教育、保存、展示的文化機構；但隨著博物館與全球化的趨勢連結，博物館儼然成一個「動詞」，一方面可能出現集體記憶被博物館化的、客體化、被動地凍結於時間流轉中，挾著保存的措辭卻使得社群中成員，失去擁有自身文化詮釋權的機會；另一種模式則是成為主動出擊、自我行銷或展現自身歷史主體性的積極作為，這兩種取徑均表現出持續且變動不居的狀態。這個「博物館化」的狀態，凸顯臺灣博物館發展趨勢的確和全球化脈絡下的城市文化治理緊密連結。

班奈特 1992 年〈將文化政策納入文化研究〉（Bennett, 1992）一文，意圖強調文化研究的知識範型正遭遇重大的危機；他討論政府機制、政策等足以對文化領域產生的節制作用，直指葛蘭西等人以霸權理論對權力和意識形態分析的不足，轉而從傅柯的知識遺產中，找到治理性的概念作為分析場域。例如班奈特指出，以「霸權」概念來分析博物館是個看似相當常見而合理的認知模式，但從博物館政治的角度來看，卻可能是另外一種完全不同版本的故事——因為博物館本身所具備的教育與生產性角色，勢必要求博物館要變得更能代表公眾的聲音與歷史（Bennett, 1992: 30），也因此，代表了誰、詮釋了、或保存了誰的文化，自然成為一個嚴肅而關鍵的博物館政治課題，充分說明博物館與文化政治間，不可剝除的緊密關係與連帶。1998 年，班奈特在其專書（Bennett, 1998）再次強調文化研究必須正視文化政策、政府管制足以對文化場域、文化與權力關係產生的作用；但班奈特在這個階段強調，這樣的主張某個程度是回應了澳洲文化政治、同時也是全球社會共同面臨的現況，即「新自由主義」（neo-liberalism）效應在全

世界發酵——原本各個國家或地方政府的文化政策與治理，如今必須將全球化作用納入思維中，而所謂博物館與在地社群的關係，樂觀地以為在地的、或所謂的生態博物館具有彰顯在地特色與主體認同的觀點，說穿了，仍是囿於官方博物館政策的管控範疇中（Bennett, 1998: 201），因此，傅柯所欲發展的治理性分析概念成為班奈特試圖挪用為更積極地檢視文化研究知識範型的工具（殷寶寧，2021：55-58）。

回到臺灣的歷史脈絡來看，臺灣從殖民統治、威權政府、轉向以在地社群或不同族群觀點博物館建構歷程，如今也面臨全球化潮流中，以建築美學化和專業團隊人才的全球流動與城市行銷的考驗，本章試圖以博物館建築作為分析此文化治理軌跡的切入取徑與物質性基礎。然而，更重要的或許是，如何在這個「博物館」機構與體制可能逐漸面臨「工具化」的威脅中，持續地檢視博物館的精神內涵，以批判性的文化治理分析視角，從象徵與再現的表意系統解析出其間的權力作用關係，讓公眾歷史的保存、詮釋與主體認同位置的詮釋與發言權，回到主體的手中。

參考文獻

王志弘（2003）。〈臺北市文化治理的性質與轉變，1967-2002〉，《臺灣社會研究季刊》，52: 121-186。

王俐容（2005）。〈文化政策中的經濟論述：從菁英文化到文化經濟？〉，《文化研究》，1: 169-195。

王啟祥（2000）。〈博物館教育的演進與研究〉，《科技博物》，4(4): 5-19。

朱紀蓉（2014）。〈博物館發展中的國家力量——臺灣經驗討論〉，《博物館學季刊》，28(1): 5-29。

李亦園（1985）。〈文化建設工作的若干檢討〉，收錄於中國論壇編輯委員會主編，《臺灣地區社會變遷與文化發展》，頁 309。臺北：聯經。

洪玉菇（2004）。〈戰後臺灣博物館的建立與轉型：以國立歷史博物館展示教化為例（1955-2000）〉。國立暨南國際大學歷史學系碩士論文。

林曉薇（2009）。地方文化館第二期計畫效益評估（政策建議書）。行政院研究發展考核委員會（RDEC-RES-098-034）。

林崇熙（2013）。〈文化政策對地方文化館的反挫：並論社群營造之為另類方案〉，《博物館與文化》，6: 3-34。

施岑宜（2012）。〈博物館如何讓社區動起來？臺灣地方文化館政策中的社區實踐：以金水地區為例〉，《博物館學季刊》，26(4): 29-39。

殷寶寧（2013）。〈一座博物館的誕生：文化治理與古蹟保存中的淡水紅毛城〉，《博物館學季刊》，27(2): 5-29。

殷寶寧（2021）。〈從文化研究到文化政策：一個批判性理論視角之建立〉，收錄於殷寶寧主編，《藝術管理與文化政策導論》，頁 35-66。高雄：巨流。

陳其南、孫華翔（2000）。〈從中央到地方文化施政觀念的轉型〉，新世紀政策～社會政策與教育研討會論文，財團法人臺灣新世紀文教基金會主辦。2000 年 4 月 29 日。

陳其南、王尊賢（2009）。《消失的博物館記憶：早期臺灣的博物館歷史》。臺北：國立臺灣博物館。

黃俊堯（2003）。〈訪客群分析：博物館行銷的礎石〉，《博物館學季刊》，16(1): 91-103。

張譽騰（2007）。〈臺灣的文化政策與博物館發展〉，《研習論壇》，73: 28-31。

———（2010）。〈臺灣的文化政策與博物館的發展〉，「博物館 2010-21 世紀的博物館價值與使命」國際學術研討。臺北：國立臺北教育大學。

揭陽（2006）。《國族主義到文化公民——臺灣文化政策初探》。臺北：文建會。

楊式昭（1999）。〈光復後臺灣重要文化政策之觀察 1945-1994〉，收錄於國立歷史博物館編輯委員會，《1901-2000 臺灣文化百年論文集》。臺北：史博館。

慕思勉（1999）。〈臺灣的異質地方——90 年代地方或社區博物館的觀察〉。國立臺灣大學建築與城鄉研究所碩士論文。

郭為藩（2006）。《全球視野的文化政策》。臺北：心理。

郭美芳（1991）。〈時空疊砌的文化殿堂〉，《博物館學季刊》，5(1): 35-45。

郭義復（2001）。〈新博物館學的展示研究〉,《博物館學季刊》, 15(3): 3-11。

蔣玲編（2009）。《博物館建築設計》。北京：中國建築工業。

羅欣怡（2011）。〈博物館與文化政策：探討臺灣 1990 年代以降博物館之相關政策與發展〉。國立師範大學社會教育學系博士論文。

蘇明如（(2011)。〈多元文化時代的博物館——臺灣地方文化館政策十年〉。國立臺灣藝術大學藝術管理與文化政策研究所博士論文。

Barker, Chris (2008). *Cultural Studies: Theory and Practice* (3rd edition). London: Sage.

Bennett, Tony (1992). "Putting Policy into Cultural Studies." In Grossberg, L. Nelson, C. and P. Treichler (eds.), *Cultural Studies* (pp. 23-34). London: Routledge.

---(1998). *Culture: A Reformer's Science.* London: Sage.

---(2002). "Archaeological Autopsy: Objectifying Time and Cultural Governance." *Journal of Cultural Research* [Formerly *Cultural Values*], 6(1-2): 29-48.

Bourdieu, Pierre and Passeron, Jean-Claude (1977). *Reproduction in Education, Society and Culture*. London: Sage.

Bourdieu,Pierre (1984). *Distinction: A Social Critique of the Judgment of Taste.* London: Routledge & Kegan Paul.

Bourdieu, Pierre Alain Darbel, and Dominique Schnapper (1990). *The Love of Art: European Art Museums and Their Public*. Stanford University Press.

Chang, Yui-tan (2006). "Cultural Policies and Museum Development in Taiwan." *Museum International*, 68(4): 64-68.

Foucault, Michel (1991). "Governmentality." Rosi Braidotti (trans.) and revised by Colin Gordon, in Graham Burchell, Colin Gordon and Peter Miller (eds.), *The Foucault Effect: Studies in Governmentality* (pp. 87-104). Chicago, IL: University of Chicago Press.

Fraser, Nancy (1995). "Politics, Culture and the Public Sphere: Towards a Postmodern Conception." In Linda Nicholson and Steven Seidman (eds.), *Social Postmodernism* (pp. 287-314). Cambridge: Cambridge University Press.

Goulding, Christina (2000). The Museum Environment and the Visitor Experience. *European Journal of Marketing*, 34(3/4): 261-278.

Gramsci Antonio (1968). *Prison Notebooks*. London: Lawrence & Wishart. http://www.marxists.org/archive/gramsci/index.htm

Habermas, Jürgens (1989). *The Structural Transformation of the Public Sphere: An Inquiry into a Category of Bourgeois Society*. Cambridge, Mass.: The MIT Press.

Kotler, Neil, and Philip Kotler (2000). "Can Museum Be All Things to All People? Missions, Goals, and Marketing's Role." *Journal of Museum Management and Curatorship*, 18(3): 271-287.

Lewis, Jeff (2002). *Cultural Studies: The Basics*. London: Sage.

Loomis, Ross J. (1993). "Planning for the Visitor: The Challenge of Visitor Studies." In S. Bicknell and G. Farmelo (eds.), *Museum Visitor Studies in the 90's* (pp. 13-23). London: Science Museum.

McGuigan, Jim (1992). *Cultural Populism*. London: Routledge.

---(1996). *Culture and the Public Sphere*. New York and London: Routledge.

Wacquant, Loïc (2008). "Pierre Bourdieu." In Rob Stones (ed.), *Key Sociological Thinkers* (2nd edition)(pp. 261-277). London and New York: Macmillan.

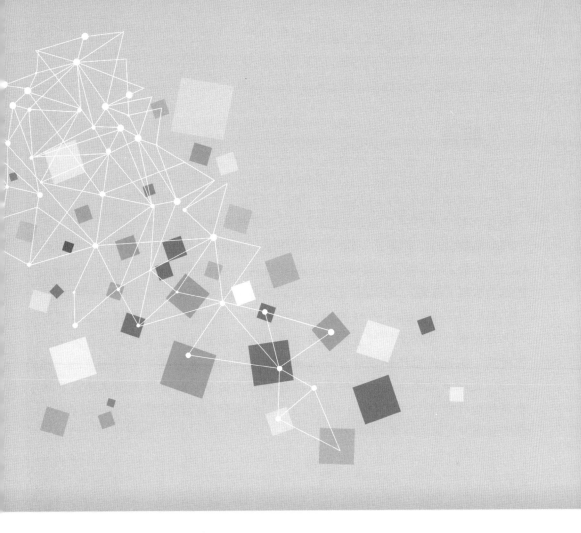

chapter
2

博物館建築空間文化表徵之
生產與詮釋

一、前言

建築藝術史家派夫斯納（Nikolaus Pevsner）在《歐洲建築大綱》（*An Outline of European architecture*）（Pevsner, 1966/1943）一書中，開宗明義指稱的名言，「林肯大教堂是建築（architecture），腳踏車棚是建築物（buildings）」。派夫斯納的論點雖引發持續論辯，相應帶動對建築／營造物各種定義的發展；這句話凸顯出「建築」除了應滿足其機能層面的實質需求，在美學、藝術，甚至技術層面被賦予承載、傳遞人類智慧結晶的深刻期待殆無疑義。以此命題分析「博物館建築」類型似乎更為貼切：「談論博物館建築時，通常有兩個不同的思維角度：一為理性的，要求空間尺度設施與設備符合博物館機能需求；二為藝術的、浪漫的，它的造型提供設計者一個發揮想像力與創造力空間，因此設計一座博物館是一大挑戰卻也是難得能發揮原創力的機會，藉由博物館建築可實驗出新的設計觀念。」（郭美芳，1991：3）如何同時在實質建築營造中，滿足高度專精的需求，貫徹保存文物的任務，並在空間形式表徵層面，傳遞出博物館此文化設施欲與社會大眾溝通的內在意圖，是博物館建築的重要課題，也是建築設計的挑戰。然而，在派夫斯納的年代，不存在的問題意識是，如何跳脫建築形式美學與功能的二元論，在文化全球化的脈絡下，博物館建築藝術已儼然成為都市景觀與文化產業發展中，最具體的空間表徵，為城市軟實力的競逐場域。

王志弘以「文化治理」（cultural governance）的概念來討論全球化的都市發展歷程中，「文化」日益成為核心關注的現象（王志弘，2003a）。文化治理係指「都市政治領域逐漸以各種文化形式呈顯，特別涉及了意義、認同和再現，其作用經常在於中介或遮掩資源分配與權力運作的過程」（王志弘，2003a：326）。隨著全球化城市產業結構出現從製造業轉向服務業的變化，各種文化產業，諸如媒體影視、音樂、時尚設計、觀光旅遊、博物館與藝文展演等所謂文化經濟（cultural economy）、象徵經濟（symbolic economy）或美學經濟（aesthetic economy）等都市發展策略，成為資本與都市政權振興城市的手法，都市競爭力引發之文化政策，不再只是妝點城市形象、美化生活品質或提升都市景觀，而是構成文化治理的具體作用機制，成為涉及資源分配、社會控制，及其過程的象徵化、美學化與正當化（王志弘，2003b：123-4）。

　　即除了建築營造的實質與技術面，以及與建築空間形式表徵的溝通意圖外，隨著文化全球化、資訊透過網路空間無遠弗屆地傳遞，博物館、文化產業與都市文化間的有機結合，轉化為地域文化競爭力的趨勢潮流，「建築」，特別是博物館建築不再是單一量體的空間表徵，更聯繫上其都市空間與地景的文化表徵整體。

　　承續前述對建築定義與思考的歷時性變化，與博物館建築在建築設計、都市地景、都市文化競爭力扮演之關鍵性角色。繼前一章歷時性地檢視臺灣的博物館建置歷程，以及博物館建築形式風格的轉變後，本章藉由建築與城市符號學的分析方法切入，以中國西安的陝西歷史博物館為研究個案，從其博物館設置之演進變化歷程、建築規劃設計與博物館專業使用，及其建築空間表徵與整體都市文化等層面，探討博物館建築類型與文化表徵的關連與意涵。本章的研究意圖與出發點，是為了架構起博物館領域與建築專業之間的跨領域對話：一方面試圖從建築研究領域，思索博物館建築類型面臨的時代挑戰與課題；建築設計者面臨文化場域的考驗，如何保有文化傳統之本真性、主體性，建立與世界溝通的建築語言，轉化文化與傳統的建築內涵與表徵。另一方面，以文化全球化的脈絡架構，從建築文化表徵入手，檢視博物館在都市文化治理中扮演的角色與作用。

二、爭奪文化霸權的舞臺：博物館建築

　　根據國際博物館學會（The International Council of Museums, ICOM）2007年提出的博物館定義為：「**一座以服務社會及其發展為宗旨的常設性非營利機構，對公眾開放，為教育、研究、樂趣等目的，來取得、保存、研究、溝通傳達與展示人類及其環境有形或無形的資產。[1]**」此定義揭露博物館功能與文化資產息息相關：博物館為一座非營利常設機構，對公眾開放，為了研究、教育與休閒娛樂的目的，以收集典藏、保存維護、教育研究、展示溝通與人類生存及其所依附之環境相關的有形或無形之資產。故一般多以研究、典藏、教育、展示與休閒等五個面向來指稱博物館的功能。

1　資料來源：取材自 ICOM 網站資料，取自 http://icom.museum/definition.html，檢索日期：2010.03.17。雖然在 2019 年的 ICOM 京都大會中，試圖要提出新的博物館定義，但由於討論意見眾多，陳述許多反映時代變遷的見解，但最終並未在文字上提出新的定義。

「博物館建築」在 1970 年代左右出現兩個重要的變化趨勢。其一是博物館在都市再生（urban regeneration）扮演關鍵性角色（曾信傑，2005：33）。其次，博物館成為全世界角逐文化競爭力的關鍵場域——從物質發展面向言，全球經濟的彈性化生產模式，加上網際網路的科技進展，全球文化出現同質化的趨勢與危機，為尋求各自的文化主體性、反抗文化霸權的壟斷，博物館建築自然成為各文化主體表演的舞臺。

> 「博物館，清楚地標示著一個國家、城市與文化的獨特性與優越性。古老歐洲，各自競奇的博物館，綻放於各大小城市之中，除了對各個城市的文化、經濟發展帶來重要的提升力量，也為城市塑造了文明舞臺上舉足輕重的地位。……目前各國政府很重視也清楚博物館的品牌效應，雖然它本身是不會賺錢的，但博物館所帶來的國際知名度和觀光收益卻非常值得期待。」（劉惠媛，2007：10-11）

英國藝術史學者愛瑪・巴克（Emma Barker）認為，在全球博物館界的發展趨勢中，1970 年代羅浮宮的增建案、奧賽美術館的舊建築再生，一直到英國倫敦國家畫廊的增建案等案例，均說明了博物館建築重新回到 19 世紀末期的樣態，即對偉大博物館如何在建築設計上尋求表現的趨勢（Barker, 1999: 23）。

1990 年代開始，全球出現了博物館重新發展與建造的輝煌時期（Anderson, 2000: 15），城市文化與博物館進入新時代——全球主要博物館均大幅翻新與擴充計畫，從大英博物館、羅浮宮、紐約現代美術館、北京故宮等的整建；洛杉磯的蓋堤美術館、中國上海博物館、蘇州博物館、韓國新的國家美術館等新建案。博物館已經不再只是傳統的儲藏室、紀念館或展示場而已。博物館正在尋找有效的方式利用其寶貴的收藏、或建立獨特的空間、或設計展覽的體驗、或靈活提升規模，與其他文化機構結盟（馮久玲，2002：151），亦即，是一種重新藉由城市文化競爭力的創造，與文化象徵層次的力量，同時取得經濟上的實質收益。而博物館的設計，從一般的公共建築，發展成為因應典藏與展覽特殊需要的博物館建築，時至今日，因應以服務大眾為導向，以及營運經費的困難、典藏主題多元等因素，逐漸發展出更為大眾化、生活化、商業化的博物館，使得博物館也成為一個商標，具有文化上優越性與商業經濟價值的標誌（金光裕，2000：135）。

文化研究學者班奈特（Bennett, 1995）以傅柯（Michel Foucault, 1986）的「異質空間」（heterotopias）概念來論述博物館空間中，累積不同時間向度的陳列，建立一個普遍檔案的想法，把所有時光、世代、形式、品味封閉在一個地點的意志，在時間之外，建構一個不被破壞之全部時代地點的想法。傅柯「差異地點」概念的批判性在於：差異地點之建構，如同鏡子一般，照見人類生活的夢想虛幻之所：一方面，滿足人們的期待與夢幻，如迪士尼樂園所呈現的歡愉；另一方面，則是以這些被創造出來、完美、審慎安排的空間，對比出我們所處身空間的污穢、病態與混亂。博物館自 19 世紀蓬勃發展的趨勢，既意涵了一個新的、現代化之公共生活空間場域的誕生，一個公民社會對話與共處的空間出現；但博物館卻同時也解構自身，宣稱了博物館文化的虛幻與建構本質，及真實的失序、支配與控制的意圖。「差異地點／異質空間」概念的顛覆本質，與過度商品化的文化消費導向引致的「視覺文化」（culture of spectacle），以及布希亞（Baulliard, 1988）所提的擬像（simulacra）概念，共同構築出對「視覺化社會」（Debord, 1967）的警醒與批判。

博物館建築及其空間的生產，經歷了百餘年的變遷，從封建體制與階級分明的宮廷藝術，轉型為大眾教育基地，經過現代主義與科學技術思維洗禮，呈現為形隨機能的理性效率；進入大眾與流行文化時代，博物館成為文化產業、美學經濟的代名詞之際，也在文化全球化的同質發展過程中，不知覺地夾帶、承載、複製了主流文化價值的傳遞與教化，與原本的啟蒙價值、現代性意涵出現了矛盾，甚至成為商業化的利器，製造夢想的工廠，以及表現文化優越性的場域。

特別是目前既有文獻研究多以西方國家的博物館建築經驗為主，以社會發展的歷史脈絡來看，當羅浮宮從封建王朝的宮廷建築轉型為共和博物館，意涵普羅大眾的知識下放與文明開化；當設置「博物館」成為經歷工業化發展與衰退週期地區之都市再生的解藥，並以文化產業作為美學經濟籌碼時，對經歷過殖民統治與殖民現代化的亞洲國家與地區，博物館喻含之文明開化與西方文化的橫向移植緊密相關，故博物館在扮演大眾教育與文化深耕的角色及經驗，是否與西方民主國家有本質上的差異？對經濟發展中國家與地區，博物館文化產業發展的模式，是否又有不同？有論者主張，近年來隨著視覺文化研究的進展，有關視覺展示、知識領導權（hegemony）和政治權力的接合關係（articulation）受到關注，在這

些經歷殖民的地區，博物館發展史幾乎與政治變遷史密不可分（陳其南，2008：8），那麼，對正處於積極邁向工業化經濟發展的地區，如中國，博物館建築與城市等相關面向議題關連又是如何？

　　立基於對博物館建築的思考，進一步承續前述更細緻的提問，本章以陝西歷史博物館為研究個案，由幾項重要思考軸線來架構此論述框架。

　　首先，博物館為一文化機構，在文化全球化的趨勢中，是文化觀光與文化產業發展的核心，具凸顯自身在地文化主體性的意涵。改革開放後的中國，除積極追趕世界各國的發展模式，在經濟層面急速擴張成長外，更積極在文物保存、文化產業等面向的軟實力，打造自身在文化場域的能見度與領導權。以博物館展現城市文化空間表徵，連結上文化觀光與城市自明性的建構，「博物館」成為檢視都市文化發展的戰略要塞，而古都西安顯然是積極以城市文化自明性來尋求另類成長發展的代表性城市。

　　其次，「博物館建築」為透過空間符號與文化表徵來寄寓其象徵意涵的建築類型，為論述社會文化意識形態構成的意義競逐場域。西安陝西歷史博物館為中國在文化大革命「十年動亂」後改弦易轍，轉向以文化為發展契機的重要投資，並自身宣稱為「中國第一座現代化博物館」──亦即，此博物館的建構、設置，乃至於博物館建築設計，成為檢視中國對所謂現代化博物館及其建築樣式發展，極具指標性的個案。

　　第三，檢視中國的博物館建築發展，與中國建築發展面臨現代化衝擊與課題有著極為相似的軌跡：為了追求現代化，但又面臨內部對傳統與現代間衝突的張力，展現在建築表徵上的中學西用、頂著大屋頂，與直接套用西方古典樣式建築等不同手法的折衝，拉鋸出認同與文化變遷的課題。陝西歷史博物館以西安為唐朝古都的自我角色定位，建構出所謂「新唐風建築」樣式，以其博物館建築的空間文化形式再現，拉出另一條中國建築現代化的論述戰線。

　　第四，陝西歷史博物館設計者張錦秋院士，長期以西安為建築專業實踐基地，陝西歷史博物館為其建構所謂「新唐風建築」的代表，設計者自身對中國建築現代化的思維與轉化，有其值得探討深究之價值。1996 年版的《弗萊屈建築史》（*Sir Banister Fletcher's A History of Architecture*）（Fletcher, 1896/1996: 1569-

1571）便將張錦秋設計的「陝西歷史博物館」與「唐華賓館」列入書中，指稱其可被視為中國走出文革後，當代建築之翹楚。

　　除了博物館機構外，因文化產業帶動的文化與體驗經濟，凸顯了視覺、符號化消費的趨勢變遷，「建築」及其空間文化形式，成為檢視博物館及其承載之文化價值的基地。

三、分析架構與研究方法

　　「形隨機能」雖為現代主義建築奉為圭臬，說明建築至少必須同時處理形式與機能層面的課題。但未能處理建築在意義層面的問題，成為現代主義建築最受詬病之處。在滿足基本使用需求外，建築表徵所投射、反映與傳遞的意涵，既溝通了設計者的意圖、承載集體文化認知，也蘊含了傳統價值。在各種機能的建築類型中，「博物館建築」是象徵層次溝通意圖遠遠勝過其實質使用需求層面的建築類型。

　　卡彭在《建築理論》（Capon, 1999）一書中，以維楚維斯（Marcus Vitruvius Pollio）《建築十書》（*De Architectura*）為理論對話對象，從其提出建築三個範疇，堅固（firmitas）、實用（utilitas）、美觀（venustas），延伸出討論建築的六個新範疇，三個最重要的分別是形式（form）、功能（function）、意義（meaning），其次三者為營造（construction）、脈絡（context）與意志（will）。

　　由卡彭的問題意識出發，他提出形式、功能、意義三範疇，反映出現代主義建築論述中，「形式」與「機能」二元對立關係的緊張，以及從 1960 年代後，包含符號學、後現代主義等理論，質疑漠視建築的意義層面，在建築專業實踐中浮現的論述危機。

　　現代化與現代主義建築的崛起與資本主義生產方式密不可分。資本主義生產模式不僅創造了專業分化，建築師的專業角色浮現，也從根本上改變了藝術創作的過程與產出模式。大量機械複製導引之文化生產邏輯，諸如文化成品的大量生產、影像的氾濫、大眾傳播與流行文化擴散等歷史社會成因，促成藝術史與藝術評論的範型移轉。故約莫從 1960 年代起，文化分析漸漸開始關注於意義生產的

過程，其分析方式開始聚焦於作品之意義生產過程與形式創造的關連性，而作品形式、意義與意識形態的深層分析，成為剖析知識權力批判的、行動改革實踐的能量來源。衡諸 1960 年代後，從符號學、結構主義開始，包括女性主義、後結構主義、後現代主義、後殖民研究等理論範疇，均強調關注主體實踐、與主體性建構等脈絡中，取得知識系譜定位。

承緒「語言學之父」弗迪南・索緒爾（Ferdinand de Saussure, 1857-1913）開創的「語言學」理論架構，安柏托・艾柯（Umberto Eco）、羅蘭・巴特（Roland Barthes）等人在符號學（Semiotics）場域開創出文化分析與批判的理論工具。特別是艾柯的分析架構為建築符號學領域奠定基礎。

在索緒爾發展的概念中，符號（sign）是由意符（signifier）與意旨（signified）兩個部分組成，意符是一個透過實物、聲音等社會動作的實質性文化宣示。意旨則是意符背後所承載的概念。符號學的研究在於將構成這些符號意義的社會價值與個人之間聯繫起來。整個符號系統是由文化的延意性符碼所建立起來的。

建築學者詹克斯（Charles Jencks）應用符號學理論的分析，推翻過去建築史家對建築本質的定義。詹克斯根據符號學對建築所下的新定義為：建築是利用形式上的符徵（signifier），如材料空間，利用一些手段，如結構、經濟、技術及機能等來說明符旨（signified），如生活方式、價值觀、機能等。詹克斯認為，這種新定義比過去對建築的新定義更為健全，因為它不僅將傳統的三項建築要素——實用、堅固、美觀納入符號系統，同時對此基本要素中又添加一項歷史意義（孫全文，2006：120-121）。詹克斯運用的符號學分析事實上是立基於義大利學者艾柯所建構的建築符號學，在艾柯所發展的符號學架構中，關注於對符號的外顯與內涵意義之探討。

艾柯指稱，符號所能傳達的意義有兩個層次，一個為外顯的（denotation），一個為內涵（connotation）的意義。所謂的外顯意義是指一個符號在表面、「字面上的」、「明顯的」、普遍理解的意思，從語意學來說，便是字典裡所提供的意思。至於內涵意義則指涉與符號與個人在社會文化脈絡、意識形態或情感層面所連結的意涵，端視個別主體差異的詮釋。因此，內涵意義的多義性與詮釋

的開放性，要比外顯意義來得複雜。艾柯將建築符號的外顯意義稱為主要功能（primary function），將內涵意義稱為深層機能（secondary function），內涵意義的象徵性機能是要高於外顯意義之主要功能的。艾柯以外顯意義與內涵意義兩個層次來進行建築形式的分析，有助於探索建築表徵背後所隱含的文化價值。舉例來說，哥特教堂內的玫瑰花窗，從外顯意義來說，如同其「字面上」（literal）的指稱，就是「窗戶」，是消極運用建築符號的結果，關注這個符號的實用功能；但從內涵意義來說，傳達了在宗教價值上的精神，是積極運用建築符號的結果，其關注於審美層次的價值。亦即，挖掘建築符號內涵承載的深層價值，可以作為分析文化思維與意識形態的介面。

　　羅蘭·巴特（Roland Barthes）的符號學原則關注於內涵意義的形構過程，對意識形態層次進行更為深刻的挖掘，發展出他稱為迷思（myth）與神話學（mythology）的兩個概念。在巴特看來，內涵意義其實呈現了一連串符號化的過程，在第一階段，意符與意旨構成的符號傳遞了第一層的外顯意涵，這個外顯意涵構成了符徵，並構成第二層內涵意義的符旨，而這樣的符號可以無限的挖掘下去（如圖 2-1），直指其意識形態的揭密。巴特在《神話學》（*Mythologies*）（Barthes, 1957）一書中以經典圖像案例來解釋此意義的層疊演繹的過程與關係：一個向法國國旗行舉手注目禮的黑人少年，從第一層外顯意義來看，就如同字面上表示，是個行舉手注目禮的臉孔，但若再進一層以此圖像為符徵，這個黑人是對法國殖民帝國的象徵敬禮，可以再解讀出其內涵意義為，法國的殖民壓迫行徑，再以此殖民壓迫為符徵，繼續挖掘下去——意涵北非殖民地的少年都被迫必須從軍、被改變以法國式的行禮方式等等，這個意義挖掘的過程也意涵著解構法國身為強權帝國的迷思，一個被巴特稱為神話建構的過程（Barthes, 1957）。這個迷思也可視為是個隱喻（metaphor），有助於我們體驗不同文化經驗。但在巴特的理論中，重要的，或者說是「危險的」，在於這樣的迷思會成為將意識形態自然化的工具（Barthes, 1977: 45-46）。

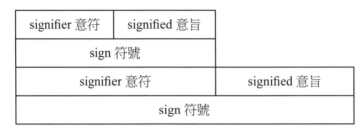

圖 2-1　意旨與意符的構成關係圖

資料來源：本研究繪製。

　　符號學的分析從關注於意義系統、文化內涵到探討意識形態等抽象與象徵層次；馬克思主義的都市社會學者柯斯特（Manuel Castells）也曾經從符號學與結構主義理論架構入手，提出對都市空間中，都市象徵（urban symbolic）與空間實踐及意識形態間連結的探討（Castells, 1977）。都市象徵形成與發展過程，及其與意識形態的關係可以從圖 2-2 來分析：空間文化形式與意識形態緊密相關，空間文化形式與所建構之空間，均為構成都市空間結構的一環，整體凝結為都市結構過程中的象徵系統，並有其自主的傳播與接收過程。這說明其意識形態實踐乃為都市空間所中介，以凸顯都市空間結構與其象徵性乃屬揭露特定空間社會之意識形態的論述爭戰場域。即如同以符號學藉由符徵與符旨的意義鏈關係，藉由分析都市空間結構與都市象徵之空間文化形式，得以探索建築空間生產與空間文化形式符碼意涵：「都市象徵源於空間形式的使用，作為一般意識形態實踐的發出者、轉播者與接收者。亦即空間的符號學閱讀並非單純對形式解碼（社會行動凝結的痕跡），而是經由既定時勢中，社會關係所產生的實現意識形態的過程，表現中介的研究。」（Castells, 1977: 218）

　　所有建築類型中，博物館建築不僅是文化形式表徵最為複雜多元的一種，在當前文化全球化的時勢潮流中，博物館往往被視為都市象徵。故博物館建築的空間生產過程，放在都市層次來看，建築符號的分析更有其重要性：建築具有實用性格為其內在本質，但在都市生活與都市景觀中，廣大的人潮流動與意義產生的過程並不必然涉及建築的使用，反而是建築的形式及其象徵層次呈現的意涵，為分析都市景觀時無法忽視。

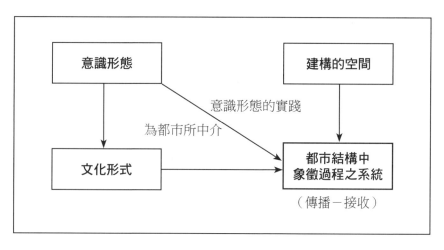

圖 2-2　都市象徵發展過程概念圖

資料來源：Castells（1977: 219）。

　　相較於符號學理論以文學、影像、圖案等再現文本為分析探討對象，建築與空間文化形式的另一重要屬性在於其物質性面向——城市中的建築不僅在視覺層次帶來知覺經驗，為其傳遞符號意涵的意義溝通過程；另一方面也具有實際的身體使用經驗。因此，建築與城市符號學的分析架構中，在構成每個符號的符徵、符旨關係，是一種可以說明將文化環境所產生的意義與物質性的人造物統合在一起的關係（Hjelmslev, 1961）。丹麥哥本哈根學派代表人物耶斯列夫（Louis Hjelmslev）提出「表現」（expression）和「內容」（content）兩個概念來陳述索緒爾的符徵符旨構成關係，並再細緻地在符徵與符旨兩端，更區分出其「實體」（substance）與「形式」（form）兩個層次（參見圖 2-3）。如此一來，所謂符號的「內容之實體」，是由身在更廣大文化中，非符碼化的涵意（non-codified signification）層次所構成。符旨本身是「內容的形式」，是由顯示在空間中，符碼化的意識形態（codified ideology）所構成。相對地，在符號的表現層次，實體乃是負載著涵義的物質空間，以探討其承載涵義的特質。表現之形式，以都市符號學來說，便是空間性的符徵，或是在社會裡，用來營建聚落空間、組織聚落空間的型態元素。亦即，依照耶斯列夫的分析模型來說，都市建築符號可以被拆解出四個不同層次，以對應於內容和表現的形式與實體。相較於其他符號學模型只

分析形式符號，此論述模型的特殊性則是讓符徵與符旨，在關係與功能上，都和文化與物質性的脈絡連接在一起（Gottdiener, M. and Alexandros Ph. Lagopoulos, 1986: 18-9）。

考量本章關切重點在於都市象徵性建築於城市中傳遞的意涵，其空間文化形式的生產過程，及其被設計者所傳譯，使用者所詮釋等層面的關係。故從都市符號學的分析模型入手，有助於掌握都市符號、物質性向度與象徵層次的分析，並以建築符號學連結上述卡彭所提出，形式、功能、意義等三個範疇，作為分析建築的核心要素。經由前述理論概念的整理，本章試圖擬出的分析架構如圖 2-3：從建築的形式、功能與意義三個範疇切入，運用符號學的分析方法，以符徵符旨的構成關係，再細分其內容與表現的實體與形式，以期能針對博物館建築從空間文化形式、建築生產過程，漸次挖掘其在文化論述之意識形態與象徵層次的意涵。

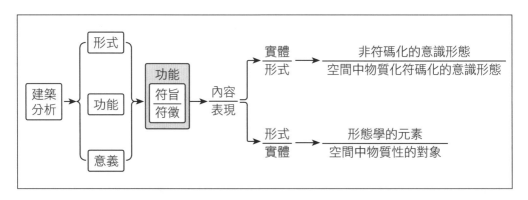

圖 2-3　本研究分析架構圖（城市符號分解圖）

資料來源：本研究繪製。Gottdiener, M. and Alexandros Ph. Lagopoulos (1986: 18-9).

本章選定之個案的資料收集方法，除文獻收集、實地田野訪查外，於 2009 年 8 月於西安訪問設計者張錦秋建築師，作為本研究分析討論的素材。在寫作架構上，先概述中國博物館建築發展起源與現況作為歷史性背景資料，簡述陝西歷史博物館發展之沿革，再以本文提出的研究架構分析博物館建築。

四、陝西歷史博物館個案分析

（一）中國博物館建築發展起源及現況概述

中國的博物館建築肇始於 19 世紀。1867 年，法國傳教士修德（Pierre Marie Heude, 1836-1902）到中國，因其對自然史的愛好，收集大量東亞地區的動物標本。1868 年，修德在上海市郊徐家匯設立「震旦博物院」收藏其蒐羅之動物標本（楊奇森、夏霖、Anja BRAUN 等，2001），成為中國近代第一座博物館（蔣玲，2009：16）[2]。

受近代文明衝擊影響所及，中國自 1920 年代開始出現博物館建築，發展至 1936 年，全中國博物館分布在 17 個省分，共計 77 座，科學文化與藝術類的博物館相繼出現，成為保存文化遺產、推動社會大眾教育的基地。1950 年代，中國為慶祝十週年「國慶日」，北京建設了包括中國革命博物館、中國歷史博物館、中國美術館、中國人民革命軍事博物館等所謂「十大工程」。亦即，以設置博物館作為建構集體認同的文化手段，以矗立於北京天安門外的雄偉建築樣式，意圖表達出「新中國」的政治文化措詞與過往封建帝國沒落軌跡的強烈對話。如同班奈特在《博物館的誕生》一書所指稱，博物館扮演了國族國家建構統治正當性、人民集體記憶與政治理性上的功能（Bennett, 1995）。然而，弔詭的是，這些意圖宣示與封建舊勢力切割的建築物，為了要吸引大眾對其形象的辨識度與認同，建構出具民族文化認同的正當性，而必須採用強烈民族特色的建築形式。在1920 年代左右，以中學為體、西學為用之意念，承襲西方現代主義建築意識，融合中國民族風格的折衷式建築形態。同時，因該批建築被設定為「博物館建築」，故某個程度亦刻意強調其西方古典樣式建築的柱廊形式，加上因意識形態緣故，刻意大量承襲蘇聯現代主義建築風格的影響，故形成該時期極為特殊的建築類型。

1980 年代，改革開放後的中國，隨著對世界各國建築與美學思潮的接受度日益提高，科學技術發展與經濟條件改善等因素，中國博物館的發展出現幾個重

2　1933 年，復旦大學接管該館；1952 年，上海自然歷史博物館接收震旦博物院，將其標本分送至上海歷史博物館和中國科學院動物研究所收藏。〈震旦博物院哺乳動物頭骨標本收藏目錄〉。萬方數據知識服務平台，取自 http://d.wanfangdata.com.cn/Periodical_dwfl200104036.aspx-，檢索日期：2010.03.17。

要趨勢。首先，在數量上的快速成長，博物館設置與日俱增。中國「解放」時，全國博物館僅 24 處；根據 1999 年的資料，中國博物館的數量已達 1,800 座；2021 年最新資料，中國截止 2020 年年底，立案的博物館有 5,788 家 [3]。其次，博物館的主題類型日漸多元豐富。舉凡科技、科學、地質、戲曲、民俗藝術、航空航海等類型，不一而足。第三，私人博物館開始出現，因其屬於私人設置，較有營運上的彈性，在中國內外的文化交流，具一定影響力。第四，因應觀光產業與古建築保護風氣發展，許多古建築或遺址改建為博物館，以同時滿足文物保存與文化觀光之需求。例如北京的海淀區萬壽寺改為北京藝術博物館；明代五塔寺遺址改為北京石刻藝術博物館；北京國子監改為中國教育博物館等等。第五，隨著全球博物館發展趨勢，以博物館作為開創文化產業經濟的利器。從大英博物館的大中庭計畫、倫敦泰德美術館空間活化、雅典衛城博物館的改擴建、紐約現代美術館新建等國際博物館發展重要趨勢，中國追趕文化發展的腳步亦積極跟上，而在全國出現眾多大型增擴建與新建博物館的計畫。例如北京首都博物館從 1999-2005 年的新館擴建；北京的中國國家博物館於 2007 年閉館擴建，2010 年 3 月 1 日完工時，耗資人民幣 25 億元。建築面積由原本的 6.5 萬平方公尺，增加到將近 20 萬平方公尺，展廳 48 個，典藏文物 106 萬件，宣稱為全世界「單體建築」面積最大的博物館。

中國此一欲建構世界「最大」博物館的官方意識形態，相較於博物館本身意涵之典藏、保存人類文明遺產，向歷史謙卑學習的精神，構成極大反差與諷喻，也傳遞出中國官方意欲在國際上取得文化發言權的積極企圖。亦即，從博物館專業、建築文化發展與文化遺產等面向來看，這樣的發展，一方面代表中國在文化事務朝向更現代化、專業方向進展；另一方面，則有著此等文化實踐被工具化為取得中國文化霸權的危機。陝西歷史博物館建館與出現，基本上便是在此歷史社會脈絡中，既承繼著文化傳統保存的重大使命、推動博物館事業與建築設計走向專業化，但同時也肩負著對內建構中國文化集體認同、對外宣示中國文化主體文

---

3 今（2021）年的國際博物館日，中國國家文物局局長提出相關的數據報告說明，中國自十三五之後，平均每兩天新增一家博物館。截至 2020 年年底，全中國立案的博物館 5,788 家，其中，國家一二三級博物館由 764 家，增長到 1,224 家，增長率 60.2%。免費開放博物館由 4,013 家，增長到 5,214 家，增長 29.9%。中國新聞網（2021），〈中國博物館總量要居全球前五位〉。中國新聞網，取自 https://www.chinanews.com/cul/2021/05-18/9480116.shtml，檢索日期：2021.05.18。

化優越性的大敘事（grand narratives）。

（二）陝西歷史博物館發展沿革

　　狹義的陝西歷史博物館係指目前位於西安市小寨東路與翠華路口，於1991年正式落成啟用的博物館建築。然而，在歷史文化層沉積豐富的西安市來說，陝西歷史博物館係為整合了多處文化保存機構與歷史文化空間而成。

　　根據藝術史學者李西興（1994）的研究，陝西歷史博物館的歷史最早可以追溯到1940年代。1944年6月，陝西省教育廳擬將當時的西安碑林、西京圖書館收藏附屬的歷史文物、西安民教館的工藝陳列品與考古會所收藏的古物，整合為一座博物館。此為陝西第一座具現代概念之博物館的設置，當時亦決議將碑林前的孔廟空間，一併歸屬新設置的陝西博物館管理，對文化資產保存、研究、展示與教育等層面的工作，此擬議思維具高度專業與整合性的概念。但時值中日抗戰後期、後經歷國共內戰等變因，新建博物館的提案無法貫徹。

　　1961年，時任國務院總理周恩來視察陝西歷史博物館時，指示碑林空間太小。1973年，周恩來陪同外賓參觀西安時再次提及，陝西文物多，應考慮興建博物館，主張新館可設置在大雁塔附近。1977年，中共十一大時期，國家文物局局長王冶秋為落實周恩來生前指示，與陝西省文化局和省博物館，展開了新館籌建工作。針對新館籌建有幾個重要的課題，包含新館選址與大雁塔周邊環境的關係；新館建築規模，碑林的展示如何與新建博物館相連結等。但因始終未能達成相關共識與決議，遲遲拖到1983年，始由陝西省文化局與省博物館確認新館用地。1984年年初，陝西省人民政府成立籌建委員會，委由中國建築西北設計院參與新館籌建的規劃工作。同年9月，張錦秋建築師提出的設計方案競圖勝出。1985年2月，博物館工程列入中國七五計畫，

圖2-4　陝西歷史博物館正面

資料來源：維基百科。

確定投資規模為 1.2 億元人民幣[4]。1986 年 1 月，陝西省博物館名稱定為「陝西歷史博物館」，去掉「省」字以示將其定位為「國家級博物館」。1986 年 11 月開始施工。1989-1990 年進行室內裝修與展示、安裝。1991 年 6 月 20 日正式落成開放。

（三）陝西歷史博物館之形式／功能／意義的符號學分析

以本章前述發展出從建築到城市符號學的分析架構，針對陝西歷史博物館在形式、功能與意義三個範疇，解析其建築與空間文化形式符號之內容與表現，即其形式與實體的各層面意涵如下表 2-1。

表 2-1　陝西歷史博物館符號學分析表			
形式	內容（符旨）	實體	以博物館建築來寄寓中國建築現代化變遷。
		形式	中國傳統建築樣式的現代轉化。
	表現（符徵）	形式	新唐風建築樣式。
		實體	以中國傳統建築原則與空間表徵作為形式元素。
功能	內容（符旨）	實體	以現代主義機能導向，滿足博物館專業在展示、典藏、研究、教育與休閒等功能。
		形式	以現代建築手法服務當代博物館專業需求。
	表現（符徵）	形式	中國建築現代化形式作為博物館建築樣式。
		實體	現代鋼筋混凝土造建築。
意義	內容（符旨）	實體	中國具有打造現代化博物館建築的能量。
		形式	意欲以新唐風建築樣式作為表徵中國文化的建築風格。
	表現（符徵）	形式	西安都市發展中文化觀光與文化產業空間表徵。
		實體	新唐風建築樣式所表徵的中國建築現代化途徑。

資料來源：本研究製作。

1. 功能範疇的分析討論：以現代主義機能主義導向滿足博物館專業需求

從功能範疇論陝西歷史博物館，中國官方將其設定為代表中國走向現代

　4　完工時的最終投資規模為 1.44 億元人民幣。

化的博物館文化建設，如前述所提及，興建陝博的緣起關鍵，還是在於「長官（周恩來）一句話」。因此，意圖以現代建築的材料、手法，以及機能主義導向，滿足現代博物館在展示、典藏、研究、教育與休閒等功能。不論是相關文獻資料或設計者的事後檢視，均強調如何以現代化的設計手法，提供博物館專業空間需求服務。

圖 2-5　博物館西南側角樓往中央展廳移動動線
資料來源：本研究拍攝。

圖 2-6　正廳往入口處回望的儀典大道
資料來源：本研究拍攝。

圖 2-7　入口柱廊斗拱細部
資料來源：本研究拍攝。

圖 2-8　入口正廳柱廊
資料來源：本研究拍攝。

　　張錦秋建築師對陝西歷史博物館設計的檢討論文中提及，「一般博物館係由文物保護、文物陳列、觀眾服務設施、工作人員用房、設備用房五大部分組成」（張錦秋，1990：27）。在其設計方案中，則將「文物保護」，即典藏空間和文物展示陳列這兩部分的空間規模，作為確立全館規模的主要考量點。一座成功的博物館建築，其內部的空間配置、動線與參觀展示、觀眾服務、行政辦公等不同機能是否足以滿足各個群體使用者，不僅為其空間規劃的靈魂、亦為場所精神所在。

　　張錦秋將博物館建築回歸為以服務觀眾為導向的服務性空間，以「前臺」、「後臺」的概念來區分，前者指涉以服務觀眾為主的場域，後者為行政人員的工作場所。「前臺」區域包含了展示空間與相關服務設施。

圖 2-9　入口接待大廳為容納觀眾吞吐重要的公共空間

資料來源：本研究拍攝。

圖 2-10　數位化資訊服務為現代博物館必備的觀眾服務設施

資料來源：本研究拍攝。

　　陝西歷史博物館的平面配置採取結合中國傳統建築的合院與院落的作法，整體配置成「日」字型，進入第一進的正立面後，為主要院落空間，隨即為正殿大廳，正殿大廳為博物館主要建築物，一樓挑空，二樓為常設展展區。為使參觀動線流暢、串聯展場空間，所有對大眾開放的區域，放在主要庭院的院落空間——正殿大廳左右兩側以廊道相接，兩側院落分別為臨時展區與特展區，正廳、左右兩側院落與庭院，構成了博物館建築的前臺空間。

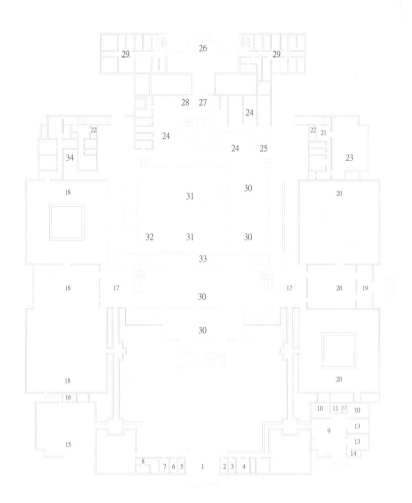

圖 2-11　陝西歷史博物館全區平面圖

資料來源：本研究重繪。

　　相較於 19 世紀以降，歐洲博物館採取古典樣式主義建築風格的博物館平面配置，基於博物館展示與參觀動線的機能考量，創造正面雄偉建築風格、內部以迴廊動線的空間組織模式，以整合展示與參觀需求，陝西歷史博物館採取院落與合院組織模式，表面看來是複製了傳統空間格局的手法，但

實際上隱含了現代建築以機能為尚的設計思維。

另一方面，當代博物館走向以觀眾服務為核心的新博物館經營模式的思考，關切博物館的可及性（accessibility），除提供規劃完善的展示動線，以及友善的觀眾服務場域外，如何讓博物館提供的觀眾服務設施更為多元活潑，吸引大眾即使不是入館參觀，也能貼近博物館。如羅浮宮在貝聿銘建築師設計的玻璃金字塔下方，為大量遊客喜歡造訪的文化消費區域；設置豐富有趣的博物館商店、賣場或社會教育空間，成為歐美博物館經營與建築規劃的主流思考。

在建築設計的課題上，張錦秋建築師認為應該有幾個關鍵的角度，分別是：如何提出滿足博物館服務所需的相關設施、如何有效吸引觀眾進入博物館、如何提升博物館經濟收益等三個角度，來建構陝西歷史博物館的觀眾服務功能。其提出具體的四項設計手法：(1) 設置於西南角樓的博物館商店、餐飲服務，有其獨立出入口，博物館休館時，亦可獨立營業不受干擾。(2) 東南角樓設置的接待空間、簡報室、小型研討教室等空間，配備現代化的視聽設備，同樣有獨立門廳與出入口，可以單獨出借或供外界租用，辦理大小型會議或研習，增加館方收益；或可作為館方社會教育所需的場所。(3) 博物館院落群的東側臨時展區，規劃有獨立出入口、門廳、車庫、行政工作空間等，可獨立成一個小型展覽空間，作為館方出租給各單位或個人辦理展覽活動使用；同樣具有增加經濟收益、多元化館方服務機能的意涵。(4) 院區北側的文物保護實驗室，設置專業的文化保護、檢驗、修復、複製的專業文物保護中心，提供相關的鑑定、修復等專業服務（張錦秋，1990：30）。

由前述機能層面的角度來檢視陝西歷史博物館，設計者雖以新唐風的傳統建築樣式切入，但仔細審視當代博物館的各項機能需求，亦清楚地融入院落式建築格局中。

2. 意義範疇的分析：以新唐風建築樣式作為表徵中國文化的建築風格

從「博物館」經營規劃角度，陝西歷史博物館的設置新建有幾個重要的象徵意涵：首先，捨蘊含千年文化沉積的碑林文化歷史空間，有意識地新建「現代化」的國家級博物館，該館成為中國在經歷文化大革命、改革開放

後，對內對外表現中國在文化事務上的「社會主義現代化」。其次，陝西地區為中華民族文化發源地，在此興建詮釋與展示民族歷史與文化的博物館，在文化政治層面具高度宣示意義。亦即，博物館為其文化霸權建構的一環。第三，進入 1980 年代後，中國在急速工業化腳步同時，以觀光產業催動經濟開發，陝西歷史博物館與西安諸多歷史文化遺址共同納入觀光產業體系，為西方觀光客重建認識、建構中國印象的重要櫥窗，故博物館建築形式與符號的操弄，蘊含了重寫中國現代建築文化論述的企圖。那麼，陝西歷史博物館的建築表徵，究竟企圖溝通什麼？與誰對話？

　　不可諱言，「博物館」本身便是個從西方文化傳衍的產物；在現代主義建築概念作用下，博物館建築除了被賦予高度專業的建築機能需求與設備標準外，因其擔負文化傳播與教育意涵，建築形式與風格語言所欲溝通的價值，往往使得博物館建築成為美學價值的前導，以及各地區文化表徵的前哨站。重視文化的社會必將博物館置於聚落中最重要的區位，精心營造以反映當代建築科技水準與風尚，甚至展現當地特色或具有象徵意義的造型。博物館一方面要保存過去，二方面要展現現代，三方面要迎接未來可能需求（孔憲法，1991：35）。

　　周恩來指示應興建新建博物館時，曾提及可在大雁塔附近選址。大雁塔為明城牆的城區範圍外，具指標性的紀念性建築，與城內有呼應關係，亦可帶動城外地區的發展。特別是當時已有開發計畫的曲江風景區，便是以大雁塔為核心，漸次開發出去的新區，不僅可以有效整合新舊區域的開發，亦可連結西安城內的文化觀光景點。

　　陝西歷史博物館選定的位置，距離曲江風景區約 1 公里，與大小雁塔有較好的視覺連結性。另根據張錦秋建築師的說法，該址鄰近地區多為青瓦坡頂、灰色磚牆的三、四層樓房，背景統一而色調穩重，有利於創造出與西安古都較為風格一致、但又能突出自身建築風格的博物館（張錦秋，1996：228）。

　　該基地不僅連結大小雁塔，與碑林在同一軸線，加上大雁塔北廣場等周邊廣場的開放空間、大慈恩寺遺址公園等綠地陸續落成後，陝西歷史博物館

成為西安城市旅遊路線上，具有城市空間戰略重要地位，強化其博物館在文化觀光扮演的角色。亦即，從國際文化行銷的角度來說，陝西歷史博物館建築在空間文化形式的表徵，得以透過文化觀光、城市旅遊方式與觀眾進行主動溝通。

張錦秋建築師以「新唐風」建築樣式來表徵西安的博物館建築形象，從西安整體都市發展層面來看，建構西安文化旅遊、文化產業與都市空間表徵之外，欲以中國傳統建築樣式風格的文化表徵，作為寓含中國具有打造現代化博物館能量的意圖，意涵以「新唐風」作為文化表徵抵抗的主體性論述。哈佛大學設計學院院長若威（Peter Rowe）認為，張錦秋的陝西歷史博物館與唐華賓館設計等案，成功擺脫當代中國建築現代化論題中的「大屋頂魔咒」，有效地達成了「具有現代化的內容，但具有中國式形式外觀」之企圖，是一種中國傳統建築的復興（Chinese revivalist architecture），其表現手法，甚且對中國當代後續許多建築計畫，產生深遠的影響（Rowe and Kuan, 2002: 176-177）。

3. 形式範疇的分析：中國傳統建築樣式的現代轉化

以中國傳統建築形式元素來詮釋陝博，似乎是從一開始便無法擺脫的前提與歷史宿命。根據設計者張錦秋建築師自述，「中國建築西北設計院」承接陝博興建案時，為表達對該設計案的高度重視，先在設計院內部進行競圖，初期的十二個方案中，包括各種風格的集中式和院落式兩大類型。亦即，博物館的設計提案者均企圖從中國傳統建築中，尋找足以表徵博物館的元素；在經過兩次國內專家評議、一次國外專家諮詢，討論意見均傾向於選擇佈局相對集中、與院落式相結合、具有中國傳統宮殿特色的方案。

對最終選定宮殿形式的方案結果，張建築師提及，針對宮殿式特色建築，專家論者意見包括：中國歷代都城均係以宮殿為中心來經營城市，西安是一座歷經十一個王朝的古都，以宮殿式建築為象徵極為貼切。陝博為國家級的大博物館，其收藏的珍貴文物為國家瑰寶，是一座文化的殿堂，以宮殿式建築亦具有說服力。另有專家意見認為，西安為千年古都，但因戰亂宮殿建築早已蕩然無存，若博物館能展現並反映傳統宮殿的風貌，則能發揮建築

精神層次功能（張錦秋，1996：229）。此建築設計的措辭和西方 19 世紀的博物館建築形式開始自主發展之初，在意識形態上，認定博物館代表文明的「殿堂」，受到早期如羅浮宮等宮殿建築轉型，以及辛克爾等人設計的新古典主義建築風格等因素影響所及，博物館建築從外觀的空間文化形式表徵，始終與宮殿式建築樣式如出一轍。

然而，值得注意的是，張建築師採用宮殿式建築樣式並非直接照抄，而是經過一番思維與轉化的。

張建築師曾提及，在中國近代建築發展史中，傳統宮殿建築對現代生活來說，並不是一種「好用」的形式；再從意識形態層次言，許多大型公共建築為表達民族形式，均刻意迴避宮殿建築形式，而是改採樓閣式建築造型。但此洋樓加上大屋頂的作品與作法，往往受到許多爭議與貶抑。因中國宮殿式建築以其大面積水平開展的群體組合藝術，以其院院相連的空間序列，所展現出的雄偉氣勢，很難從單一建築物，或其屋頂來展現其所創造的空間氛圍。進一步地檢視中國宮殿空間佈局不難發現，宮殿本身是典型宇宙象徵主義的代表。即宮殿院落的配置隱含了象徵宇宙的設計。張建築師借鏡唐代麟德殿和明清紫禁城「四隅崇樓」的格局，透過四隅與主體建築的呼應，體現宮殿對八個方位的輻射控制，宮殿中央殿堂、四門四樓佈局的空間環境形成的氣勢，隱喻著千百年來潛入中國人空間意識之中的宇宙感（張錦秋，1996：229）。經由前述對傳統宮殿式建築的分析，張建築師在設計策略上，基於基地條件與博物館機能考量，借用傳統宮殿軸線對稱、構圖嚴謹、中央殿堂、四隅崇樓的佈局，試圖以最簡約的平面，以一棟被院落包圍的中央正殿大廳建築，象徵宮殿的組群關係，反映出宮殿群體的「宇宙模式」，意涵了空間佈局中的東方哲理（張錦秋，1996：229-230）。

除宮殿式傳統外，張建築師尚主張，此空間格局尚包含中國傳統園林與民居庭院的手法，組織大小不同的七個內院。其中三個為院區南側，連結展廳與公共服務區的半開敞式院落，四個則是環繞在展廳的封閉式庭院。大小院落的錯落，大院落展現恢弘氣勢，小院落符合人體親切尺度，讓觀眾得以輕鬆停留使用。「一組大建築即使在宏觀上氣勢恢弘，通過局部處理環境仍然可以是親切宜人。這也是我國建築的一個好傳統」（張錦秋，1996：230）。

「屋頂」向來被視為最能表達中國傳統建築精神與價值。其蘊含的倫理與形制關係，在文化形式上的語彙成為傳遞空間意識形態最有力的武器。例如，因採取宮殿式建築格局，中央正殿自然使用廡殿式屋頂，中軸線上南門兩座門樓，同樣採廡殿屋頂；為了與主殿有所區隔變化，四隅崇樓則採用攢尖頂。在中國建築傳統規制中，「攢尖頂」多應用於較附屬性質的建物，例如亭榭空間，但張建築師以兩種不同屋頂形式來區隔不同軸線與機能的建築，跳脫了傳統建築的規制，而從建築機能來思考。同時，在視覺效果上則形成了軸線對稱、主從有序，大小院落的錯落有致、屋頂形式變化所創造的空間層次感，整個博物館院區表現出豐富的空間韻律感。此設計案可謂創造出運用傳統建築語彙之當代中國現代建築的新風格。

構造形式與色彩計畫亦提供思考中國傳統建築與現代建築辯證關係的不同面向。

如何讓借用宮殿格局錯落有致的平面，既有空間變化、又能展現一致風格，為張建築師關切的設計重點。張建築師以《營造法式》傳統建築材分制度的精神，為陝西歷史博物館建立模數關係，以有效控制各類建築的比例尺度，創造出同中有異、既統一又有變化的空間韻律。張建築師在博物館正殿採用的九間架格局，為《營造法式》中最高等級，梁思成在《營造法式註釋》中指出，中國古代建築材的制度應用大致歸納為：按建築的等級決定用哪一組，然後按建築物大小選擇用哪等材（梁思成，1984）。回應本文前述所稱，過往均以博物館屬文明殿堂的思考，而根據現存實例，可以推斷《營造法式》分析的殿堂結構、廳堂結構、簇角梁結構，應至少在唐初即已普遍應用（高小倩，2002：35）。

張建築師強調陝西歷史博物館屬「新唐風」建築，運用唐代殿堂建築的風格語彙，但本質上還是一座現代建築，「最後選定的實施方案是一座軸線對稱、佈局嚴整、輪廓豐富、與庭院相結合的，具有濃郁傳統風格的現代建築」（張錦秋，1990：31）。此內涵為現代建築，但採用唐代殿堂樣式風格的外表，在建築造型設計上，除了大屋頂突顯出量體的輪廓線外，建築均有淺灰色花崗石勒腳或臺基，一方面增強建築的穩定感，以漢白玉平臺欄版的裝飾性，表現中國傳統宮殿式建築的藝術感；與此同時，建築又採大面積的牆

面，以忠實反映內部空間機能需求，虛實相間，大片白色磚牆面、搭配茶色玻璃形成強烈虛實對比，又展現出現代建築的語彙。

在色彩計畫方面也出現類似的辯證關係。張建築師一反傳統宮殿建築的紅色、黃色等大膽鮮豔的色澤，而以白、灰、茶三色為博物館院區建築群的主色調。依據張建築師所言，採用素色系的考量主因在於，世界各地博物館建築為強調其高雅與不朽，多採取灰色調、石材外觀量體厚重、具雕塑感，以映襯展品的永恆價值。此外，即使外觀再華麗壯觀、內部則希望將空間極簡化，讓藝術品成為主角，而非以亮眼的建築造型來搶展品的光彩。

張建築師提到，受中國傳統水墨畫影響，在藝術形式表現中，墨色的表現要比彩色來得高，從中國傳統水墨畫以降的畫道思維，表現在文人園林建築設計精髓，成為追求藝術表現的終極價值。張建築師從 1980 年代起，設計過幾組新唐風建築，如唐華賓館所謂三唐工程，試圖挑戰此色彩計畫，而逐步走向以唐代宮殿的赭紅色系，過渡為陝西歷史博物館較為低調內斂的淺灰色。張建築師並非盲目地借用傳統宮殿建築的表現手法，在設計轉化的過程中，如何納入建築機能與造型表現的關係，以及中國建築現代化轉化所可能遭遇的種種課題，係融合了傳統藝術哲學、從原型出發的轉化、以及當代空間使用的需求、及其外觀表徵所傳遞的時代精神等等。

但此一從豔麗走向內斂的色彩計畫過程並非一路平順。根據張建築師自述，當時為了屋頂的顏色選擇，曾經跟陝西省省長有過意見上的分歧。省領導認為：「灰瓦是不是太窮氣了？我們陝西省好不容易蓋一個大型的文化建築。」因此他提議用黃琉璃瓦，輝煌燦爛一點（鍾實，2005：23）。一方面基於前述對博物館建築形式表徵的主張，應以淡雅色調為主；更重要的是，深諳中國傳統建築的張建築師知悉，唐代並沒有黃琉璃瓦，最終提出了折衷方案，改採用鐵灰色琉璃瓦，既符合唐代灰瓦屋頂的樣式風格，也創造淡雅的色澤，符合當代博物館建築空間形式的表現性。但省領導的一句話，道盡陝西在 1980 年代改革開放後，企圖以文化建設作為宣示邁入現代化的積極意圖，而此邁入現代化的文化詮釋則是重新回返於唐代風華歷史存留的符號經濟。

五、以博物館建築再現在地物質文化

當代博物館研究提出「物質文化」（material culture）的概念，以文物具有的物質性面向證據，作為檢視人類文明進展的軌跡。與此物質文化概念近似，「建築」本身便是物質文化的具體表徵，說明人類社會技術演進、智慧凝聚與價值的變遷。從機能主義的角度來說，博物館建築主要擔負博物館的各項使用需求，是以博物館內所典藏的展品來見證歷史痕跡。在此構成了雙重的隱喻（double metaphors）：不僅參觀博物館內的文物是一趟歷史時空之旅，博物館建築本身也以其建築美學與觀眾對話。陝西歷史博物館以「新唐風」建築樣式的文化表徵來展現自身，博物館混雜時空線索之異質空間的歷史價值反而被解構。

面對改革開放、經濟快速發展的情境，如何在每個層面均趕上現代化的「腳步」，為中國主要城市在 1990 年代以降所面對嚴峻的發展課題。以豐厚的文化歷史資源發展觀光產業，以促進經濟收益，即所謂的「文化搭臺、經濟扮戲」的主張。一方面雖帶來大量觀光客與外匯，同時也衍生各地文化觀光化的危機，倍增文化傳承與歷史保存工作的困難。博物館作為保存歷史與文化的場所，在這一波文化觀光的經濟發展模式中，也成為引領都市發展與文化治理的要角，故本章試圖以建築與都市符號學的分析架構，連結上建築的形式、意義與功能三個範疇的討論，從博物館的實質空間需求、建築空間形式表徵、博物館建築與城市文化等面向，建立討論博物館建築類型之分析性架構，並以此檢視博物館建築與建築設計者，面對全球化發展脈絡下，如何在城市文化治理的思維中，建構競逐文化發言權的都市空間表徵。

（一）都市符號學的建築分析取徑：西安陝博的個案

本章以都市符號學的分析架構，加上卡彭提出之建築形式、意義、功能三個向度的討論，有助於將建築具有的實質與象徵層次內涵，連結上其所在的都市空間景觀。關鍵在於此分析架構立基於從符號的符徵、符旨的外顯與內涵意義層次，解析出建築所具有的實質面向特性。

以西安陝西歷史博物館個案為例，從功能範疇來看，乃是意圖以現代主義的機能主義，導向滿足博物館專業需求的建築實踐——不論是從國家最高領導人的

指示、省領導的話語,與建築師所宣稱的意圖,均可解析出當代中國建築實踐對宣稱其現代化腳步的急切。現代主義機能理性導向,滿足了博物館專業在展示、典藏、研究、教育與休閒功能的建築需求。另一方面,此現代化博物館建築必須能展現中國傳統文化的表徵,成為販售中國歷史符號的場域所在。

故再以形式範疇來分析,博物館建築雖擔負其被設定的空間機能,賦予傳遞中國、西安現代化的任務,其在形式表現上必須以博物館建築來寄寓中國近二十年來在建築現代化上的發展,以及博物館作為現代化的文明教化機構的設置,以中國傳統建築原則與空間表徵,作為形式元素。例如張建築師以中國宮殿式建築樣式、院落空間格局,以及以《營造法式》傳統建築材分制度的精神,提出對陝西歷史博物館設計的模數關係,以控制各類建築的比例尺度,創造空間韻律,也由此建構出張建築師所謂的「新唐風建築」樣式論述。

最後,回到意義範疇,欲以新唐風建築樣式作為表徵中國文化的建築風格,「新唐風建築」樣式為此個案重要的建築空間表徵線索——放置於古都西安的城市脈絡中,在意識形態層次,新建建築擔負宣示中國現代化的任務,卻又必須展現古都文化傳統與周邊景觀氛圍的緊密扣合,傳遞新舊之間的辯證關係,採取中國傳統建築樣式的現代轉化,即所謂「新唐風建築」樣式的措辭,一方面表達了中國建築的現代化,亦意圖建構具文化主體性的建築設計論述。更有甚者,從官方建構之「新唐風建築」樣式論述,展現了欲以此作為象徵中國建築現代化途徑中,足以代表一個全稱、大寫的、展現中國文化主體的建築風格。

從建築設計論述發展的角度來觀察,面對中國建築現代化的課題,這究竟是一個非此即彼、此消彼長的相互取代過程,抑或是個相互融合、同化漸變與混雜新生的歷史線性發展下的產物,或者,可以走出第三條中國特有的發展道路?「新唐風建築」樣式在這個過程中,似乎被賦予具文化主體性想像的高度期待。

(二)「新唐風建築」與中國傳統建築的現代化

從關切都市文化發展的角度來觀察正積極追求經濟發展與進步的中國,其包含建築實踐、博物館事業、都市景觀與文化旅遊等產業進展,如何避免龐大經濟利益的誘惑導致摧毀性創造,同時善用悠久歷史傳統,保有其文化的主體性,且

建立文化的優勢發展機會。從中國建築傳統中找到足以與現代建築對話的力量，亦即從現代化進步論述到地域主體性的建構課題，不僅是建築師面對的嚴峻考驗，也是當代建築論述關切的核心之一。長期以西安為建築實踐場域的張錦秋建築師的「新唐風建築」設計論述，提出了值得再三深思的解題。

陝西歷史博物館及與其同時間設計的唐華賓館等建築空間生產，以所謂「新唐風」樣式帶動西安都市景觀改造、文化觀光與土地開發，只是開發西安的第一步，亦為極具宣示性的一步——隨著秦兵馬俑的考古挖掘出土，西安從中國古都的西北內陸城市，轉型成為代表西北大開發的前哨站，帶動宣稱象徵漢唐璀璨中華歷史之文化觀光熱門景區，如何善用建築空間表徵，以同時在都市景觀改造、文化保存、文化產業與美學經濟的開展均有所斬獲，博物館建築自然成為一個爭取國際焦點與曝光的舞臺。建築設計者面臨的挑戰是，如何同時傳遞中國的進步與現代化，卻又能夠保有傳統風味，藉由差異建構獲取觀光客目光焦點，與國際文化保存專業界的認同，而在全球文化趨向同質化的危機中，以自身文化的獨特傳統來建立文化主體性。

張建築師相當清楚地將現代主義科學、處理機能的理性工具，作為博物館建築的基礎；其有效地運用了當前博物館「以觀眾服務為核心」的趨勢，靈活地創造出將餐飲、文化商品、社會教育等機能獨立分區，且可彈性使用的平面配置模式。善用基地區位的優勢，無形地融入都市文化旅遊發展的核心軸帶。在建築形式語彙層面，藉由西安皇城的歷史意象，結合博物館建築所需的文明殿堂形象，取得現代主義建築設計手法與中國傳統封建建築間，形式的緊張與正當性——在頂著廡殿式大屋頂的水泥盒子，以及大小相間、院落相連的迴游式空間裡，上演著文物藝術品展示與典藏的完善機能。貫徹《營造法式》對空間格局與位階層級的規範，將傳統規制轉化為界定現代建築機能之差異；運用現代材料，借用唐式屋瓦的淡雅，建構出博物館建築的永恆形象，置換掉宮殿建築的奢華俗麗，遊移在中國傳統建築典律與現代建築理性間。

身為梁思成弟子，中國傳統建築訓練底蘊深厚的張錦秋建築師，其提出的「新唐風」建築概念，或許可以理解為一種奠基於現代主義發展的內涵思考——正因為中國或西安已經不可能再回到盛唐世代，以一個文化共識上認可的歷史表

徵形象，作為對抗現代主義建築摧毀性創造的緩衝，在傳統與現代之間，找到對話與平衡的力量。張建築師的「新唐風」主張，與其說是為西安的經濟開發力量，找到在建築文化形式上對應的空間措辭，不如說是為西安城市歷史風貌找到最後一絲殘存價值與文化正當性的良方解藥。對所有面臨現代化衝擊、並亟於尋找自身文化主體性的地域來說，這些問題意識與課題仍持續地醞釀更多的對話、衝擊與反思。

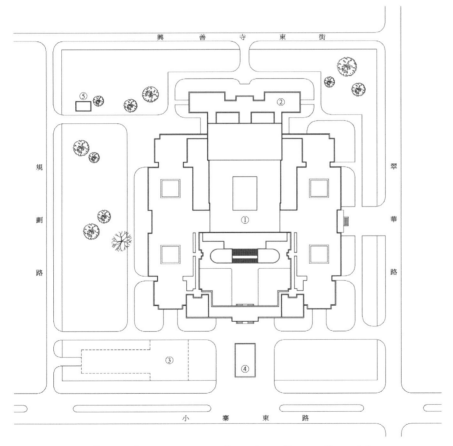

①主館　②文物保護工作樓　③地下車庫　④水池　⑤輔助建築

圖 2-12　陝西歷史博物館全區配置圖，主館與規劃路之間的空地，為預留日後發展擴充腹地。

資料來源：本研究繪製。

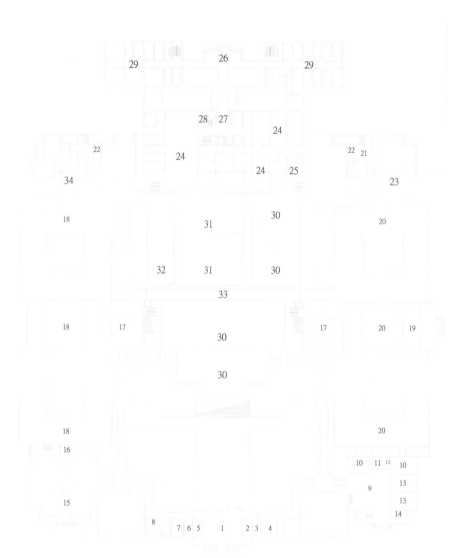

圖 2-13　一層平面圖

資料來源：本研究繪製。

1. 南大門	10. 貴賓室	17. 觀眾休息區	23. 圖書閱覽區	29. 文物保護實驗室
2-4. 入口接待與寄物區	11-12. 廁所	18. 專題陳列區	24. 文物修復整理空間	30. 機房上層
5-7. 售票與保全	13. 教室	19. 臨時陳列入口門廳	25. 防盜消防中心	31. 壁畫庫房上層
8. 廁所	14. 辦公室	20. 臨時展區	26. 北門入口	32. 壁畫修復室上層
9. 音像接待區大廳	15. 文物商店	21. 圖書資料區門廳	27. 行政區入口	33. 消防車通道上方
	16. 工作區	22. 廁所	28. 收發	

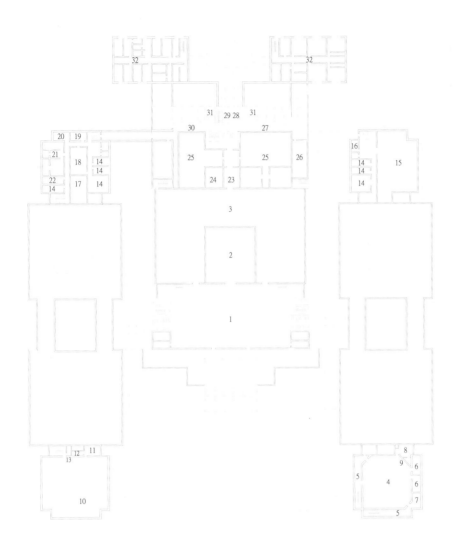

1. 入口門廳　　　7. 廁所　　　　　13. 廁所　　　　　19-21. 辦公空間　　27.28. 資訊機房
2. 中央陳列廳　　8. 準備室　　　　14. 辦公空間　　　22. 不斷電機房　　29. 辦公區接待入口
3. 基本陳列　　　9. 講臺　　　　　15. 書庫　　　　　23. 陳列準備空間　30. 陳列部
4. 演講廳　　　　10. 餐飲空間　　　16. 廁所　　　　　24. 陳列用庫房　　31. 廁所
5. 休息廳　　　　11. 工作空間　　　17. 檔案庫　　　　25. 文物庫　　　　32. 文物保護實驗室
6. 小型會議室　　12. 茶水間　　　　18. 倉儲　　　　　26. 空調機房

圖 2-14　二層平面圖

資料來源：本研究繪製。

參考文獻

王志弘（2003a）。〈影像城市與都市意義的文化生產：《臺北畫刊》之分析〉，《城市與設計學報》，13/14: 303-340。

———（2003b）。〈臺北市文化治理的性質與轉變，1967-2002〉，《臺灣社會研究季刊》，52: 121-186。

孔憲法（1991）。〈天人和諧的建築：加拿大文明博物館〉，《博物館學季刊》，5(1): 3-18。

李西興（1994）。〈陝西歷史博物館與碑林博物館〉，《陝西歷史博物館館刊》，1: 222-226。

金光裕（2000）。〈臺灣近年博物館傳達的訊息〉，收錄於《博物館與建築：邁向新博物館之路——博物館館長論壇論文集》，頁 133-140。臺北：國立歷史博物館。

梁思成（1984）。《營造法式註釋》。臺北：明文。

孫全文（2006）。《當代建築思潮與評論》。臺北：田園城市。

高小倩（2002）。〈中國古代宮室殿堂空間文法建構的研究：以宋代《營造法式》為例〉。雲林科技大學空間設計研究所碩士論文。

陳其南（2008）。〈帝國的想像：台博館的誕生與日治臺灣的殖民意識〉，收錄於《世紀台博，近代臺灣》，頁 7-33。臺北：國立臺灣博物館。

張錦秋（1990）。〈陝西歷史博物館設計探討〉，收錄於《博物館學論叢》，頁 27-38。陝西：人民出版社。

———（1994）。〈形式與實質感覺與理性：陝西歷史博物館建築創作的體會〉，《陝西歷史博物館館刊》，1: 227-232。

曾信傑（2005）。〈文化行銷：博物館在都市再生中扮演之角色〉，《博物館學季刊》，19(4): 33-46。

馮久玲（2002）。《文化是好生意》。臺北：臉譜。

郭美芳（1991）。〈時空疊砌的文化殿堂〉，《博物館學季刊》，5(1): 35-45。

喬文徵（1990）。〈陝西歷史博物館陳列展覽大事記〉，收錄於《博物館學論叢》，頁 122-132。陝西：人民出版社。

楊奇森、夏霖，Anja BRAUN 等（2001）。〈震旦博物院哺乳動物頭骨標本收藏目錄〉，《動物分類學報》，26(4)。

鍾實（2005）。〈女建築大師張錦秋〉，《中華建設》，2005 年 3 月號：22-24。

蔣玲主編（2009）。《博物館建築設計》。北京：中國建築工業出版社。

Barker, E. (ed.) (1999). *Contemporary Cultures of Display*. Yale University Press in association with The Open University.

Barthes, R. (1957/ 1972). *The Mythologies*. N. Y.: Hill & Wang.

---(1977/1999). *Elements of Semiology*. N. Y.: Hill & Wang.

Bennett, T. (1992). "Putting Policy into Cultural Studies." In G., Lawrence, C. Nelson, and P. Treichler (eds.),

Cultural studies (pp. 23-34). London: Routledge.

Capon, D. S. (1999). *The Virtruvian Fallacy: A History of the Categories in Architecture and Philosophy*. N. Y.: John Wiley & Sons.

Castells (1977). *The Urban Question*. Cambridge, Mass.: The MIT Press.

Fletcher, Banister, Cruickshank, Dan (1896/1996). *Sir Banister Fletcher's A History of Architecture*. Architectural Press, 20th edition.

Foucault, M. (1986). Of other space. *Diacritics*, 16(1): 22-7.

Gottdiener, M. and Alexandros Ph. Lagopoulos (1986). *The City and the Sign: an Introduction to Urban Semotics*. New York: Columbia University Press.

Hjelmslev (1969/1961). *Prolegomena to a Theory of Language*. University of Wisconsin Press; Reprint edition.

Nikolaus Pevsner (2009/1943). *An Outline of European architecture*. Gibbs Smith; Revised edition.

Rowe and Kuan (2002). *Architectural Encounters with Essence and Form in Modern China*. Cambridge, Massachusetts: The MIT Press.

Anderson, RGW (2000). " Renewing a Great Institute."〈一個大型機構的更新〉,《博物館與建築：邁向新博物館之路——博物館館長論壇論文集》,頁 11-45。臺北：國立歷史博物館。

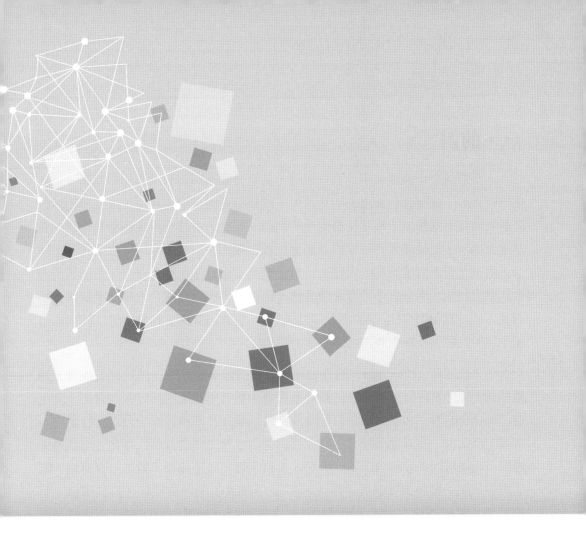

古蹟活化再生與博物館建築

知識展示重構：博物館建築空間與觀眾經驗
Reconstructing Knowledge and Exhibition: Museum Architecture, Space and Audience experience

一、前言

　　本章關注文化資產活用為博物館時，其經營維護與再利用層面的問題。這其中同時牽涉了建築文化資產的活化再生，建築修復維護與再利用，以及博物館的經營管理等不同領域，相互交疊產生的問題。此外，古蹟活用或轉型為博物館並非憑空出現，往往需經歷一定的決策過程或相關程序，其中牽涉了決策與利害關係人對文化資產價值詮釋的課題。特別是臺灣文化資產保存實務中，古蹟活用再生的歷史較短，尚有許多發展未臻成熟、值得反思探討之處。本章透過個案比較研究方式，整理出含括法規制定、理論概念、經驗研究與實務推動等不同面向可能浮現的問題，及其對應之解決方案的反思。

　　「文化遺產」（heritage）的社會存在及其價值呈現，來自於社群的詮釋。遺產存在，但通常靜默。其存在之意涵及價值，與其所歸屬的社群緊密連結。文化遺產與社會的對話和互動無法自然生成，特別是在長期疏於歷史教育的社會中，有賴於創造出一個溝通過程，以建立起遺產與社會之間的意義性存在。這個溝通過程可能採取的媒介包含了學校教育、大眾媒體、口語傳播、數位平臺傳輸、觀光遊憩休閒活動與博物館展示等等。亦即，「遺產」的社會性存在與其價值，有賴於其所能創造的主動式溝通過程，以大幅降低其靜默瘖啞而遭到消音漠視的存在正當性與危機感。舉例來說，臺北北門被高架橋圍住時，即使北門沒有實質被拆除，其建築樣式的物質性存在雖被看見，但並不等於其所聯繫的清治臺北建城、日本統治拆除城牆等歷史，及其所連結的意義詮釋被訴說。更進一步地，對北門周邊環境元素應該以何種形式跟當代城市景觀共存，應用何種都市設計模式，兼顧城市歷史地景、交通衝擊、市民記憶與文化遺產價值等等，經過各種管道的媒體傳遞、抗爭或論辯，文化資產的意義得以在這個過程中，經由不同的社群角力、詮釋、辯證、揭露與再詮釋，形成文化資產與歷史意義之動態關係競逐消長。

　　「遺產」透過物質文明（material culture）的方式來傳遞與論證其歷史性的存在與意義價值。此物質文明以其視覺奇觀式（spectacle）的樣態，搭接上文化全球化的資訊、人才、金錢與知識等等高度相互穿透的流動性，能輕易與文化觀光產業接軌，以至於常被挪用接枝為觀光產業資源的一環。透過「文化觀光」

（cultural tourism）的體驗過程，有機會成為另一種推廣文化資產教育、行銷地方的歷史性方案。文化資產所連結的文化觀光模式除了創造出正向的經濟產值外，強化在地社群對自身文化的理解與認同，透過自身與他者之間認同界線的建構，也可能是一種讓其他社群認識主體歷史文化的機會與管道。然而，「遺產觀光」（heritage tourism）衍生的遺產倫理課題，因過度觀光化而產生對在地環境的超限剝削，以及導向視覺化的、瞬時性的觀光活動，造成對文化主體表象的、膚淺的、乃至於扭曲的理解等等現象，是許多地區與社會遺產觀光活動恆常面臨的挑戰與課題。援用博物館的經營管理模式活化文化資產的維護與再生，藉由博物館的展示研究與教育推廣的功能，以避免過度觀光化對文化遺產造成的威脅，或許是觀察遺產觀光時，一種值得關注的發展模式。

　　博物館的策展與展示活動本即為一種社會溝通意圖的展現。透過展示，讓觀眾以自身的詮釋活動和知覺體驗，獲得體驗與學習。這樣的社會教育機制乃是博物館服務的重要功能，甚至可以說是博物館存在的核心價值。但古蹟、歷史建築等史蹟轉型活用為博物館、文物館或展覽館時，因其涉及了建築物本身，從建築自身的量體意象、其內部空間，一直到其外在文化形式，本即已承載了豐富的歷史文化意涵，以其建築硬體的內部空間作為展示空間，則自然產生了不同層次的意義詮釋空間。

　　「博物館建築」雖是貫徹博物館服務、教育、研究、展示、典藏等專業功能的實體空間與設施的組合，設定的角色與功能極為明確，但博物館專業領域與建築設計之間的關係，始終是高度緊張的：有博物館背景的專業者，通常認為建築專業不理解博物館在經營上的專業需求（漢寶德，2007），致使經常出現博物館使用必須遷就建築設計的窘境。德國博物館學者瓦達荷（Friedrich Waidacher）在其著作中引述其他研究者的用語，以「建築的獨裁」來描述博物館建築的發展趨勢（Waidacher, 2001／2005 曾于珍等譯（上）：129）。美國資深的博物館專業者博寇（Ellis Burcaw）有鑒於建築與空間對推展博物館工作的重要影響，在其專著中列了專章來討論博物館建築的課題：

　　「博物館建築的首要原則是『形隨機能而生』：建築物必須能符合或適應博物館的營運需求，但事實常常相反，博物館反而要去配合建築。……第二個原則是，在建築物作為具有吸引力的主體，與建築作展示之中立設備間取得平衡。博

物館建築應與博物館的性質相調和，一座令人印象深刻的建築物，可以吸引更多人來參觀，而且讓觀眾進入一種更容易接納的思想架構中。」（Burcaw, 2000: 260-261）

日本的專業者也發出類似的評論：「當美術館建築的作品性開始被強調時，本末倒置的現象隨之發生——去美術館看的已不是展出的作品，而是建築。近年，日本有越來越多的美術館被當作建築師的『作品』，只要有新的美術館落成或者重新裝修開館，就一定會有建築師出現且蔚為話題，如此重視建築師過於典藏品的現象，將會繼續助長建築師的蠻橫。」（並木誠士、中川理，2008：146）

從前述幾位資深的博物館學者對「博物館建築」和「博物館經營」兩者間，恆常緊張關係的描述與關切出發，強調博物館事業有其特定的建築機能與空間需求。那麼，從古蹟或歷史建築及其空間轉化使用的博物館機構，是否有其特定的建築與空間課題值得關注？特別是要兼顧古蹟保存維護，確保其文化價值，貫徹博物館之空間利用需要，以及彰顯建築文化資產的特殊性，這些多樣化的任務需求如何同時置放在古蹟與博物館建築兩個向度來討論？這樣的課題在臺灣對古蹟活化再生的層面來說，討論仍相當有限；國內對古蹟作為博物館建築的再生方案，能否更積極地以博物館的功能角度來探討其所需對應的空間課題，以回應到古蹟保存與維護的實務與政策層面呢？這些現象觀察與提問為本章的核心論題。

二、四處文化資產轉化為博物館個案

檢視博物館的發展歷史，第一座被視為具現代意義的博物館，為創建於1683年，位於牛津大學內的「艾許莫林博物館」（Ashmolean Museum）；該館為世界第一所大學博物館，也在1773年，成為第一座公眾博物館（張婉真，2005：69；蔡昭儀，2004：68）。然而，相較於艾許莫林的創設以大學為主體，由政府所設的第一座公共博物館，則屬法國羅浮宮前身，即法國大革命後，1793年所設的「共和博物館」（le Musee de la Republique）。此博物館一開始就對民眾開放，將社會教育與文化資產保存的雙重意涵，帶進這樣一種新機構（郭為藩，2008：124）。

從文化資產保存轉化再生為博物館的課題，因國內外文獻較少，且目前國內對相關課題的探討仍相當有限，故本章採取「個案研究」（case studies）的方式，從目前歷史建築轉化為博物館的個案中，透過檢視建築空間活用方式、博物館展示與空間再現、博物館建築美學，以及建築風格和周邊環境對話等面向切入，以期更進一步檢視、反思舊建築再利用為博物館、展示館可能面臨的課題，思考是否可藉此建立起分析、討論文化資產與博物館展示的質性指標與向度。資料收集方法，除輔以相關的文字、檔案與影像文獻資料，實際實地的田野調查，與古蹟修復、再利用與展示規劃工作者的訪談，亦為本章寫作的資料來源。

建築類文化資產的身分根源，在於經過特定法定程序規範，以取得相關的活用機會。但從文化資產經營管理層面來思考，活用再生方案是如何產生且何以致之，似乎也欠缺應有的討論。故除了本章選定的文化資產轉化為博物館的特定案例外，亦針對臺灣法令規範層面提出討論分析。最終再提出本章的研究結論。

本章將四個文化資產活化為博物館的案例分成兩組／兩種類型。第一組為日治時期的公共建築古蹟活化，同時也為國家級博物館的案例，分別是位於臺南的國立臺灣文學館，以及位於臺北，隸屬於國立臺灣博物館的土銀展示館。第二組挑選的古蹟類型為「名人故居」，兩個案例分別是臺北的「齊東詩舍」[1]，以及馬來西亞檳城的「僑生博物館」。案例選取的幾項相關考量說明如下。

設定以國家級博物館為探討對象，有三項考量因素。首先，國家級博物館在經費編列、組織架構與人員編制相對完善，特別以臺灣國家級博物館於設置時考量較為嚴謹，數量有限，加以前述提及，臺灣文化資產保存實務遭遇最大挑戰之一，往往在於經費困窘，地方政府的經費困境限制又更為難解。以中央政府層級的國立博物館所為探討案例，相對較能深化與穩定相關論述的延伸探討，避免因經費等結構性限制混淆討論焦點。其次，國家級博物館的設置單位為中央政府的文化部門，從設置伊始的各項環節與過程，這些國立博物館與地方社群連結可能就較為薄弱，如何強化和在地的連結，成為必須服務社區之博物館功能的挑戰，

1　齊東詩舍的文化資產活化自有其歷程，詳文後說明；在本文重新改寫期間，其因應政策調整，於 2020 年轉型定位為「臺灣文學基地」，並於 2021 年年初，重新掛牌開幕營運。營運範圍從原本兩棟宿舍，擴及到齊東街 53 巷 2 號至 10 號，同時涉及中央的臺灣文學館，以及所在地臺北市的街區保存，空間範圍從點狀擴大為區域。

更需要思考博物館如何回應於地方和文化資產情感認同的課題。第三，這兩座國家級博物館均為日治時期的公共建築，這類型的建築乃是目前臺灣古蹟活化再生實踐中，較為大宗的主要類型，對當前與日後推動相關古蹟建築活化工作，較具參考價值。

　　至於選定「名人故居」類型之考量在於，以特定昔日居住者的生平故事，及其日常生活軌跡，較能透過建築空間內外部各個元素，傳達出歷史內涵，也得以藉此探討本章所關切，建築空間與博物館利用間的轉化關係。此外，2016 年《文化資產保存法》修法中，針對文化資產的分類與定義，新增區分出「紀念建築」類別，其定義為：「指與歷史、文化、藝術等具有重要貢獻之人物相關而應予保存之建造物及附屬設施。」此修法意涵說明，欲從法制面特別凸顯出，所謂重要歷史人物「故居」，或與其生命歷程相關聯建物紀念性價值。選擇「齊東詩舍」一方面因其適巧為國立臺灣文學館的臺北據點，在建築物本身的「名人故居」類型之餘，被賦予「詩人之家」的另一層空間意義，「名人故居」的紀念性意義似乎較為隱晦不顯；加以其所在的臺北市齊東街社區，為臺北市較早提出的聚落市街型保存的案例，不僅限於單一獨棟文化資產，尚扮演牽動街區整體保存的引擎角色，故社區型博物館在此如何發揮多重功能值得探究。至於選擇遠在馬來西亞檳城的案例，則除了借鏡東南亞鄰近國家的經驗考量外，檳城與麻六甲於 2008 年登錄為世界遺產，在地社群致力於推動其有形與無形文化資產保存，挪用遺產觀光與文創產業的模式，以期帶動當地的經濟活化。舉凡世界遺產價值、有形與無形文化資產保存並舉，遺產觀光與地方經濟活化等面向的課題，均為臺灣此階段值得參考借鏡之處。而設定兩組各兩個案例，乃是意圖在本章有限的篇幅中，讓同一類型可以相互比較與參照，以期讓討論視角得以更為寬廣。在寫作策略上，本節以個別案例重要特徵與陳述為主，下一節則引入議題討論。

（一）國立臺灣博物館土銀展示館

　　「臺博館土銀展示館」由臺灣土地銀行舊廈改造而來。臺灣土地銀行前身為日治時期日本勸業銀行臺北支店，興建於昭和八（1933）年，於 1991 年指定為三級古蹟（後改為臺北市直轄市定古蹟），文化資產列名為「勸業銀行舊廈」。日

本勸業銀行於 1923 年正式來臺灣設置分行，經辦不動產、土地開發、造林與埤圳水利等融資業務，迄於 1945 年，共在臺灣設置五處分行，臺北、臺南兩處為 1930 年代設置，建築風格相近，且均保留至今。臺灣土地銀行於 1946 年，經由國庫撥補資本，承接原本勸業銀行體系及其各分支據點正式成立；臺北據點設為臺灣土地銀行總行，後基於業務需求，另新建大樓連接使用。

「勸業銀行舊廈」位於臺北市襄陽路 25 號，與國立臺灣博物館斜對相望。2005 年，國臺博提出「臺灣博物館系統計畫」，欲連結臺北城內周邊的古蹟與歷史建築，打造首都核心區文化意象計畫，獲行政院與文建會支持。國立臺灣博物館與臺灣土地銀行共同合作，進行古蹟勸業銀行修復與博物館建置，自 2007 年開始動工修復古蹟，2010 年起正式對外開放營運。國臺博設定為自然史博物館，而土地銀行含括了臺灣戰後以降，包含土地改革、經濟振興、銀行業務發展與金融體系變遷等歷史。因此，土銀展示館的古蹟修復再利用計畫，具體規劃定位為展示包括自然史、產業史與現代性特徵之臺灣博物館。在常設展架構上，區分為古生物展廳、土銀古蹟修復，以及土地銀行行史展示等三大主軸。

原建築一樓為當時的銀行營業大廳，整體空間架構宏大開敞，館方將其設置為「古生物展廳」，在面寬 40 公尺、深 14 公尺、高 10 公尺的寬敞展示空間中，巨大的恐龍率先引起觀眾視覺焦點，營造出歡迎喜愛恐龍的孩童入內參訪氛圍。該展區標本以地質時間單元概念為展示故事主軸，展示故事內容包含古生代（含括生命起源、無脊椎動物演化、石炭紀大型樹蕨化石，及其復原之樹蕨模型造景等展示故事內容）、中生代（展示物件以恐龍化石為主，包含介紹恐龍譜系圖，龍的二大類群，和五大家族每一支系的恐龍模型等）、新生代（以哺乳動物之親緣演化為展示內容及設計主軸，詳細介紹哺乳動物特徵，並有臺灣本土化石特別展示區，展示臺灣出土化石標本）三個地質時間單元。

古生物展廳後方一隅為昔時的銀行金庫，進行古蹟修復工程時，刻意保留相關架構與物件，包含原本金庫厚重的大門，內部以檔案文庫，輔以部分影像紀錄播放的形式，引導觀眾參觀金庫與檔案存放的舊日情境；金庫的二樓夾層展區展出該銀行設置成立早期的銀行帳冊、放款號碼牌、行員手冊、土地測量儀器、土地改革史籍、土地實物債券、公地放領手冊、金融事務機器等等。這些平常難得一見的珍貴文物史料，讓觀眾得以深入瞭解臺灣土地銀行的發展演進，藉此瞭解

臺灣近代金融發展、土地改革、國家建設、經濟產業面向發展的歷史脈絡，貼近該建築原本使用模式等歷史情境與面貌（圖 3-1）。

圖 3-1　土銀金庫內部情景。基本上維持昔日原貌，但輔以相關展示說明，讓觀眾得以管窺從勸業銀行到戰後臺灣金融與銀行產業發展面貌。

照片來源：國臺博林一宏博士拍攝及提供。

（二）國立臺灣文學館

　　國立臺灣文學館原址為國定古蹟臺南州廳。臺南州廳建築興建於 1913 年，1915 年落成後，為日治時期臺南州的行政中心。幾經更迭，1969 年起為臺南市政府機關所在地。後因空間需求增加，臺南市政府於 1997 年遷往安平的重劃區，將此舊址建築移交當時的行政院文建會（即今文化部），同時作為「國立文化資產保存研究中心籌備處」與「國立臺灣文學館」所在地。1997 年，臺南市政府將其指定為市定古蹟。原臺南州廳主要建築經過內部空間增建後，活化再生為「國家臺灣文學館」，於 2003 年開館啟用[2]。但建築一側翼則保留給「文化資產

2　後於 2007 年改名為「國立臺灣文學館」，成為該館正式名稱。

研究中心」使用。2003 年，修復再利用的工程結束後，臺南市政府提出國定古蹟的指定申請，同年 9 月完成審查，公告為國定古蹟（圖 3-2）。

圖 3-2　日治時期的臺南州廳從國定古蹟再生為國立臺灣文學館，建築美學價值高。

照片來源：林伯樑攝，國立臺灣文學館蔡沛霖研究員提供。

臺南州廳建築由日籍建築師森山松之助設計。其雖曾於二戰期間遭到轟炸、嚴重損毀後經歷修復整建，但仍屬同一時期臺灣同類廳舍建築中，相當精美且具有高度藝術價值的建築作品。典雅的古典建築樣式，正面的馬薩式屋頂（mansard roof）透漏出帝國主義所欲傳達的宏偉氣勢。依據文資局的官方資料，指定臺南州廳為國定古蹟的理由有三項：

1. 1916 年建，屬西方歷史式樣建築。其十分強調對稱性，加上馬薩式屋頂，格外具有紀念性。

2. 該建築為日治時期三個重要州府建築之一（另兩個為臺北、臺中），亦為當時市政建築之代表性作品。

3. 歷經臺南州廳、臺南市役所、臺南市政府等行政辦公室見證臺南市歷史，極

具歷史之意義[3]。

在該館的展示呈現方面，入口側有個小展間規劃名為「舊建築新生命」常設展，呈現文學館建築前身──「臺南州廳」的過去與蛻變。內容包括了建築物的歷史、建築師森山松之助、及相關時代背景與歷史圖像，呈現建築物的過往風華。另外，從州廳的修復過程出發，藉由修復時保存的影像圖稿和拆下來的建築構件，介紹州廳修復與再利用的觀念和作法[4]。但除此之外，該建築本身的發展歷程，及建築所承載的歷史等相關資訊，似乎就從空間中靜默了。

從前述幾項對原臺南州廳建築指定古蹟的相關敘述來看，大致是以臺灣在日治時期的行政管理體制、持續至戰後臺南市政府的行政機關歷史，來凸顯該建築在當代歷史詮釋中，制度史層面的價值，旁及建築風格與表現形式在藝術與文化上的高度價值。國定古蹟臺南州廳為了符合文學館的展示等服務機能需求，在原州廳建築內部植入了新的空間量體，以期從最基本的展示、教育，到觀眾服務等層面，符合專業博物館的需求。然而，透過古蹟審查程序以確認這些建築風格在文化、歷史與藝術上價值的同時，似乎欠缺了從殖民歷程的經驗來重新詮釋這些建築形式與風格。即對於這個建築的保存活化再生課題上，難道僅是為了保存建築的硬體外觀？對於殖民時期建築所承載的美學與意識形態，是否可能有任何與社會溝通和對話的機會？將古蹟轉化為博物館的活化再生方式，僅將其視為一個滿足展示機能的空間盒子？而對這座古蹟自身所記錄與承載的歷史軌跡保持靜默？這些問題在古蹟活化再生的歷程中，似乎沒有太多討論與對話的過程。從目前能檢視的資料，多關注於博物館設置的課題，而未能同時涉及古蹟活化與博物館任務兩者並置的可能性。

（三）齊東詩舍

類似的現象同樣出現在國立臺灣文學館的臺北分支──齊東詩舍。「齊東詩舍」為一處兩座日式宿舍共同組成的藝文節點。連結周邊齊東街日式宿舍群，位於臺北市濟南路二段 25、27 號，為登錄歷史建築。緣於當地居民長期致力於該

街區日式宿舍群的保存。2006 年 7 月，齊東宿舍群與周邊老樹劃設為「臺北市中正區齊東街保存區及聚落風貌保存特定專用區」，陸續展開街區的保存與修復相關工作。該區最初為日治時期的文官宿舍區，在近年來大批日式宿舍紛紛遭拆除改建的歷史情境下，該處尚保留幾戶日式宿舍與街區群落為其重要地景特色。濟南路二段 27 號原址於戰後分配為王叔銘將軍官舍。王將軍歷任中將副總司令、空軍上將總司令、國防部參謀總長等職務，至 1992 年遷出後，該房舍即閒置。在文資局登錄的資料中顯示，位於濟南路二段 25 號的日式宿舍，其登錄為歷史建築的評定基準為：

1. 具歷史文化價值者。

2. 表現地域風貌或民間藝術特色者。

3. 其他具歷史建築價值者[5]。主要描述此區日治時期為各單位不同階級職務宿舍，戰後成為國民政府中央官員宿舍，該區保存較為完整，充分表現出當時都市住宅群落特徵。易言之，這些宿舍被登錄保存之重要文化價值，在於見證從日治時期的都市住宅聚落發展，到戰後國民政府中央官員居住文化的生活樣貌（圖 3-3）。

　　然而，針對該棟歷史建築應該如何再利用，十餘年來並沒有匯聚出較明確的方案。文化部於 2009 年委託臺北市政府文化局執行修復工程，後於 2014 年委由臺灣文學館負責管理與策劃展覽。以「詩的復興」為理想，將該館命名為「齊東詩舍」[6]，角色形同國立臺灣文學館的臺北分館，以臺灣的現代詩文類為館藏主題與該館的任務。

5　資料來源：國家文化資產網，取自https://nchdb.boch.gov.tw/assets/overview/historicalBuilding/2004100100 0009。檢索日期：2017.10.03。

6　龍應台於臺北市文化局局長任內，曾經關切齊東街日式宿舍與老樹保存的課題，但最終的文化資產指定與登錄程序直至 2006 年始告一段落。後龍應台於文化部部長任內，積極促成該建築再生活用，以「詩的復興」為主題，由國立臺灣文學館負責管理也為其任內定案，「齊東詩舍」亦由其命名，「打造文學地景亮點」為其理想。資料取材自齊東詩舍，http://quack.website/qidong1/about_1.php#sec_0。因應齊東街數棟日式宿舍陸續修復完成，2020 年 1 月，國立臺灣文學館整合周邊共七棟日式宿舍，將此區域改名為「臺灣文學基地」，同樣為國立臺灣文學館所管轄，但改成委由廠商營運。考量研究時間限制，本文仍是以「齊東詩舍」階段為探討主體，並在內容行文繼續使用該名稱，以為區隔。

圖 3-3　修復後的齊東詩舍（臺灣文學基地），充分展現日式宿舍的生活紋理。

照片來源：林伯樑攝，國立臺灣文學館蔡沛霖研究員提供。

　　兩棟建築的空間配置與使用機能，25 號建築為該館的「常設展」展區。以國立臺灣文學館典藏詩人手稿，或是其他文類作家詩作手稿為主，企圖以這些詩作手稿來展現臺灣的詩壇風采。展間中除了以五項不同主題分別呈現 46 位詩人手稿外，另輔以黃明川導演拍攝的臺灣詩人影音紀錄。由於詩作手稿物件尺寸不大，置放在原本為居家空間尺度的展間中，雖然展現出較為溫暖親切的參觀尺度，但也可能造成展間的擁擠，以及參觀動線打結。27 號建築為原本王將軍的官舍，有較為大幅的空間改造，一個下挖式、鋪上塌塌米的廣間呈現出日式住宅的舒適氛圍，提供舉辦講座聚會活動的空間。另整修出兩個空間作為舉辦特展使用。

　　齊東詩舍目前使用現況多為舉辦以詩和文學為主題的各類型講座，與詩文朗讀分享活動，頗獲得文學愛好者的認同肯定，但作為博物館展示體驗的強度，似乎較不及於作為活動舉辦空間的使用模式。一方面其常設展空間較為有限，是以既有的日式住宿空間改造而成。而展出作品中雖有許多作家手稿類的展品，但其展品大小欣賞觀看較不易，加以因該區均為日式宿舍，老樹綠蔭密佈，空間密度較低，為臺北市難得的空間品質；該場域強調日式木造建築的優雅，庭院空間綠意與舒緩生活步調，故博物館中參觀必須脫鞋，在塌塌米上席地而坐，或是停留

於日式宿舍木質地板的緣側迴廊，欣賞滿園綠意與留影、打卡上傳等活動，成為觀眾更為主要的參觀體驗行為模式。至於該宿舍原本的空間使用者——即王叔銘將軍，因其知名度相對不算高，觀眾在賞心悅目空間觀覽體驗之餘，似乎對這裡原本的使用者及其故事，關心程度有限。

（四）檳城僑生博物館

位於馬來西亞檳城的「僑生博物館」現址建築，原為華僑富商鄭景貴的豪宅故居。所謂「僑生」即指稱「峇峇」（baba）與「娘惹」（nyonya），是明清時代福建廣東漢人移民南洋，與當地馬來女性結婚後生下的後代，男性稱為峇峇、女性稱為娘惹。這些族裔群體集中在檳城、麻六甲與新加坡，雖然同樣稱為「僑生」（peranakan），但在這三地的風俗習慣未盡相同，各有其在地發展的特徵。峇峇娘惹文化成為揭示華人（男性）拓殖南洋歷史的重要表徵。

鄭景貴（1821-1901）原籍中國廣東，因家貧前往馬來西亞謀生，後經商成功，以優厚的財力投資當地錫礦產業，富甲一方，興建的宅邸當時稱為「海記棧」。住宅設計凸顯主人的身分地位與財富優勢。經由貿易之故，其宅邸建造引入當時西方最為時興的工匠、材料與技法，混雜融合不同文化的表徵。例如蘇格蘭的鑄鐵與新藝術表現風格；義大利的鑲嵌彩繪玻璃；英式的陶瓷地磚與歐洲進口的餐具等等。這座豪華的富商宅院迄今看來，在建築設計、風格與技法的表現上，仍屬超越時代的佳作，「海記棧」有檳城最美建築的稱號（圖3-4）。

鄭景貴與鄭家雖然以其經濟上的優勢，取得當地僑界的領導性地位，但鄭氏過世後，大屋閒置相當長時日。該宅院於2000年由馬來西亞另一富商孫崧茂購得，鄭氏家族與其大宅院發展歷史至此告一段落。成為孫崧茂將此地經營為再現華人到南洋發展的歷史，及華人男性與馬來女性結婚，其家庭生活和文化樣貌的空間場域。

孫崧茂（1959-）本人即為娘惹後裔。據其自述，從小就看到家族遺存大量殖民地時代文物，以及娘惹文化的精緻生活器具，開啟他對收藏愛好的興趣。從18歲起即開始收藏與娘惹文化有關的東西。1987年，28歲時即在檳城設置一處古董博物館。當時檳城尚未出現私人博物館，文化觀光客群有限，這處古董博物館經

營不易，持續虧損，苦撐兩年後歇業。孫先生雖然關閉這座博物館，但想要打造博物館的企圖未減。從事建築開發工作同時，仍持續收藏古董，特別是與娘惹文化有關的物件。彼時對娘惹文化有興趣的人不多，也沒人收藏，許多家庭大量丟棄或直接送給他，設置專以娘惹文化為主題的博物館為其心願。2001 年，在購得海記棧後，經過多年陸續地整理修復，2003 年正式將此設置為峇峇娘惹博物館，除了讓這座豪宅訴說自身的故事之外，其多年收藏成為館內重要的主題展示文物。為凸顯不同地區娘惹文化的細緻差異，孫崧茂於 2012 年另外購置地點，於馬六甲開設了以「娘惹文化首飾」為主題的博物館。這兩座博物館為當前再現峇峇娘惹文化的重要基地。2008 年，檳城與麻六甲通過世界遺產登錄後，大量觀光客來訪，這兩處以族裔文化為主題的博物館，以其精緻館藏、優雅建築風格受遊客歡迎，亦獲得旅遊網站極為高度的正面評價。據其館方自述，位處檳城的僑生博物館一直到 2006 年後，遊客人數才逐漸穩定增加，2014 年，僑生博物館獲得《亞洲週刊》亞洲卓越品牌大獎[7]。

圖 3-4　海記棧一樓餐廳兼宴客空間。西式長型餐桌兼具會議功能，為男主人宴請客人與商務應酬重要場域。從桌椅、花磚地板、鑲嵌玻璃、水晶吊燈、燭台、陶瓷餐具等，加上傳統金碧輝煌的門窗裝飾，展現華人建築元素與當時西方流行裝飾藝術的折衷風格。

照片來源：作者拍攝。

7　根據《亞洲週刊》的文字描述，「亞洲卓越品牌大獎」是由《亞洲週刊》透過讀者與商界推選出，當年度最具影響力的國際或本土品牌，以表彰這些品牌的理念及實踐、突顯品牌領軍人物，以提升民眾品味、激發創新意識。獲獎的廠商包含了中國、馬來西亞、菲律賓、香港與臺灣等，約莫十四至十八個單位獲得。2014 年，同年共有十八個企業獲得此獎項。

檢視該獎項近年來的紀錄，獲獎的產業類別主要集中在銀行、通訊、旅行社、酒店與餐飲業、房產開發、珠寶鐘錶等奢侈品、與醫藥保健類製造業等等，僅「檳城僑生博物館」以博物館文化設施類獲得肯定。獲獎是對博物館經營的正面肯定，訪客人數也上升 20-30%。孫崧茂雖然一開始創辦娘惹文化博物館是為了展示自己的收藏，但隨著訪客越來越多，博物館成為人們觀看與認識娘惹文化的重要學習基地，如何以博物館和文物來傳遞族群歷史與文化，成為該博物館的新挑戰。

檳城的僑生博物館整棟宅邸均為展示空間，完整呈現當時家庭生活的樣貌，例如祭拜祖先的公媽廳、展示婚嫁習俗的新房、娘惹的閨房。當時男主人在家裡接待客人、談論公事的會議廳、家庭用餐的餐廳，廚房等等，均以較為靜態的文物擺設來再現當時的生活軌跡。至於大量的娘惹文物，展示在主要建築後方，第二進的新增加建空間中。新增的展示空間又分成兩大主題，其一為娘惹的珠寶首飾主題文物展間，另一個則為娘惹的服飾文物展。這些衣著服飾和珠寶首飾的展示文物，許多為孫崧茂個人長期累積的收藏，從中可以窺見娘惹文化蘊涵的富裕與精緻。由於當時華人的經濟強勢，這些華人與馬來人結合的家庭，為了展現、凸顯其經濟上的優勢，從日常生活的用品穿著打扮上，以大量的黃金、銀飾、珠貝、絲綢等等材料，細緻而繁複的做工，積極地展現出優勢階級的生活品味。

較為可惜的是，博物館內部除了在第一進展示部分鄭景貴家族的圖像資料外，整座博物館與原本宅邸故居家族歷史連結極為有限。雖然透過解說，可以認識該建築在原本建造時期的歷史故事，以及部分可以考據的空間使用用途。但由於許多空間已經因為原家族離開，無法得知原本的用途，故館方在部分空間中植入了許多孫崧茂歐洲進口的玻璃製品收藏，而和原有的鄭氏家族生活史產生斷裂。

另一方面，私人經營的博物館有其維持收益以平衡營運成本的壓力，館內部分空間過於商業化的模式，恐有損及文物的展示呈現。例如，新增第二進的展示空間雖然有大量娘惹衣著服飾文化的生活用品與首飾，但有部分與博物館販售服務結合，博物館文物展示和商業界限模糊。廚房展示空間也出現類似的問題。鄭家的廚房空間極大，設有如傳統中藥房般的藥櫃空間。根據其解說，當地許多華人富商平日生活起居極為小心謹慎，唯恐家人生病等訊息走漏，恐遭人藉機毒

害。故家中普遍設有藥房，可自行購置藥材，配藥服用，成為博物館展示空間中極為有趣的亮點。但在同一個空間同時販售馬來西亞當地的燕窩，也讓博物館的展示效果在商業銷售中減損了參觀的樂趣。

三、再問題化文化資產活用課題：法制面與古蹟再利用課題分析

針對古蹟活化與博物館利用這兩個課題軸向上，主要牽動的法令為《文化資產保存法》與《博物館法》，也涉及《文化創意產業發展法》[8]。

文化資產獲得（預算）資源投注不足，以及古蹟保存和開發衝突爭議這兩項結構性限制外，臺灣文化資產保存活用實務層面經常出現的紛擾中，較受到關注的兩項核心課題包括：古蹟與歷史建築的建築類文化資產應該如何活化再生？進入活化利用後，如何避免過於商業化，讓古蹟在文化資產價值的表現上失守，僅淪為商業利益的禁臠？這樣的困境可以從抽象的價值層面與實質的經濟影響層面來分析，但兩者之間相互牽動。從實質的經濟因素面向來說，古蹟的活用通常必須投注大量的經費預算；是否能透過各種活用方案，取得財務上的平衡，往往高度決定了古蹟保存維護是否有機會再現於社會大眾前。許多常見的狀況是，因過於商業取向，形成「文化搭臺，經濟唱戲」的狀態；甚或是過於強調作為觀光資源，在獲取觀光產業利潤之餘，對古蹟歷史價值的真實性產生危機。又或者是運用公部門的資源投入，因為不完善的活化方案，最後無法提供公眾使用，形成文化資源的壟斷或浪費，進一步地損及其抽象層面的歷史文化價值。

以下分別從「應該如何活用」，以及「如何看待文化資產的經濟產出」這兩個面向，來檢視臺灣現有的文化資產活用相關法令。首先是關於古蹟活用再生的課題。

8　這三部重要的文化法，以《文化資產保存法》立法最早，為 1982 年。《文化創意產業發展法》立法發布為 2010 年，《博物館法》為 2015 年。然而，《文資法》多年來歷經多次大規模修法，2016 年又再經歷一次的大幅修正，說明這些文化事務均持續面臨新興課題迭生、思維不斷調整改變，治理與政策層面也持續面對挑戰的困境。

　　「保存與活用文化資產」為我國推動文化資產保存的核心價值：現行《文化資產保存法》條文第一條即揭露：「為保存及活用文化資產，保障文化資產保存普遍平等之參與權，充實國民精神生活，發揚多元文化，特制定本法。」

　　以 1982 年的《文化資產保存法》立法為起點，迄今臺灣推動古蹟保存工作已近四十年。然從最初對古蹟維護採取「凍結式保存」的觀念與做法，經過多年來諸多國外思潮引入、國際公約憲章的概念轉變、國內倡議團體的積極遊說，以及各種草根運動持續介入等因素，文建會 2001 年提出「試辦閒置空間再利用實施要點」，這個朝向活化再利用的轉變，形同在政策方向上提出關鍵性的調整，奠定 2005 年《文資法》大規模修法的概念趨勢。2005 年版《文資法》全面結構性的修法涉及層面極廣，並非本文探討之重點，但「保存與活用文化資產」的概念首次於 2005 年版《文資法》出現，說明政策思維上，從過去保守的維持現況，朝向積極活用的根本性轉向。這個法令概念提出自然牽動了古蹟維護與管理應如何妥適再利用的課題。但這樣的課題似乎並沒有得到相對應的重視與討論關切。

　　依據《文資法》的第二十三條規定，古蹟之管理維護包含下列五項：

「一、日常保養及定期維修。二、使用或再利用經營管理。三、防盜、防災、保險。四、緊急應變計畫之擬定。五、其他管理維護事項。古蹟於指定後，所有人、使用人或管理人應擬定管理維護計畫，並報主管機關備查。」

依此條文所訂定的子法為「古蹟管理維護辦法」。該辦法第二條指出：

「本法第二十三條第二項所定管理維護計畫，其內容應包括下列事項：一、古蹟概況。二、管理維護組織及運作。三、日常保養及定期維修。四、使用或再利用經營管理。五、防盜、防災、保險。六、緊急應變計畫。七、其他管理維護之必要事項。」

另依該辦法第八條規定：

「第二條第一項第四款所定使用或再利用，應以原目的或與原用途關連、相容之使用為優先考量。

古蹟用途變更為非原用途，並為內部改修或外加附屬設施時，其所有人、使用人或管理人應依古蹟修復及再利用辦法有關規定辦理。

古蹟之使用或再利用，如屬應依古蹟歷史建築紀念建築及聚落建築群建築管理土地使用消防安全處理辦法取得使用許可者，其因應措施，應於管理維護計畫中載明。」

該條文為針對古蹟「使用或再利用經營管理」相關課題與方向，規範最為相關的條文。但檢視其具體的條文文字內容，也僅止於「應以原目的或與原用途關連、相容之使用為優先考量」[9]。屬極為模糊的、原則性的陳述，無助於從一個較為規範性、具引導性或參考價值的方向指涉，鼓勵可能的古蹟再利用方案思考。特別是「原目的或與原用途關連」等字詞，似乎較能將使用用途限於與原建築較為高度相關的使用用途上，以彰顯其建築的歷史價值與意涵。但「相容」一詞，則又可能會產生過於籠統而模糊的詮釋空間。舉例來說，臺北當代藝術館最初為建成小學校，後雖轉作為臺北市政府的機關使用，但經指定古蹟後，活化再生為臺北當代藝術館。藝術展館、美術館或許與原本的小學用途較不相同，但或許可以詮釋為「具教育性質之相容性」？這樣的詮釋是否真的足以揭露日治時期小學校的歷史？

再以另一個個案為例，1999 年，臺北市西門紅樓原本欲轉作為電影博物館，但 2000 年西門市場慘遭祝融後，電影博物館計畫胎死腹中；幾經周折，目前改以創意市集及其周邊商業區的複合式空間方式經營。雖然看似回到最初商場的使用模式，但這樣的空間轉用活化，與西門町電影產業集體記憶的連結性有限，也損及當時指定紅樓古蹟文化價值的再現。本章探討的幾個個案，包含位於臺南的臺南州廳轉作為國立臺灣文學館，及其臺北據點齊東詩舍，甚至是國臺博的土銀展示館，似乎較難與所謂的原目的與原用途關連。那麼，對這樣的古蹟轉用型態是否足以取得社會共識，其相關討論仍是相當有限。

前述「古蹟管理維護辦法」條文提到「古蹟修復及再利用辦法」為另一個相關聯的子法。審視該項子法的具體條文內容，主要環繞古蹟修復工程各項細節，

9　底線為本文作者所加。

諸如修復工程的施工、監造、工作報告書的製作等執行面的規範。針對再利用計畫的具體描述僅出現在第三條的部分文字：

「前條第一款再利用計畫，應包括下列事項：

一、文化資產價值及再利用適宜性之評估。

二、再利用原則之研擬及經費概算預估。

三、必要之現況測繪及圖說。

四、再利用所涉建築、土地、消防與其他相關法令之檢討及建議。

五、依古蹟歷史建築紀念建築及聚落建築群建築管理土地使用消防安全處理辦法第四條所定因應計畫研擬之建議。

六、再利用必要設施系統及經營管理之建議。」

然而，何謂文化資產價值及再利用的適宜性？其評估方法為何？應如何進行以確保其適宜性？換言之，攸關古蹟在管理維護層面甚為深遠的再利用計畫，從現有法制層面來看，相關的規範似乎呈現兩個極端：一則是極為原則性的、概念範疇式的文字，如《文化資產保存法》強調古蹟應有使用或再利用計畫。但另一端則是非常執行面的細節，像是「古蹟修復及再利用辦法」中，對再利用計畫內容應包含的事項，提及文化資產價值及再利用適宜性之評估，相關的經費概估，必要的測繪與圖說，相關的法規檢討與消防安全的因應等等。下圖的序列來指陳古蹟制訂其「再利用計畫」時，層層節制下的流程。在這個線性過程中，關於該古蹟的文化資產價值應該如何討論，由哪些利害關係人介入，歷史資料的調查研究與整理，應由誰的角度，如何詮釋相關的資料等等嚴肅的課題，均欠缺可能的辯證過程，與廣泛討論的機制。

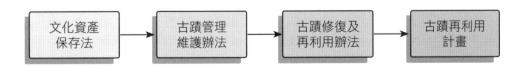

圖3-5　古蹟再利用計畫擬訂之法規適用流程圖

資料來源：本研究繪製。

另一個關注且鼓勵文化資產活用的法令為《文化創意產業發展法》。該法第三條針對文創產業的定義，即指出「文化資產應用及展演設施產業」為其中一環。

依據文化部制訂的「文化創意產業內容及範圍」中相關規範，所謂「文化資產應用及展演設施產業」：「指從事文化資產利用、展演設施（如劇院、音樂廳、露天廣場、美術館、博物館、藝術館（村）、演藝廳等）經營管理之行業。」意即將「從事文化資產和展演設施的經營管理」工作，視為文創產業中的一種類型。這個規定形同積極鼓勵文化資產的活用，更有甚者，因其條文乃是置於《文化創意產業發展法》的架構下，此意涵著對文化資產的活用乃是期待具有經濟產值產出的。

由此延伸出第二層次的課題，即關於古蹟活用與經濟收益之間的關係為何。在前述《文化資產保存法》及其相關的古蹟保存維護子法中，並未特別闡明如何活用以促進其經濟收益，或朝向產業化發展的思維。換言之，文化資產如何得以依據《文化創意產業發展法》中所設想，讓文化資產得以經過「應用為展演設施」的模式，促成產業化、產值化發展的機會，顯然也缺乏了有效的相關制度連結。

《文資法》第二十二條中載明：「公有之古蹟、歷史建築、紀念建築及聚落建築群管理維護所衍生之收益，其全部或一部得由各管理機關（構）作為其管理維護費用，不受國有財產法第七條、國營事業管理法第十三條及其相關法規之限制。」此條文乃是讓公有古蹟活化再生後的收益，不必一定要解繳國庫，而能轉作為古蹟維護管理的經費。但針對這個部分目前並未看到較為具體或成熟的管理辦法與機制設計。例如，以設置相關基金專戶、成立法人組織、或另設置監督機制等等，大致僅能依循公務機關既有的預算執行控管機制運作[10]。

綜上，從現有相關的法規來看，針對文化資產應如何活用並沒有較為充分完善的討論機制設計。另依據《博物館法》第三條，所謂的博物館：「指從事蒐

---

10 臺北市政府有較多自治條例的機制，但較多是納入整體市產的管理概念下。例如「臺北市市有財產委託經營管理自治條例」等等；另於 2017 年 9 月制定「臺北市古蹟、歷史建築、紀念建築、聚落建築群補助作業要點」，主要作為官方補助的依據。而針對已指定、活用的古蹟與歷史建築如何經由盈利活化，仍缺乏相關可援引之法令。

藏、保存、修復、維護、研究人類活動、自然環境之物質及非物質證物，以展示、教育推廣或其他方式定常性開放供民眾利用之非營利常設機構。」由這個定義來看，經由《文資法》所指定的古蹟，本即具備準博物館的特徵，較為關鍵的差異在於：是否具有執行「教育推廣」的實際作為。此外，針對古蹟活用與產值化之間的連結，雖然看來在《文創法》的創意產業架構中存在著，但由於缺乏其他配套的設計，「古蹟活化」是否如創意產業政策的規劃及預期，創造出豐沛經濟產值，目前也難以評估[11]。故為免除可能因過度商業化，產生威脅文化資產價值的疑慮，或避免可能浮現的危機，建築類文化資產轉化作為文物館或博物館等藝術文化教育類的活用型態，往往被視為是較為正面積極且接受度高的活用方式：一方面，由於博物館與文物館是文化教育機構，文化資產轉作為文化教育機構，本身即可免除過於商業化的疑慮。另一方面，這樣的文教機構更有利於掌握博物館或文物館的展示教育功能，促成古蹟及其文化歷史價值，透過教育展示等方案和活動形式得以更被彰顯出來。

　　然而，轉化為博物館並不代表文化資產活化再生的課題已然結束，甚至可能衍生出新的問題：文化資產轉化為博物館，意味原本的建築機能改變，建築本身具備的象徵層次意義也可能不同。此外，若建築本身經過相當程度的改造或增建，在建築形式也出現了變化。但許多古蹟之所以具有文化資產價值，即在於建築本身的特定機能或象徵意義。舉例來說，位於臺北的自來水博物館建築，原為當時「臺北水源地唧筒室」，其內部設備機具承載完整的文化資產價值，若率爾改裝內部空間配置或機具設備，以服膺於作為博物館所需的空間設施需求，則必然影響該古蹟指定歷史價值，包含建築藝術或技術工法的真實性、系統性與完整性——保存該建築整體性的完整，始能確保其文化價值的意義。

　　再以臺北當代藝術館為例。因其前身為日治時期的小學校，整體建築空間架構以成排的教室單元為主，為呈現其小學校的樣貌，古蹟建築應保存原樣的原則，不能改動原本之空間架構，使得藝術品展間僅能屈就於現有的教室空間單元，或許可將其視為該古蹟轉化為博物館的獨有特徵與建築特色，但展示空間和

---

11 臺北市政府文化局 2012 年開始推動的「老房子文化運動」，可謂為積極活用建築文化資產，以提升經濟產值的具體方案，施行至今的案例，主要多作為餐飲和文創產業販售的商業空間使用，對於文化資產價值的討論有限。

展品規模面對著先天的限制。這個案例清楚凸顯出古蹟再生為博物館時面臨的空間改造課題。

古蹟再生的使用方案是如何生成的？一座古蹟要轉化為何種活化用途，應該經由何種過程來決定？這裡涉及了社會大眾對這座歷史建築的情感、知識與認知。亦即，一座建築之所以能被指定為古蹟，除了客觀條件層面具特定歷史、藝術、文化或科技層面價值之外，這座文化資產與在地社群的集體記憶和認同關係密切，具有主觀地，對其文化價值的詮釋與理解，當然，在地社群對於建築藝術本身的美學價值與空間體驗的情感經驗也包含其中。如何活用與社群緊密聯繫的文化資產，自然也應該與其產生情感、意義與社會性的連帶，才得以動態地維繫古蹟和社群間的有機共生，以及社群歷史文化的永續發展。

同樣以臺北當代藝術館為例，日治時期的小學校，戰後為臺北市政府的機關所在地。1994 年市府搬遷，原本擬作為鄰近「建成國中」的遷校校地，但政策轉彎欲改為在此設置美術館，引發校方、學區居民的強烈抗議，後經多方持續協調折衝，始產生出目前古蹟建築正面第一進為美術館，中庭後與建成國中共享的特殊模式，2001 年臺北當代藝術館正式開幕。不可諱言地，二十年的持續社區藝術深耕後，今日當代館的成績，早已經是臺北市藝術地圖中不可或缺的要角。然而，若從古蹟文化資產價值與社區認同的連結程度，或許會是不盡相同的詮釋觀點。

四、博物館展示與文化資產價值的再現

前述討論主要從古蹟文化資產的觀點切入，本節則稍微調整視角，從博物館空間和觀眾角度來討論。檢視臺灣建築類文化資產保存的實務經驗中，轉化空間作為博物館或文物館的經驗固然不少。然而，這些古蹟保存與活化再生的操作經驗中，經常面臨的問題包括：空間與文物的展示模式過於靜態，難以吸引觀眾興趣，無法創造回訪意願或口耳相傳的口碑行銷；活化形態過於商業導向，容易引發忽略文化資產價值的質疑或憂慮；無法創造出足夠的經濟誘因與自償性，難以確保文化資產的永續經營；是否為了確保文化資產的真實性，以致於較難以活用，或為遷就使用目的，而危及了文化資產價值的兩個極端的緊張；樣板或切片

式的展示方式容易產生教條感，構成灌輸某種意識形態的教化工具等等。

　　透過物件的展示呈現，觀眾在博物館參觀過程，以其自身的詮釋經驗來理解展覽所欲提供的社會溝通意圖，獲得學習、知識或愉悅的滿足。觀眾對展覽的詮釋和博物館欲透過展示組織的社會溝通過程，兩者之間構成了清晰的架構關係。

　　「展示研究的必要性即是讓物件在展示中組構成流暢的故事主軸與內容，透過故事敘述可以幫助展示來詮釋脈絡並促進觀眾對物件的瞭解，當觀眾與故事產生某種記憶的連結，展示詮釋才能夠真正發生其影響力」（耿鳳英，2011：100）。換言之，博物館組織或是策展人成為這組關係兩端間的「翻譯者」，其如何「再現」，採取何種策略、途徑、手法、工具與模式來再現，成為探討展示的重要切入面向之一，也是博物館展示能否吸引人關注、產生觀賞樂趣、刺激想像、創造對話空間與引發討論的論述場域所在。

　　相較於博物館與展示物件之間的歸屬連結關係，建築類文化資產對博物館空間展示，提供了更多一層的思考範疇。這裡可以再區分出三個層次來看。首先，建築類文化資產，舉凡古蹟、歷史建築、老街聚落、或名人故居等等，其建築物的實質環境空間本身，及其與周遭環境的有機連結，本身即充滿了故事性和歷史情節，不待人為的策展介入與故事線鋪陳，建築物的物質性存在本身就訴說了豐富的過往。參觀者在當下現場（in situ），僅是感受周圍的情境氛圍、建築美學、歷史建築風情、或聚落形態，即可能充分地感受到這個「差異空間」（heterotopia）及其所在文化情境與社會脈絡所創造出來的歷史元素。

　　其次，相較於建物外觀和周邊環境，這些建築物內部空間中，固然也留下了原本居住於此的人物故事、場景，或是文物與史料等物件，特別是名人故居類型的文化資產，往往更容易產生此種連結。然而，這些物件或歷史線索本身，為博物館內收藏的文物物件與標本，必須透過策展的過程來組織這些故事的訴說方式與觀看角度。未經過有意識地、具特定詮釋視角與觀看角度來再現這些文物的話，可能也就只會像是堆置牆角的舊物，難以彰顯其歷史價值。

　　第三，相較於一般物件所意涵的物質文化演進歷程，「文化遺產」重要特徵在於，其意義的理解、詮釋與建構，與其所屬群體緊密相連。文化資產所歸屬的主體握有文化與歷史詮釋的話語權。換言之，當詮釋或展示這些文化資產時，如

何避免扭曲歷史意涵，而是透過展示的社會溝通過程，將這些歷史文化的價值透過教育過程傳承下來，中介的作用者如何理解與再現文化資產牽涉遺產的倫理，牽動特定群體之主體意識的動態作用與張力。「遺產觀光」（heritage tourism）經驗可能是檢視這個動態過程的最佳說明。

澳洲學者莫絲卡朵（Gianna Moscardo）彙整多位研究者對文化旅遊及遺產旅遊之定義，將其總結為：「文化與遺產旅遊是一種參與者嘗試學習、體驗自身及他人當前和過往文化的旅遊形式。」（Moscardo, 2001: 4）此旅遊者體驗的取向強調經過一個選擇的過程，遊客透過與特定場所之互動，及其自身的詮釋，以獲取文化或遺產的經驗和空間意義。例如波利亞等人（Poria, et al., 2003）的研究論證指稱，「遺產觀光是基於觀光客動機與感知經驗，而非是特定場所特性的現象。遺產旅遊是旅遊業的一支，遊客想要拜訪一個場所的主要動機，是根據遊客從對於自身遺產的認知，基於對該地遺產特性而來的」（Poria, et al., 2003）。

「遺產觀光」是不同文化群體之間透過物質性再現，得以相互理解與溝通有利過程，也是群體內部檢視、反思自身文化主體性和歷史意涵的時刻，「觀光」行為經由「體驗經濟」（experience economy）產生的正向經驗與記憶活動，一如參觀博物館所寓含的「寓教於樂」，與休閒娛樂活動相互連結，這些活動的特徵讓參觀博物館的教育本質，和展示活動所欲傳達的各種知識內容，以及社會溝通，構成了遺產觀光活動中的一組三角關係。

以爾瑞的觀光凝視（tourist gaze）（Urry, 1990）觀點來看，文化遺產必須將自身轉化為被凝視的對象，這組觀看與（文化）消費的關係才得以成立，且其中蘊含了某種不對等的權力關係。因為觀看者要透過不斷「他者化」的過程，建立起觀看和被看對象的二元對立。這個被建立起來的觀看視角與權力界線的過程，加諸於博物館中的展品被觀看、被凝視，並不至於減損或改變物件的本質或其文化價值與歷史意涵。然而，若展示的對象與主題牽涉了不同社會群體及其文化遺產，因其文化演進仍在持續發展中，則這樣的社會溝通過程則可能產生再現的危機。亦即，如何讓展示過程本身仍是一個由主體來發言，以避免對展示及其詮釋，均成為一種將主體他者化的過程，以建立起觀看的距離與觀光凝視的權力指向關係。不同文化之間的相遇與對話空間可以被架構起來，而不是成為觀光體驗

中被販售的商品，讓展示、教育和社會溝通三者之間有機地結合，應是文化資產再現自身，傳承延續其主體性存在的重要內在機制。易言之，要確保文化資產不會輕易地因過於「商品化」的販售，而解消其價值，透過有意識地策展，建立起具有教育意涵的社會溝通過程，具有積極的文化抵抗意涵。

五、個案分析與討論

　　學者胡珀 - 葛林希爾（Hopper-Greenhill）主張，當前的博物館工作者不應將觀眾視為只是等待灌注「知識聖水」的花瓶，而是應該致力於在物件的詮釋之外，尋找且更為貼近觀眾的生活經驗（Hopper-Greenhill, 2000；陳慧娟，2003）。簡要介紹前述四個個案後，本節以文化資產轉化為博物館時，在博物館的展示與社會溝通、空間活用、教育與展示活動、以及觀眾的博物館經驗等四個不同分析面向，思考這些案例如何有助於拓展文化資產活用，和博物館營運層面等課題。

（一）古蹟及歷史建築的社會溝通、再現與博物館：形式、意義與歷史的向度

　　本文關注之核心課題為，建築類文化資產活化再生為博物館時，其建築本體與展示的關聯性高低，其建築空間意義是否得以彰顯，或過度地轉用，以至於可能損及其原本的文化資產價值。本章再次借用卡彭所提出「形式」（form）、「功能」（function）與「意義」（meaning）這一組三元關係來分析建築空間轉化狀態。然而，文化資產的再利用特徵，必然使得「功能」這個面向出現變化，故「形式」和「意義」成為檢視這些建築轉化再生時，兩個重要的向度。更進一步地，卡彭在此提出的「意義」範疇，乃是指稱建築的空間意義，但建築物因其年代久遠構成具有文化資產價值的實體，其意義面向可以再細分出「歷史」這個元素——固本章以「形式」、「意義」和「歷史」這三個向度，即從建築物實質硬體空間的實質「形式」，其空間元素及構成所蘊含之抽象層次的「意義」，到整體建築所承載的「歷史」，以這三個範疇作為分析博物館個案之基本框架。

表 3-1　建築空間之形式、意義與歷史三面向的個案分析比較表			
	土銀展示館	國立臺灣文學館	齊東詩舍	僑生博物館
形式	空間形式從原本的銀行大廳轉換為博物館展示，形式變化大，但保留原本的銀行金庫作為參觀實體。	從原本的官廳建築轉換為展示空間，另切出部分為文資中心；基於需求新增植入量體，空間變動大。	將兩戶獨立官舍經由庭院連結，以符合展示需求，另居住空間格局亦大致改動，原有住居痕跡幾乎不存。	原本居住空間格局仍大致保存，以故居形式進行生活內容展示。新增博物館服務空間未影響主體建築。
意義	原土銀營業大廳與金庫等空間意義善加保存利用。	臺南州廳本身空間意義在建築修復後較難窺見。	日式宿舍建築群落空間意義仍存，但特定名人故居的空間意義鮮少被保存或再現。	僑生華人生活軌跡之空間意義可清楚感受與解讀。
歷史	經由原本土銀與建築修復歷史的主題展示，使得原本文化資產的歷史面向得以保存。	臺南州廳原本的歷史從展示內容中幾乎難以呈現，文化資產價值主要表現於建築美學與藝術層面。	以表現地域風貌或民間藝術特色，具歷史文化價值為其評定基準，但戰後中央官員居住之日式宿舍群的歷史在詩舍展示中極微弱。	透過建築、空間、展覽與物件各個環節，僑生華人的生活與歷史風貌得以充分展現與保存。

資料來源：本研究製作。

　　本章列舉的四個再生案例中，建築物轉用後的使用模式與現況，與其原本自身建築空間意義、歷史特徵、以及博物館展示的連結中，土銀展示館一方面透過金庫的保存，以及金融展廳的物件展示，讓原本勸業銀行的歷史與文化價值得以被保存得較完整。但國立臺灣文學館和齊東詩舍，相對來看則是連結較弱的兩個案例。前者雖有小部分關於建築修復的現地展示，但關於臺南州廳作為官舍的歷史，以及過去曾經為臺南市政府的機關歷程，在現有的空間中幾乎完全找不到任何痕跡。至於齊東詩舍，雖然保存優雅的日式宿舍居住空間與庭院，但從博物館任務與展示主題來說，也無法清楚感受到其登錄為文化資產，乃是欲彰顯過去的殖民歷史，以及殖民現代化的都市居住群落，與國民政府中央官員生活的痕跡。至於檳城的僑生博物館則是較為一致地，以過往華人富商大賈的住宅，現有的建

築空間格局，搭配相關的文物保存與展示，彰顯該處的文化資產價值，也和博物館展示主題相符與呼應。

以本文列出的四個個案，從其展示與歷史建築空間的關聯性，似乎可歸納區分為三個應用與轉化強度不同的層級。

第一級，將歷史空間完全轉化為博物館建築空間，空間規劃主要提供展示教育活動的實質環境場域，博物館就像是一個空間展示盒子（showcase），建築本身的歷史線索與軌跡，是以加強補充說明的方式表現，屬於博物館建築及特色的一部分，但較未納入其展示教育研究等主要工作環節。例如前述的國立臺灣文學館應可屬於這樣的個案。

第二級，將歷史空間納入博物館展示的一環。不僅建築空間作為展示的盒子，建築物本身的風格、元素、美學與時代價值，成為推展博物館論述、連結上其設置任務與論述脈絡中。例如土銀展示館可以列為這樣的個案，以金庫的實體展示，金融產業主題的展廳，加上建築物古蹟修復的專題展示，都是試圖將軟體的展示內容和硬體建築空間相互整合的做法。

至於齊東詩舍的案例或許也勉強可以部分如此詮釋：齊東詩舍強調以詩文學的文類來展現某個臺灣文學的軌跡，其挪用的實質空間為日治時期沿用至國民黨統治的官舍建築，再現優雅恬靜的日式庭院與木造房屋之際，臺灣現代詩的演進歷史從日治時期萌芽，到戰後的長足發展，藉由這些意涵著臺灣殖民與建築現代化的實體空間，共同表徵在博物館的展示主題上，展示主題和博物館建築兩者之間，相互建構，在古蹟活化再生和博物館構成兩個面向，以建築寫就的歷史，和文字圖像的博物館展示兩者，以不同取徑來揭露這些歷史意涵。然而，其文化資產價值所欲揭露的殖民統治者居住樣態、城市住宅開發群落，以及國民政府中央官員特定的族群生活軌跡等歷史，則較難在展示空間中獲得太多線索。

第三級，則是建築本身即為博物館欲展示的文物與歷史內涵，兩者之間是完全重合的。建築提供展示的實質空間環境，包含建築本身的風格、元素、美學、空間氛圍，加上空間內部的各項細節與相關文物，本身就是被展示的對象物。以檳城的案例來說，鄭景貴家族的豪門大院，訴說早期南洋打拼華人的歷史，透過家庭住宅空間的展示，家庭中的相關文物，具體表徵了這些混血家庭的日常生活

樣貌、社會處境與文明想像。在這樣的案例模式中，如何讓建築能說出更多的故事，強化展示層次上的再現與溝通技術，攸關博物館營運的成效。由於建築為視覺導向極強的物質文明的存在，即使沒有細緻地展示說明或再現技巧，建築物只是佇立在都市環境中，即已經充滿了故事性。但若未能以展示技術來強化其社會溝通的內涵價值，則很可能只是片斷化地再現特定族群，及其生活的粗淺表面，反而不利於博物館的營運與永續發展。

（二）古蹟歷史建築、觀眾博物館經驗與在地社群歷史

佛克與迪爾金（John F. Falk and Lynn D. Dierking）提出「博物館經驗」（museum experience）這個概念主張，將博物館觀眾的參觀過程視為一種整合性的經驗，提出了一組互動經驗模式的分析架構，企圖從觀眾角度入手，有效詮釋博物館觀眾的經驗。兩位作者提出了個人脈絡（personal context）、社會脈絡（social context）與實質環境脈絡（physical context）[12] 三個面向。個人脈絡探討觀眾的興趣、參觀動機，以及他們感到興趣的主題為何。社會脈絡探討觀眾的同伴、或是和館員的互動等經驗，如何影響其參觀經驗。至於實質環境脈絡主要關注觀眾進入博物館建築後，建築環境予人的感受，環境脈絡中的元素，例如建築、展品、氛圍、氣味等等，都可能對觀眾產生影響（Falk and Dierking, 1992 林潔瑩等譯，2001：20-21）。這三個分析角度中，「實質環境脈絡」直接牽動本文聚焦的歷史建築活化為博物館課題。但在此，本文欲提出經營主體與營利壓力對環境脈絡可能的影響。主要的差別來自於是否有較為龐大的經營壓力，致使館內出現較多的商業販售行為，足以影響觀眾參觀感受；以及連帶是否收取門票，提供參觀者的可及性強度差異。

前述案例中，僅檳城的僑生博物館案例為私人經營，肩負某種程度經營盈虧的壓力；臺灣的案例則是編列公務預算來營運博物館。比較簡化地來看，現況組織面對自負盈虧的壓力較小，的確較能將能量放在策展與教育活動的規劃。檳城案例由於較多經營壓力考量，展示空間夾雜了部分的商業販售活動，且現場也不

---

12 國內譯本將 physical context 譯為「環境脈絡」，但在中文文義中，「環境」同時可能指涉實質與非實質層次，在此主要係指博物館內部的實質環境，故本文作者將其中文翻譯為「實質環境脈絡」。

時有拍攝婚紗的新人，以付費租用場地的方式取景，這些活動均可能影響觀眾的參觀品質（圖3-6）。

圖 3-6　建築物開闊的中庭為博物館的主要出入緩衝空間。同樣可以窺見中西合璧的建築裝飾藝術。出租華麗建築內部空間作為婚紗攝影取景場地，有助於博物館的營收與行銷。

照片來源：作者拍攝。

另一方面，以融入常民生活的角度來說，「僑生博物館」以海記棧豪宅的生活空間，自然地融合入觀眾的生活經驗裡，而非建構一個較為疏離地觀看經驗。在齊東詩舍中，由於不收取門票的經營策略，觀眾可以較不拘束地進出兩棟日式宿舍建築，體驗日式宿舍的生活空間與場域氛圍。亦即，觀眾未必是為了詩文學的目的性觀看而來，也可能是被兩棟日式宿舍及其周邊庭園的良好景觀吸引進來。

在新博物館學、生態博物館等等思潮出現以降，不以靜態物件為博物館的唯一核心，改為關注博物館與其周遭的社群的連結對話、與社區鄰里的互動關係、以及地區性的歷史發展作為重心的思維模式，大幅改變博物館的經營方針與思考

方向。特別是著眼於文化資產的角度，由於文化資產往往具有與在地人文、文化、地理與歷史高度相關，換言之，博物館與地區居民的認同往往也緊密相關。學者郝恩（Andrea Hauenschild）指出，「新博物館學」概念影響下，和傳統博物館制定目標的差異在於，前者重視建立認同感、關切日常生活的事物與社會性的發展；且關注取得保存物質性的遺產。故從新博物館學衍生出來的概念中，其幾項主要的工作原則包括：去中心化；展覽應能配合既有的可能性；主題性的展覽應配合地區性的狀況；有系統的、跨學科原理的觀察方式；配合展覽執行教育活動（Hauenschild, 1988）[13]。

以這樣的概念脈絡來思考文化資產轉為博物館後跟在地社區的關係。「僑生博物館」個案扮演了融入在地土生華人社群、記錄與傳遞當地開發歷程的多元種族文化混雜的歷史變貌。僑生博物館所在區位是當地華人密集處，有許多華人的會館與重要寺廟聚集，不僅峇峇與娘惹的歷史能透過博物館再現出來，舉凡華人的信仰、華人組織、在地經營歷史、僑社，家族與宗族的連結，在地所形塑的飲食文化等等，在周邊街區都看得到，是活生生的街區與文化保存的正向範例。該街區也鄰接著小印度街區，僑生博物館成為傳達檳城在地的多元族群文化意涵最佳的基地之一。另一方面，檳城與麻六甲共同登錄為世界遺產地，主要即著眼保存多元文化，而麻六甲設置的娘惹博物館與檳城僑生博物館，兩者均為傳承在地社群文化的節點網絡。

臺南的國立臺灣文學館從原本的臺南州廳與臺南市政府轉用而來。從日本殖民統治的歷史到臺南市政府所在地，對大多數的府城居民來說，這個建築以其曾經為官方統治權威所在地的集體記憶而存在。雖然從官方治理到文學的歷史，兩者之間承載的空間意涵迥異，但其共同指向的是，以臺南為起點所傳承的臺灣在地歷史記憶[14]。從這個尺度來思考博物館與社群歷史，對觀眾來說，仍是提示其歷史詮釋的線索。齊東詩舍案例以其建築硬體具體產生在地連結：以其日治宿舍群的樣貌，與周邊歷史建築共同構成街區景觀；以目前臺北市已經極少存在，數量有限的日式宿舍群，建築的硬體極為勉力地，保存臺北市日治時期的街區地

---

13 資料來源：http://museumstudies.si.edu/claims2000.htm#2. Elements

14 作者並非意指臺灣文學歷史從臺南為起點，而是「臺南府城」歷史地點對論述臺灣在地歷史具有其一定的象徵意涵。

景，雖然未能再現於更多的展示元素與內容中，但這些建築硬體的存在，至少「確認」了這些配住移入的殖民文官，或所謂外省族群曾經的真實存在。這樣的物資證據或者也清楚地比對出文化資產和博物館的差別：前者以其物質性的證據確認歷史的曾經存在，但後者可以經由展示、教育與詮釋，更為清晰地和社會大眾溝通過往的記憶。

（三）博物館的展示與教育功能

展示與教育為博物館核心的存在價值。前述討論如何善用文化資產的建築與空間特性，有助於推動博物館欲與社會溝通的價值。基於歷史空間應用強度的差異，每個博物館營運的策展規劃與教育方案策略，也顯示出其與文化資產連結程度的差異性。歷史空間元素應用程度較低者，其策展主題與該建築的連結程度較低，其策展主題自然回歸該博物館本身設定的宗旨與任務。

不可諱言地，如前所述，僑生博物館以其建築美學取得視覺上的優勢，這是該博物館吸引遊客造訪的重要原因。然而，其策展策略卻採取了一種客體化的、高度物質化的方式來理解與詮釋峇峇娘惹文化，使得華人與馬來人通婚的文化經驗與歷史事實，被窄化為僅是透過奢華的表徵來強化華人的經濟優勢，與父系文化想像（的強勢入侵），而極為可惜地，未能開展一個論述與反思的想像空間，以重新探索或詮釋這段歷史。舉例來說，以娘惹的服裝與首飾的華麗繁複來凸顯其經濟優勢，作為象徵華人在當地社會地位的象徵，並以此來強調，當時這些娘惹的手有多巧，多麼秀外慧中，而得以保障其日後覓得好的歸宿。這些姑娘如同中國漢人社會主流性別價值一般，每天在閨房裡刺繡，為自己準備嫁衣，不僅是嫁衣越精緻，越能表現家庭教養，更要以穿金戴銀的大量首飾，讓自身變成代表父系家庭優越社會經濟階級的符號。換言之，為了讓觀眾更認識從華人移民社會的文化混雜與社會處境，不斷地強化這些物質化的符號，並將娘惹女性的生活內容簡化到這個被截取的片段，觀眾眼前大量精美的首飾與華服，只訴說了如此單一邏輯的、被揀選過後的族群想像，而難以引導出更多樣混雜的族群文化景觀。這個運用歷史空間文化資源所連結出來的策展溝通與想像，或許是提醒了另一個反省文化的視角構成。

（四）古蹟轉再生為博物館與文化資產價值再現

　　從前述幾組關係來看，古蹟轉化為博物館使用後，是否能藉由建築機能轉化，經由展示與教育活動的中介，以確保、甚至是彰顯古蹟歷史建築的文化資產價值，展示主題的設定與展示活動的介入至為關鍵。土銀展示館除了以臺灣的金融發展歷史作為常設展主題外，該館另一個展示亮點為「土銀古蹟建築修復展示廳」（圖 3-7）。

圖 3-7　土銀展示館中設置古蹟修復展示空間，不僅構成該館展示的亮點，充分記錄該建築本身的歷史過往，也為國內古蹟修復再生轉化為博物館使用，提供一個極具參考價值的經驗。

照片來源：國臺博林一宏博士拍攝及提供。

　　由於該館的古蹟修復工作起跑時間距今較近，臺灣的古蹟建築修復經驗已相對較為成熟。此外，相較於本文前述提及，臺灣過去古蹟修復實務常見的問題是，在古蹟修復階段並不清楚後續的再利用方案與規劃為何，因此往往造成花費龐大經費進行建築修復設計與施工後，經常又必須另外再編列經費，以符合後續的使用需求。但由於該項修復工作由國立臺灣博物館執行，從執行初期即已經思

考如何一併處理後續的展示工作，同時包含展示空間的規劃設計，以及將這個修復工作及其過程，本身即列為日後的展示主題之一。故博物館工作團隊一開始即詳細記錄修復古蹟的所有歷程，並將修復過程的部分建築物件與場景，規劃成土地銀行古蹟修復展示的一部分。

　　舉例來說，古蹟修復展示除了介紹該建築及其風格、造型特色外，重點在於重現修復過程中，營建技術的過程與修復的工法，尤其大廳天花板的石膏飾板修復，借重日本左官職人的修復經驗，和臺灣本地泥水師傅進行研討交流，並以影像、訪談紀錄、古蹟修復的實物展示等方式，藉由這個古蹟修復過程的影像、實際物件的展示陳列，忠實地記錄下土銀展示館的修復經驗，留下重要的史料紀錄，也經由博物館團隊運用其展示教育的設計，讓觀眾能夠在參觀古生物的自然史演進之餘，更為貼近這棟古蹟活化的空間再生故事，窺見土地銀行的金融產業和國家經濟發展的故事，更學習到館方經由現代科技所記錄保存下來，關於臺灣古蹟保存修復的生動歷程。另一方面，則是臺灣建築類文化資產保存修復彌足珍貴的史料保存與經驗傳承紀錄，帶動博物館團隊參與古蹟修復與展示設計規劃，同時在古蹟保存活化和博物館經營這兩個層面，開創出不同的經驗模式。

六、互為主體的文化資產與博物館

　　「談論博物館建築時，通常有兩個不同的思維角度：一為理性的，要求空間尺度設施與設備符合博物館機能需求；二為藝術的、浪漫的，它的造型提供設計者發揮想像力與創造力空間，因此設計一座博物館是一大挑戰卻也是難得能發揮原創力的機會，藉由博物館建築可實驗出新的設計觀念。」（郭美芳，1991：3）

　　相較於其他類型的建築，博物館建築以其豐富的文化象徵價值，以及經由該建築空間的營造，以傳達博物館本身承載美學、藝術與文化瑰寶的人類智慧與理想的企圖，使得博物館建築始終是受到高度關注與眾多討論的建築類型與課題。如上述引文指陳的，建築同時具有象徵與實質面向，為了提供展示活動的機能需求，博物館建築提供何種展示環境與經驗，乃是討論博物館建築的首要面向之

一。受到現代主義建築的美學思維，以白盒子來抽離環境元素，提供藝術作品一個完全去脈絡化的、被抽象體驗的環境，乃是美術館建築展示空間論述的重要假設（並木誠士、中川理，2008）。但當博物館與藝術界開始反思，藝術作品與展示空間之間，是否僅有白盒子這個選項？作品是否應該更與周邊產生脈絡性關聯的課題時，作品的展示思維如何從博物館的空間中解放出來，賦予了藝術創作更多可能性的想像，使得如何在不同空間中展示，作品如何跟周邊環境對話等挑戰日形豐富。與此同時，觀眾要如何走出美術館的展示白盒子思維，在充滿各類環境線索與環境意義的空間中，體驗、感受、學習或取得愉悅感，博物館專業者如何因應這個變化，善用空間裡的各種元素與訊息，轉化為博物館的文化資源？這或許可以說是以文化資產再生為博物館時，最為核心的挑戰所在。最後從兩個向度提出本章的初步結論。其一，關於建築類文化資產活化再生為博物館時，如何從建築空間的活化與轉用程度建立起一個分析性的架構。其次，則是關於究竟該建築文化資產本身歷史及其所連結社群，如何理解、想像或期待於這樣的提問？即關於自身歷史應如何透過建築以期獲得保存、再現與傳承？

　　針對第一個結論，從建築空間的活化與運用強度介入討論，故以前述三個不同強度等級的博物館營運與古蹟、歷史建築應用的連結，進一步整理出表 3-2，分別從博物館空間特性、策展取向、教育方案、研究重心、典藏方向與社區關係等不同面向，來建立分析這些文化資產轉作為博物館時面臨的課題，作為本研究暫時性的綜整，期許能以這個表格的建構，持續思索討論文化資產活化再生為博物館時，探討兩端關聯的指標與實質面向之依據。這裡所提出的第一、第二與第三級，主要仍是著眼於該古蹟建築與博物館展示主題之間的連結強度，及其所開展的，在運用現有建築空間資源所可能出現的策展和議題取向；以及規劃的教育方案內容、典藏政策與研究發展，如何和建築本體產生有意義的連結；最後則是該博物館和在地社群的連結強度，以及其所可能對應出來的，作為觀光資源、與觀光客凝視間的強度。

表 3-2　建築類文化資產空間活化與博物館轉用分析表			
分類	第一級	第二級	第三級
博物館空間特性	古蹟歷史建築空間作為展示盒子。	古蹟歷史建築歷史意涵與博物館展示主題可以連結且相互建構。	古蹟建築本身即為博物館展示主體。
策展傾向	以博物館的設置宗旨為主，較無涉於古蹟意涵。	部分策展涉及古蹟建築本身的故事與歷史意涵。	策展與古蹟建築緊密連結為常態，另可引入特定主題特展。
教育方案	依據博物館設置宗旨來規劃教育方案，與歷史建築本身連結較低。	教育方案可含括該項古蹟與歷史建築，與博物館設置目標，具多元性。	以該建築文化資產價值與內涵作為博物館推動教育方案的主軸。
研究重心	依據博物館設置宗旨來推展研究工作。	研究內涵同時包含建築文化資產與博物館的設置目標。	該建築文化資產、周邊環境、文物與社群為其研究主題。
典藏方向	依據博物館設置宗旨來決定典藏方向。	建築保存工作與文物均為典藏項目。	建築本身的保存、內部文物外，社群文化內容均為典藏主題[15]。
社區關係	與社區關係連結性較低，以較大尺度周邊社區、觀光客為經營對象。	須與周邊社區緊密互動，社區關係影響其博物館日常營運。	與社區緊密互動，博物館營運更與特定社群直接連結，甚至可作為帶動在地社區發展的節點。

資料來源：本研究製作。

其次，本章關切的重點在於，當每個地區與社會紛紛積極運用文化遺產作為行銷自身文化的工具時，當關注於文化遺產的當代價值之際，是否也同時珍視其文化與歷史的價值本質？博物館乃是保存文化資產最為直接的方式，透過博物館的展示與教育活動，讓地區或社群的文化不僅好好保存，更能透過教育傳承

---

15 因為任何建築均有其相依的社群與文化脈絡，即使以古蹟保存的角度言，該古蹟所賴以存在或生成的社群主體及其文化，也屬該建築文化保存的內涵。

的方式，讓歷史傳統活化或延續。然而，當這些建築類文化資產被保存時，挪用博物館的展示與教育模式，是否能夠強化建築實質環境本身的優勢，善用其象徵層次的符號價值，以促成兩者之間的彼此強化，最終的關注仍在於在地社群及其文化本體。從本章列舉出的四個個案中，國立臺灣文學館和僑生博物館開幕時間相近，均為 2003 年。土銀展示館居次，2010 年開幕，齊東詩舍最年輕，為 2014 年開館。這個發展與轉變趨勢反映出建築類文化資產活化再生策略的時代演進：從原本僅將其視為展示盒子，到強化建築本體歷史與博物館展示之間的緊密聯繫與強度，似乎已逐漸納入博物館經營管理的思維架構中。亦即，這也說明對古蹟經營管理、博物館規劃和滿足觀眾需求觀念的持續演進。

　　故在此似乎可以再大膽地往前推衍出一個論點，或作為後續研究的提案：即在地社群對於該建築文化資產轉化活用時，是否能夠從建築本體的歷史內涵出發，提供充分的展示與再現策略，乃是與其對於該文化資產的認同強度相互建構、互為主體的。也就是說，該文化資產活化再生時能夠留下來的歷史線索越多，在地社群的認同程度越高；同時，這樣的高強度也足以成為豐富社群自身歷史主體性的文化資源。期許這個觀點應可作為日後建築類文化資產轉化為博物館時的重要參考。

參考文獻

並木誠士、中川理著、蔡世蓉譯（2008）。《美術館的可能性》。臺北：典藏。

耿鳳英（2011）。〈誰的故事？——論博物館展示詮釋〉，《博物館學季刊》，25(3): 99-111。

陳慧娟（2003）。〈溝通策略與博物館展示設計〉，《博物館學季刊》，17(1): 43-60。

張婉真（2005）。《論博物館學》。臺北：典藏。

郭美芳（1991）。〈天人和諧的建築：加拿大文明博物館〉，《博物館學季刊》，5(1): 3-18。

郭為藩（2008）。《全球視野的文化政策》。臺北：心理出版社。

蔡昭儀（2004）。《全球古根漢效應》。臺北：典藏。

漢寶德（2007）。博物館建築的構思，南藝名人通識講座講稿，取自 http://common.tnnua.edu.tw/releaseRedirect.do?unitID=208&pageID=3081，檢索日期，2016.02.03。

Burcaw, G. Ellis 著、張譽騰等譯（1997）。《博物館這一行》。臺北：五觀。

Capon, David Smith (1999). *The Virtruvian Fallacy: A History of the Categories in Architecture and Philosophy*. N. Y.: John Wiley & Sons.

Falk, John 與 Lynn D. Dierking 著、林潔盈等譯（1992）。《博物館經驗》。臺北：五觀。

Hauenschild, Andrea (1988). Claims and Reality of New Museology: Case Studies in Canada, the United States and Mexico, retrieved on 2015.12. http://museumstudies.si.edu/claims2000.htm#2. Elements

Hooper-Greenhill, E. (2000). *Museum and the Interpretation of Visual Culture*. London: Routledge.

Moscardo, Gianna (2001). Chapter 1 Cultural and Heritage Tourism: the great debates., In B. Faulkner, G. Moscardo and E. Laws (eds.), *Tourism in the 21st Century: Lessons from experience* (pp. 3-16). London: Continuum.

Poria, Yaniv, Butler, Richard, Airey, David (2003). "The core of heritage tourism." *Annals of Tourism Research*, 30 (1): 238-254.

Urry, John (1990). *The Tourist Gaze*. London: Sage.

Waidacher, Friedrich 著、曾于珍等編譯（2001/2004）。《博物館學：德語系世界的觀點》。臺北：五觀。

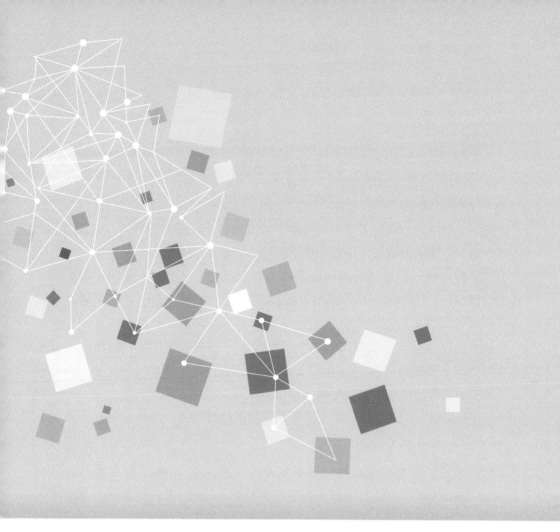

社區博物館、古蹟活化與
都市再生

一、前言

　　面對全球化的城市競爭情境，從臺北市的都市治理與政治議程來看，「都市再生」具有極高的優先性。都市生活有著極為直觀而讓人感受強烈的面向，即城市景觀所呈現出來的樣貌，是老舊頹圮、荒廢待興，抑或野心勃勃、充滿向上的強烈企圖；充滿綠地與開放空間的休閒緩慢，或是人人來去匆匆神情緊張，一個城市視覺感受能強烈地展現都市政治成效與政績之外，都市產業與經濟是另一個關鍵課題。政治經濟學取徑的分析點出了後資本主義生產方式已經逐漸導向符號與美學經濟。城市經濟與生產和消費的美學化傾向，不僅導向了創意產業的逐步成長擴張，或是其他產業尋求文化包裝，連帶也使得博物館與文化資產的活用課題，與其說是以文化產業的一環「受到重視」，不如說是在都市治理層面，漸漸地被收納進城市發展整體策略中，以「文化引導都市再生」（cultural-led urban regeneration）模式的一環，甚至更為細緻地分殊為「設計引導都市再生」（design-led urban regeneration）。

　　舉例來說，臺北市政府都市發展局都市更新處從 2010 年起開始推動 URS（urban regeneration stations，都市再生前進基地）[1]計畫，迄今陸續建立十餘處再生基地，以一種都市針灸術的思維，試著為都市裡較為老舊沒落的地區注入新的活力，以打通原本遲滯而無法流動的城市血脈。URS 的策略，本質上即為一種以文化引導都市再生的策略。運用 URS 活化模式，邀請經營團隊以藝術文化的活動、策展方式介入，由藝術與創意工作者，從當地的歷史氛圍與文化元素尋找創作發想題材，不論是以藝術介入空間的創作，或是挪用當地文化元素進行產品開發等等，從過程到終端產物，均共同導向帶動在地經濟與社會的活化。這個操作模式與近年來藝術場域關注的參與式藝術實踐（participatory art）若合符節，凸顯出以藝術創作介入社會議題，意圖以美學經驗來挑戰尋常的觀念和我們的認知系統（Kester, 2006: 16-17）。

　　這種文化引導的都市再生活化模式已經被建立且熟悉。反過來說，如果要採取這樣的活化策略，要從老街區中尋找適合的節點，作為活絡在地的戰略基地，

1　URS 計畫自 2010 年提出，於柯文哲市長上任後，政策歷經多次改變與轉型，因該計畫並非本文在此欲探討之重點，故未多予著墨。在此僅廣義地引用其政策內涵與價值，作為探討街區活化概念基礎。

這個節點必須承載在地豐富的歷史軌跡與生活樣貌，具有多樣性，同時也需具有代表性。「菜市場」這個長期與在地居民日常生活緊密相關的空間，似乎成為開啟地區活化街區的鑰匙。

　　興建於 1935 年（昭和十年）的新富市場，於 2006 年指定為臺北市市定古蹟。為臺北市極少數自日治時期迄今仍維持原貌的菜市場。2009 年進行古蹟修復與再利用計畫，2012 至 2013 年市場攤位回收，展開修復。完工後的古蹟空間活化以招商委外經營方式，定位為「青年創意基地共同工作空間」，原有二十九處攤商則移至周邊的東三水街市場繼續營業。即雖然不再使用 URS 這個命名，但「新富市場」被賦予扮演社區活化的節點。進一步地，從這個案例可以觀察到的另一個趨勢是，相較於其他文化引導都市再生的模式，多是以新建地標型的、具高度美學風格或爭議的建築與文化設施，植入既有的都市景觀與環境脈絡中，以期引發話題，吸引觀光人群，帶動城市行銷。但在新富市場的案例，則是以古蹟文化資產身分，將自身變成一個「奇觀」（spectacle）之餘，引入博物館與策展策略來經營自身，及其與周邊社區的關係。是一種以軟體經營面，引導建築空間環境的發展策略。那麼，這樣的經營策略挪用對博物館經營在地社區時，在教育方案與策展是否提供了什麼樣的不同想像？本章從這個提問出發，試圖以參與式藝術關注之對話性空間的創造，從新富市場前期籌備活動方案，以及「市場小學計畫」個案，思考面對全球城市競爭，在文化引導城市再生的政策架構下，博物館經營策略、在地社區和日常生活美學之間的連結，對地區活化及其創造出的對話性空間的意涵。

二、從菜市場、古蹟到博物館之路：新富市場

　　「新富市場」原名漢字為「新富町食料品小賣市場」。「小賣市場」即指與一般市民日常生活採買相關的「零售市場」，而非直接面對產地產銷的批發市場。臺灣生鮮食物零售市場的概念是從日治時期建立的。日本統治臺灣後，對臺灣的公共衛生問題多所著墨。應對臺灣的地理條件、氣候等條件，為確保其統治順遂的前提。歐洲浮現的城市規劃與公共衛生管理模式，為其借鏡的重要來源。明治三十七（1904）年，臺灣總督府以府令「第 65 號」規定，各地市場及屠宰場

為公共建造物，由各地街庄長或廳長管理，其賦稅充作街庄公共費用，且列為公共事業（楠瀨登，1915：24，引自鍾順利，2006：22）。亦即，日人正式將「市場」這個經濟與貨品交換的體制，從原本的自由交易制度變為公有制度的一環。從臺南市場（1905）開始，陸續有臺中市場（1908）、臺北新起街市場（1908）、臺北大稻埕市場（1908）、基隆市場（1909）等創設，不僅規模宏大，設備完善，建立臺灣公有消費零售市場的規模（鍾順利，2006：22）。

新富市場本館建築興建於 1935 年，迄今超過八十年。由於強調公共衛生管理的需要，其建築物量體相當獨特，平面為馬蹄形，以中庭天然採光，利於從物理環境的角度處理市場的通風需求。新富市場為日治時期臺北市第一座符合新式衛生標準的公設市場，也是臺北市少數建築仍維持原貌的公有市場。新富市場的馬蹄型平面，其非線性的動線與平面構成，在日治時期的公設消費市場屬孤例。該市場建築主要入口位於北方，朝著艋舺聚落的方向，次要入口朝向道路方向。這樣的不對稱入口設計，傳達出現代建築的訊息（鍾順利，2006：76）。以現代主義建築與臺灣的最初相遇來看，從物理環境、建築計畫與設計等不同層面都已經受到設計的關注，這幾項均為新富市場獨特之處，也是其於 2006 年指定為臺北市市定古蹟之文化資產價值所在[2]。

2006 年指定古蹟後，臺北市政府於 2009 年委託古蹟修復與再利用的研究計畫。2012 年，市場本館攤位回收，進行新富市場整修工程，原新富市場續留二十九攤安置於現址外圍三水街持續營業。修復工程於 2013 年年底完工。2013 年年初，針對該年年底即將完工的新富市場應如何活化再利用的討論中，原擬以其菜市場的歷史場域，再利用為「牛肉麵博物館」，仿照日本橫濱的拉麵博物館模式，來支援臺北市舉辦多年的牛肉麵節，從臺北最引以自豪的美食，來構成在地特色，帶動地方的活化。但調煮麵食需要明火，與古蹟保存禁止用火的規定衝突，或許是此方案胎死腹中的因素之一。但政策的轉彎來自於臺北市政府對於更積極進行都市經濟與產業活化的政策急迫性，後調整政策方向，於 2014 年進行新富市場古蹟本館及事務所的招商作業，將此基地定位為「青年創意基地共同工作空間」，以仿照 URS 政策的推動模式，期許以城市針灸術來帶動當地的質變。

---

2 從建築史發展的角度來看，這批公共建築也意涵著臺灣早期接受現代建築的發展歷程與腳步，這個面向的課題是討論比較少的。

　　從都市政策與公共服務的角度來看，或許應該提問的是「市場」這個代表居民日常採買的公共設施，何以能輕易地被取消？其中的攤商生計又該如何處理？更何況，隨著時間悠久，許多攤商美食伴隨在地居民，已經成為生活記憶的一部分了，從「市場」變成「古蹟」的過程中，沒有任何掙扎與衝突嗎？這一組名為新富市場的建築基地，主入口看似隱身街肆之中，自明性不高，但實則另一側因為捷運共構聯合開發，而距離捷運站交通便利。根據相關資料，這座市場雖然 1935 年級開始營運，但在 1970 年代後，因鄰近的環南市場開始營業，兩座市場規模差距大，間接影響其營業績效。同時，由於該處緊鄰龍山寺，許多美食和攤販匯聚成東三水街市場，使得新富市場後來形同被夾藏在三水街攤販集中地後側，這個隱身的效果使其存在長期較不受關注，雖然得以幸運地保有原市場建築，但也面臨逐步頹圮、不受關注的命運，第二代、第三代不願再委身在此老舊市場。因此，指定古蹟的時間點，市場內攤商數已經不多，僅二十九攤，得以順利地被安置在周邊的東三水街市場內，構成兩個彼此互補的攤商區域，解決周邊居民日常採買食物的需求，保留了原有的美食記憶。這是新富市場指定古蹟與接下來的再利用計畫能夠順利發展的重要因素，亦即，「菜市場」意涵的都市公共服務的需求仍能獲得滿足，居民在地的飲食記憶仍然得以延續，大大地削減了這座公共建築指定為古蹟，以及其轉作他途使用所可能面臨的地方壓力。菜市場乃是社會互動與差異再現的重要節點（Watson and Studdert, 2006），在市場機能與美食記憶仍然得以延續的前提下，這個建築空間基地的轉用得以從一種互補的機能，較為脫離原有使用想像的經營模式，成為活化在地社區有力節點。

三、參與及對話性藝術實踐

　　忠泰建設於 2014 年投標取得新富市場九年的經營權，並委由其下忠泰建築文化藝術基金會負責執行這項活化計畫。「新富市場」為忠泰基金會自 2010 年起推動「都市果核計畫」（project urban core）的第三個基地：以城市中閒置、老舊空間作為培養藝術設計創意領域人才的育成基地。從最初中華路的「URS89-6 城中藝術街區」（2010-2012）、「URS21 中山創意基地」（2012-2014）到現在第三站的「新富市場」。奠基於之前經營 URS 的經驗，忠泰基金會花了很長的前置時間，從在地社區關係的經營開始，以菜市場、在地攤商、傳統美食等角度，做了

許多持續溝通和準備工作；邀請藝術家進場創作，讓年輕的工作團隊從田野調查的基本記錄開始；在空間使用規劃上，內設置餐桌學堂、巷仔內教室、展演空間、市場史脈絡常設展、創意協作空間、進駐辦公室、複合式餐飲空間等，引進都市、建築、藝術、設計、文化等多元創新能量，讓新舊使用者、不同時代的使用模式共存其中，藉由正向互動轉換為具有公共意涵的文化場域 [3]。依據訪談資料得知，前述這些軟硬體的規劃，相當程度得益於該基金會過去經營相關社群與專業者的意見匯聚累積而成。

事實上，前述提及從臺北市政府提出 URS 都市再生前進基地的計畫策略開始，即意涵著以文化藝術行動來創造對話空間，引發市民關注與探討都市活化與在地發展的課題。提出 URS 計畫政策的臺北市政府都發局都市更新處、參與新富市場古蹟經營的忠泰基金會、以及策劃執行市場小學計畫的都市酵母團隊，這三個作用群體以新富市場及其周邊社區來建構一個討論都市活化再生的公共場域，在這個場域中，各自建構起以其主體位置的關係美學實踐，關係概念圖如圖 4-1。

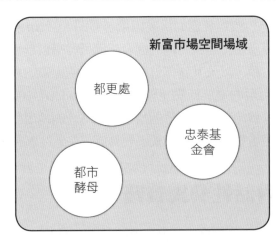

圖 4-1 新富市場參與式美學實踐場域關係概念圖

資料來源：本文繪製。

都市更新處、忠泰基金會與都市酵母為各自獨立的組織系統，有其自身系統

---

3 資料來源：http://umkt.jutfoundation.org.tw/about/activate。檢索日期：2022.01.03。

內外運作的輸入、產出與反饋機制的運作。將這個公共空間場域圖視為一個系統。則系統內部同時有不同的作用者，依其運作綜效也將產生另一組系統的輸入產出和反饋作用，概念圖如圖 4-2。

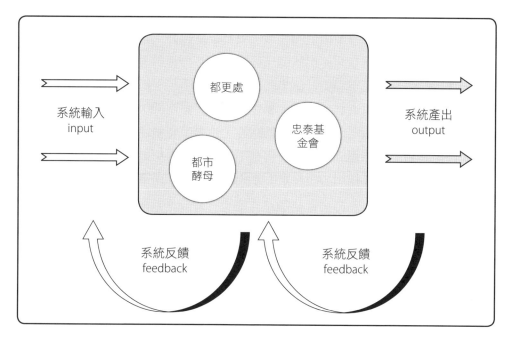

圖 4-2　系統輸入產出與反饋概念圖

資料來源：本文繪製。

每個組織系統運作有其設置的目標、價值與運作機制，其相應的權力關係，及其立基於組織利益的外部關係建構。這樣的概念圖有助於闡述每個不同組織如何立基於其自身組織的定位、目標、價值與利益，來決定其運作的方式、步驟與策略。然而，這個系統組織論並非僅是一個靜態的模型。組織乃是隨著歷史時空、社會條件，以及組織內部作用者主體價值與政治運作更迭等不同脈絡而變化。加上不同組織之間的有機互動型態，構成了相當動態而充滿變化的樣態。甚至是從根本地、本質性地透過對話性的、創造性的美學實踐，產出完全不同的系統特徵。

舉例來說，新富市場原本是採買食物的零售節點，但經由文化資產的古蹟指定後，構成了一個類博物館的組織樣態，這個文化資產的保存價值來自於見證生

鮮消費、販售、管理機制與常民生活、社區記憶的歷史容貌；但轉身為古蹟之後，原本與採購販售食物的記憶連結何在？在都市更新處的政策想像中，這裡乃是帶動周邊活化的針灸點。挪用菜市場原本具有的文化歷史脈絡，與生鮮食物採購的經濟產業作為活化的創意主題。這個過程重新調整了博物館及其展示美學的想像，對於菜市場都市政策價值的態度，以及以文化介入都市再生的運作模式。換言之，新富市場實質空間使用狀態已經改變，不再提供食物販售的機能，但在象徵層次上，蘊含著菜市場與社群集體記憶的空間再現。原市場建築及其周邊空間，雖然提供了一個可供許多活動和事件發生的實質空間，但在象徵層次應該如何再現空間，乃是一個空間意義競逐的狀態，也是文化資產保存界始終掛念，古蹟文化價值是否得以透過經營管理與再利用的過程獲得彰顯的核心議題。這個發問收關著不同系統及其作用者所設定的系統目標，及其所欲對話的社群主體。

由於古蹟活化乃是朝向創意產業基地，及具有展示功能的空間場域活化為目標，市場原本具備的飲食文化、在地認同與美食傳統等軟體／內容的歷史，是提供空間活化策略的重要線索。看似朝向類博物館的經營取徑，面臨著全球化語境的挑戰：進入 1990 年代後，全球藝術實踐趨勢朝向強調一種互動式的、對話性的、開放與邀請參與的美學實踐，所謂的實驗性質、未完成的作品狀態。這個狀態一部分來自於「認同」界線的浮動與難以限定，另一方面，這種實驗狀態容易在市場行銷上取得優勢（Bishop, 2004: 52）。如此一來，在博物館、畫廊或美術館場域中，許多機構開始提出以「策展」為論述核心的美學實踐，穩定的「典藏」政策已經不是這些機構館所的終極價值，而提供一個讓活動、事件與展覽得以發生的空間場域或館所，以「體驗經濟」（experience economy）的模式來經營與行銷這樣的藝術據點，除了有利於古蹟等文化資產可以有更多活化的策略與模式；對博物館專業來說，挑戰原本已經制式化的、以典藏為優位價值的博物館營運。「策展優先」的經營策略，可以即時性地反映當下的藝術實踐與社會脈絡的連結，就行銷層面來說，也能有效地透過探奇與體驗，創造出休閒娛樂和愉悅快感，吸引更多觀眾貼近或參與這些藝術實踐與美學建構。

綜言之，本章意圖指出，將新富市場視為在「體驗經濟」當道情境下，以「策展」與參與式藝術實踐介入古蹟空間場域，透過類博物館的經營方針，挪用菜市場既有集體記憶、社區情感與飲食文化等軟體內容，來思索在地都市再生

的想像與策略。故本章後續篇幅，以都市酵母從 2015 到 2016 年，搭配臺北市 2016 設計之都活動，執行「市場小學計畫」的操作執行，作為探討前述各面向課題的階段性個案。

四、市場小學計畫：策劃與執行

可以從幾個不同的軸線來理解市場小學計畫。首先，這個計畫是「都市酵母行動計畫」之一。所謂的「都市酵母」是由水越設計工作團隊於 2006 年提出「plan global」時發展出來的概念。這群創意工作者尋找運用創意來建立地方獨特文化的方法，並將這個計畫稱為都市酵母。這個創意發酵的過程，「是為了讓人愛上臺灣的都市」。挪用「酵母」的概念，希望能吸引有能力、有才華的人，一起創造黏性的魅力都市，每個專業者從自身的專長領域，以設計的方法貢獻於創造出讓人喜歡的、更美好的都市環境與生活，而對自己的城市感到驕傲，有所認同[4]。換言之，這個團隊如何看待城市與設計創意間的關係，影響這個計畫至深。其次，這個計畫辦理的空間場域包含新富市場、東三水街市場與周邊社區，同時也是臺北市政府都市更新處所委託的老社區空間活化計畫之一。第三，搭配臺北市 2016 設計之都，該計畫本身也會置放在設計，特別是與社會設計有關的論述場域中推展。第四，則是這個活動如何設定與新富市場空間場域的關聯性，特別是新富市場本身為古蹟，這個計畫如何與古蹟文化資產價值連結，亦為值得關切之處。

從前述幾條軸線來觀察，市場小學的計畫可以理解為以創意和設計方法，切入對在地社區的美食記憶的記錄與再現，把溝通對象放在小學生身上，這意涵了對在地食物記憶的傳承，不僅是一種在地記憶與飲食資料的收集、整理與再現，也是一種展示與教育方案的實施。從這個角度來看，這個計畫執行的工作內容與方式，與博物館推動的工作，有著某些類似的軌跡。一方面如前述所言，非以典藏品為核心，而改以策展概念來引導博物館經營策略，可以有效活化古蹟空間，創造具時效性的有趣議題，利於行銷。另一方面，以操作教育方案的模式邀請小學生參與這個創造性的計畫，則連結上參與式藝術行動的美學實踐。

4　資料來源：http://www.cityyeast.com/about.php，檢索日期：2016.08.25。

　　該計畫的目的是要讓小學生愛上菜市場，拉近世代的距離。主張傳統市場是最好的生活學習教室，食材啟發、器皿學問、色彩層次與生意細節，從菜市場到餐桌上，從小學到家庭與在地鏈結[5]。包含四場工作坊與親子市場週兩大系列，四場工作坊的主題分別為「我覺得你超有親子市場的天分工作坊」、「小學生的第一堂市場學——食材學工作坊」、「小學生的第二堂市場學——探索學工作坊」，「小學生的第三堂市場學——刀具學」。第一場是針對一般市民，從自身的市場經驗，來討論理想的市場發展；後面三場則是以小學生為對象的小學生市場學堂。親子市場週則包含了市場店家改造和市場教室等活動。

　　然而，執行這個計畫的過程遠非僅是辦理活動而已。從一開始打算邀請在地小學生來參加，就是個擾動社區的過程。執行團隊從 2015 年 9 月即開始前往鄰近的龍山、西門與老松國小拜訪，從讓學生認識在地，以生活美學教育與在地歷史文化深度等面向切入，邀請校長支持老師帶學生參加活動。2015 年 10 月，拜訪市場自治會與商家，討論對市場小學計畫的想法，經由瞭解市場經營現況，以及店家對市場文化交流的想法，獲得首肯後，到市場預告活動計畫。2015 年 12 月，與市場商家舉辦推廣活動的說明會，不只是預告活動，請商家參與活動，協助辦理讓小學生參加的教育活動；邀請店家一起討論，集思廣益如何提升市場整體環境。2015 年 11 月，舉辦名為「我覺得你超有親子市場的天分」的首次工作坊，邀請對市場議題有興趣或持續關注的市民，經由自身的經驗分享，實地參訪、採訪商家、意見交流和討論，匯聚出每一組心中最棒的「親子市場」。12 月 4 日、12 月 14 日、12 月 17 日這三天，分別跟龍山國小、老松國小與西門國小的學生，舉辦「市場食材學」、「市場探索學」與「市場刀具學」等三場小學生市場學工作坊。

　　2016 年 1 月 12 日至 17 日為期一週的「親子市場週」。期間規劃的活動除了有市場導覽、邀請小學生擔任店長、體驗市場商家生活；也在市場內設置「教室」，裡頭佈置與市場相關的書籍；也跟周邊美語補習班合作，從市場中給孩子日常生活英語的訓練。此外，與市場店家較相關的計畫，是和 IKEA 合作的市場

5　本文中針對市場小學計畫的資料若未特別注明，主要均參考該團隊的官方網頁資料，資料來源：http://www.cityyeast.com/passion3_show.php?passion3type_id2=107&passion3_id=1372，檢索日期：2016.08.25。

改造計畫。邀請四組設計師跟四個攤商合作，IKEA 公司贊助 4 萬元自家品牌傢俱與專業採購費用，經過討論與選購材料後，由店家跟設計團隊共同施工改造。這個部分的計畫執行則是與「臺北市 2016 設計之都」計畫接軌。

五、菜市場 vs. 博物館

「菜市場」是個連結「消費」與「生產」端的節點場域。批發市場面對整個龐大的產銷體系，以服務農、漁、畜產生產產品、產銷為主，對應著生產者。零售市場主要服務消費者。經濟消費行為高度導向消費者需求端，只要是消費者所需求的，相關產品服務即應運而生，商品的種類、銷售數量等等均由消費者的偏好所決定。此外，公有市場，特別是零售市場尚具有官方都市基礎服務的角色。因此，從組織關係來看可以繪製成以菜市場為核心的關係圖（如圖 4-3），從這個組織關係圖出發，本章試著從新富市場案例的特殊性來延伸一些相關課題的討論。

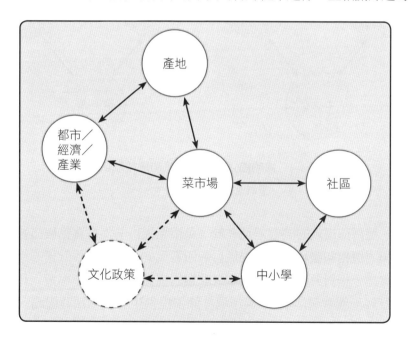

圖 4-3 市場組織關係圖

資料來源：本研究繪製。

菜市場服務於社區，社區裡有中小學，菜市場同樣也服務於社區的中小學。如同中小學是社區的學習中心一般，為社區民眾提供服務。這裡構成一組以社區為主角的三角關係。市場小學計畫中，菜市場從消費端對應到社區。社區中的中小學是這個計畫主要邀請的對象，企圖從學校教育體系，延伸到以市場為學習基地，構成了一組市場、社區和中小學的三角關係。主辦活動的組織工作者是中介的作用者。有趣的是，將「市場」替換為「博物館」，這一組博物館－社區－中小學可能是我們比較熟悉的一組關係：博物館服務於社區，當然也對社區內的學校提供服務，甚至包含如館校合作等教育服務方案，都是博物館機構經常運用的服務策略。既有的博物館機構與服務模式，即是取代這個中介的作用者，擔負起邀請學區中兒童入館學習或資源共享、或由博物館送服務到學校等模式（如圖4-4）。

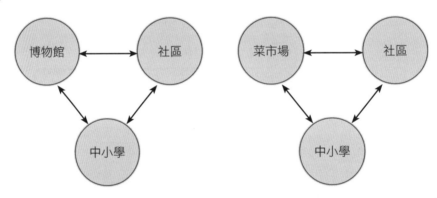

圖 4-4　博物館／市場與社區和學校關係圖

資料來源：本研究繪製。

　　然而，這兩種模式的關鍵差別在於，菜市場提供的僅是食物與市場內各類商品的銷售與周邊相關服務，而非提供目前所看到的，市場小學計畫的策展或教育活動。換言之，相對於博物館機構本身配置研究員、策展人等專業人員，能主動規劃與執行展示與教育活動。「菜市場」除了提供生鮮食物採買服務，則必須經由中介的專案執行人員，也就是本文提到的都市酵母／水越設計的團隊。由策展人或團隊協助將菜市場場域轉化為博物館的展示或教育方案計畫（如圖4-5）。

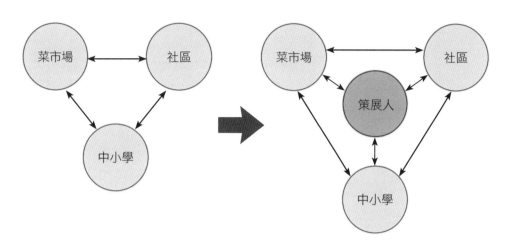

圖 4-5　策展團隊所中介的市場／社區／中小學關係圖

資料來源：本研究繪製。

　　再進一步來看，由於「新富市場」本身即為《文資法》所指定的古蹟，在行政管理架構上，另外連結到文化資產的主管單位，而身為古蹟的角色，在擔負教育的角色與重要性更不容忽視。因此，在這個案例中，新富市場不僅連結上都市公共服務，屬於產業和經濟政策的一環；這裡還可以連結上文化政策，而文化政策自然又必須跟在地中小學產生連結，才能讓文化資產的價值充分傳遞（如圖4-6），當然，臺灣目前文化資產教育難以貫徹的原因之一，即在於這個連結相對較薄弱，甚至通常是缺乏任何連結的。同時，在這個案例中，新富市場古蹟的文化資產身分與價值，與社區居民的集體記憶和每日生活的連結，無疑是更為緊密相繫的。與其說古蹟是提供歷史教育的基地，或許更適切的描述是，透過市民日常點滴的匯聚，共同構成了古蹟的文化價值。換言之，相較於以往多以古蹟建築本體來思辨其文化資產價值，在新富市場的案例中，社區居民的日常採買與生活經驗，才是點滴建構起菜市場古蹟價值之所在。這個案例開啟了重新想像文化資產價值與在地社區意義詮釋的不同管道，也成為強化以菜市場作為類博物館的教育基地的潛力與可能性，具高度實驗性。事實上，許多國外的菜市場為了因應全球觀光客，也朝向提供導覽、美食烹飪教學、廚藝學校等教育活動。

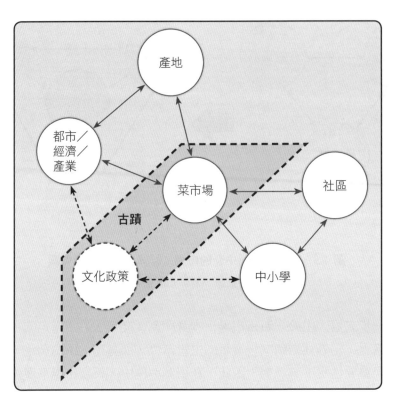

圖 4-6　菜市場與文化政策關係圖

資料來源：本研究繪製。

　　從博物館的任務與功能出發，博物館組織者擔負了教育、典藏、展示、研究與娛樂等五項功能。古蹟等歷史場所雖然也屬保存文化資產的類博物館，但若未能有完整的組織建制，對教育推動工作可能仍比不上專業博物館來得完整而有系統性。那麼，在菜市場中呢？相較於博物館，比重上來說，菜市場提供最多比重的應該是休閒娛樂；在攤商店家的生鮮蔬果與食物等商品只能算是陳列（display），而非具有主動溝通或概念展現意圖的「展示」（exhibition）。教育的功能則必須透過中介的工作者和販售者的溝通，設定特定的教育活動方案，才可能達成。

　　那麼，菜市場所能提供的教育方案想像會是什麼呢？包含在地歷史、生活美學，特別是關於在地飲食特色，或獨特的店家所提供的在地美味；此外，透過菜

市場裡所販售的生鮮蔬果，就是最直接的材料來訴說生態與環境教育，特別是食農教育；最後，當然包含市場建築本身的空間形式與建築美學，以及歲月痕跡所累積下來的文化資產意涵與價值。甚至，從上述的圖 4-6 來看，由於這座菜市場本身具有的文化價值，若能善加利用其文化資源的加值應用，從原本的經濟產業環節，有機會連結上創意產業，創造文化跟經濟產業間的連結。例如發展出來的深度導覽文化旅遊行程；開發周邊的商品；傳統美食的加值運用，這些不僅可以吸引訪客到來，也可以作為創意工作者的無限資源。

從前述詮釋角度和架構重新分析市場小學計畫，有幾項計畫執行內容與做法值得進一步探究：

（一）深入調查市場的發展歷史，有助於累積在地歷史資料，朝向生態博物館（eco-museum）的概念發展

根據執行團隊進行的各項前期田野調查工作，從新富市場到東三水街市場，許多攤商店家已經傳承三代，歷史相當悠久，這些精彩故事值得訴說。透過策展團隊的中介，讓這些豐富而細膩的日常生活史，在當地公共性最高的據點中持續累積與訴說。這樣如同民族誌一般的調查與挖掘，可作為後續對在地文化資源盤點的基礎，也形同朝向進行生活環境博物館，積極保存在地文化的操作。

（二）以策展的概念來重新建構市場知識體系與價值

在策展團隊規劃的四場工作坊中，第一場主張要建立「親子市場」，凸顯知識的世代傳承，貫徹生活教育和美學。在此提出了「親子市場」訴求，即是以策展概念提出一個新的主張。此外，其它三場市場小學堂包含了如何以不同刀具來處理豬肉、牛肉、雞肉跟海鮮，又是使用何種刀具的職人文化；如何運用市場食材探討色彩學，以及市場論斤論兩的交易如何進行，或每天的愛心便當，蘊含了何種營養、熱量等等，都可說是重新梳理了菜市場日常生活的知識體系，建構出市場學的價值。

（三）邀請店家分享自身經驗，作為市場與生活教育素材

這個計畫執行成功與否的關鍵，高度繫於市場攤商店家的支持。根據資料顯示，店家的支持度極高，部分原因或許來自於菜市場與在地的地緣關係緊密，店家在此地做生意時間久，對地方的認同與情感也較強，對社區事務的支持度也會比較高。這些店家一方面願意分享自身的販售經驗，關心如何讓市場經營得更好。同時，也將生鮮食物的相關專業知識傳遞給下一代，如同真人圖書館概念一般，透過他們的專業與生命經驗，增加孩子們對食物與職業更深切地認識與理解。

（四）對市場攤商店家飲食與商業文化的重新詮釋與賦權（empowerment）

市場攤販與商家的販售在社會認知中，職業位階通常不高，被視為知識水平較為一般。但透過對市場的基本調查與深入掌握後，不僅成功邀請商家分享經驗，參與社區事務；也在這個互動溝通過程中，讓商家能運用其專業知識，發展出新的想法跟實踐模式。例如，讓傳統製麵的店家為孩子們設計出參與麵條製作課程，讓孩子們做完還可以把麵條帶回家的寓教於樂活動；傳承三代的蔬菜商鋪，在與設計師共同討論執行，完成攤位的重新設計後，店家賣菜高齡83歲的阿嬤，每天練習如何把當天最新鮮的蔬菜，搭配顏色陳列。

（五）透過持續的田野調查可作為轉化為展示在地文化與生活美學的素材

根據策展團隊的紀錄，許多調查工作均轉化為可以展示的素材。像是調查出哪些獨具特色或販售主題的店家，這些元素可以在市場裡轉化為特定的展示主題。例如新富市場迄今仍可運作的製冰室，本身就是個可以展示的歷史物件與產業遺產；而在市場裡販售抹布的阿姨形象，被繪製為市場內特色店家被展示。此外，超過四十年的老店、食品自製自銷的店家等等，也在市場內被標注出來，轉化為展示市場歷史的元素。

（六）從強化視覺導向的景觀改善到社會設計

臺北市 2016 設計之都的相關計畫中，改造變電箱和傳統市場的招牌似乎突顯出了設計與人們日常生活內容的緊密連結。在市場小學的計畫中，四個攤位的改造與招牌設計的整理也在計畫內容中。雖然無法一次全面的改造傳統市場給人的視覺印象及感受，但藉此整理環境的過程中，檢視市場中較不友善的環境細節。例如排水不良所導致的種種問題，包含氣味不佳是傳統市場長期被詬病的。但攤商所處的工作環境，可能就是一個較被忽略的課題了。特別是許多攤販可能年紀較長了。除了從消費者的角度，關注市場內部空間與視覺感受之外，思考工作環境友善程度的社會設計議題也被凸顯了出來。

六、以策展引導軟體思維的文化資產保存與城市再生策略？

「博物館」機構基本上透過展示活動的規劃來邀請觀眾，透過展示說故事，有意識、有意圖地說出研究員或策展人經過長時間的研究、規劃想說的、且經過組織的故事，亦即，傳遞出策展人「策展」的概念，藉由物件，來展現物質文明的任何一脈軌跡。然而，前述提及，在這個策展優位的時代，相較於以往以博物館為強勢節點的文化生產趨勢，全球化潮流中可以隨處穿透、打破邊界的策展人及其展示論述，使得文化節點的生產本身即具有流動與穿透性，文化意義的生產與競逐，文化政治的操作無處不在。對這些策展人或藝術家來說，推動這些議題發展的過程本身就是一個創造性的活動。所謂「具體的介入」是以「社會政治關係」來取代傳統藝術材料。這樣的藝術與美學實踐重點不在於物件的形式狀態，而在於藉美學經驗，挑戰尋常的觀念和我們的認知系統（Kester, 2006: 16-17）。凱斯特（Grant H. Kester）以「對話性創作」（conversational art / dialogical art）一詞來指稱這樣的藝術實踐。相較於既有的藝術創作形式，觀眾所接觸／看到的是已經完成的成品狀態，但對話性創作藝術強調如何藉由創作來製造出一個對話和交流的創作性空間。「對話」就是作品本身的一部分。拓展原本的藝術實踐傳統，將原本向內的、對藝術作品的批判，轉為一組積極的實踐，直接面向世界，

把主體間互動的新形式和社會運動結合（Kester, 2006: 22-23）。

　　但在菜市場的空間裡能如何策展呢？除了食物生鮮為了販售的目的被擺放陳列出來，讓消費者可以直觀地看到，提供視覺或嗅覺、味覺的感受之外，其餘更多具有內涵和價值的策展工作，仍是必須透過中介工作者來組織與呈現。回到前述指陳不同組織或機構的系統運作模型來看，在新富市場古蹟活化與經營管理的案例中，要如何理解市場小學計畫從不同作用者的所在政治（politics of location），在市場空間場域引入的對話與創造性的藝術實踐與美學體驗的意涵？

（一）從日常生活展開對飲食文化的深入探問與詮釋？

　　當全球化的趨勢越不可逆，在地積極地投身朝向文化轉向，以強化地方的獨特性與在地認同之際，「回歸生活」成為文化轉向的共同交集。不僅因為生活內容才是找到在地獨特性的根本所在，「每日日常生活」的物質性基礎；資本主義生產與消費端的符號經濟轉向，也落在消費美學化的系統性質變。遑論風險社會中，人與土地連結的抽離破碎，飲食不安全與生命政治，人們想跟餵養生命的土地重修舊好，更在意我們吃了什麼進去之際，變得更認真謹慎地關注於每日生活內容：包含採買食物、食物生產流程、如何從產地到我們的餐桌、如何滿足我們的飲食欲望、以及這些飲食欲望的歷史性變貌，甚至是飲食文化傳統與族群認同和變遷的關係等等。這個發問本來就已經是全球的重要發展趨勢，也在文化領域引發關注。例如 2015 年的米蘭世界博覽會即是在全球的尺度上，討論食物與生態的問題。臺灣團隊以「OPTOGO 外帶臺灣館」即是以臺灣的飲食文化為主題，爭取參與；2016 年的倫敦雙年展，臺灣團隊也是以食物設計作為策展主題。除了牛肉麵節、OTOP 鳳梨酥等伴手禮之外，我們對飲食文化的深入思考與討論，或許是值得進入博物館知識系譜範疇中的。例如國立臺灣博物館從 2016 年起，在都市生態的理論架構下，推出都市博物學家系列講座中，有一場「菜市場博物學」；搭配相關展覽，國臺博南門園區每週六上午舉辦的「田裡有腳印」市集，由有機栽植農產品的小農來販售產品。這樣的做法也是環繞著前述從日常生活中探索，以博物館為基地，開始省思我們與土地的關係，吃些什麼、如何吃的知識起點。

（二）「生態博物館」概念下的市場學建構

　　新富市場活化計畫案原本的起點跟本質在於地區的活化。與博物館學中援引生態博物館的理念，將博物館從單純的物件偏好解放出來；將關注焦點置放於更廣大的地區性脈絡；將在地的知識納入博物館服務的範疇概念中。從實體建築層次，具有古蹟文化資產身分的菜市場，以其長期累積在地共同記憶，足以成為共同生活軌跡的具體象徵。透過建築與硬體空間的活化再利用，引入策展的概念；透過田野調查，瞭解市場及其周邊社區的故事；也設置市場教室，經由展示和教育方案，讓菜市場的意義重新被宣稱。建構「市場學」的知識體系，讓在地文化歷史意義重新被結構。因此，從抽象的價值和功能層次來說，菜市場跟博物館很類似，都是在地社區中，承載共同記憶，保存文化資源，提供教育的場所。特別是從生態博物館的層次來說，角色相當近似。這或許是可以提供博物館專業另類想像的不同角度。

（三）文化引導都市再生到 URS 2.0 ？

　　整件事情的概念核心在於以文化和設計來推動都市再生。以 URS 模式的都市針灸術切入。藉由在特定建築或空間中，植入經過規劃策展的藝術文化活動，達到對在地的新鮮刺激。觸動人們找到重新觀看的視角與空間體驗。從 2016 臺北設計之都，新富市場與其周邊的東三水街市場，作為這個空間場域與日常生活美學切入，雖然這不是一座嚴謹定義下的「博物館」，但以策展的概念來進行地區活化的手法已經在公部門都市政策中有相當經驗了。不僅是公私協力課題，新富市場及市場小學計畫所構築出來的個案經驗，可以稱為是 URS 2.0 版，也就是援用前述對話性藝術的參與式美學實踐概念，讓原本只是策略性的節點，藉著舉辦活動、策展，鬆動空間結構，不僅活化周邊社區，以體驗經濟的原則來進行全球行銷，更重要的是，打開對這些公共議題的討論空間與對話機會。這一次，新富市場不再只是扮演小小的活化節點，而是透過策展，意圖將自身變成一個奇觀，吸引更多人貼近。根據訪談忠泰進駐的經營團隊指出，整修完工後的新富市場，雖然仍在加快腳步佈建常設展，但以試營運名義開放民眾參觀後，開放日每天湧入大量排隊等待拍照的人群，在上傳臉書、IG 等數位社交媒體後即離開，

並未表達出對於古蹟發展歷史、空間故事或在地生活樣貌，有著想要更多體驗與認識的意圖：這個現象雖然需要更進一步的研究解析，才能獲得較完整的解釋。然而，這個讓自身成為文化引導都市再生過程中的視覺地標，一個美學對象物或是可供體驗的空間場域，有利於文化行銷，拓展這個對話性藝術過程的推進。以菜市場本身的在地歷史、故事和飲食文化來置換過於硬體導向的古蹟活化思考。

換言之，其他國家與城市的文化引導都市再生的做法，多是藉由興建地標建築或文化設施來吸引全球目光，進行城市行銷。這些經驗往往被質疑，只是拿文化來作為幌子，欠缺對於在地文化的理解與深耕。例如西班牙畢爾包的古根漢博物館個案所創造的種種奇蹟：從開館以降持續引發話題熱議，但一般人多認同其建築的高度地標性格，遊客往往在門口留下到此一遊照後，沒人進去看展覽。2004 年開幕至今，入館人數一直下降，開始成為討論文化及設計引導都市再生或文化觀光的教科書案例。但在新富市場案例中，藉由策展與社群經營的方法，消解了中間的緊張。特別是以在地美食與菜市場這個主題，因其攸關每個人的日常生活。而這個地區長久的歷史、好吃的食物，使得從一種食物民族誌的角度切入，更符合一種博物館式想像的操作，化解掉了既有文化引導都市再生模式，過於強調建築硬體建設與外觀視覺面向，忽略在地文化軟體內涵；過於關注外來觀光客到訪數量所代表的收益，而高度漠視在地居民日常生活與集體記憶等等之間的緊張。

新富市場活化營運等相關計畫仍在持續推動，本章僅為當前階段性的觀察，特別是聚焦於其開幕初期的策展介入計畫，相信精彩故事還等待訴說，待續。

參考文獻

鐘順利（2006）。〈臺灣日治時期五大都市之公設消費市場建築〉。國立成功大學建築學系碩士學位論文。

Bishop, Claire (2004). "Antagonism and Relational Aesthetics." In *October*, no.110 (Fall 2004). pp. 51-79.

Bourriaud, Nicolas (2002). *Relational Aesthetics*. Dijon: Les presses du reel.

Kester, Grant H. 著、吳瑪悧等譯（2006）。《對話性創作：現代藝術中的社群與溝通》。臺北：遠流。

Watson and Studdert (2006). *Markets as Sites for Social Interaction: Space of Diversity*. London: The Open University Press.

第二部分
策展空間與觀眾經驗

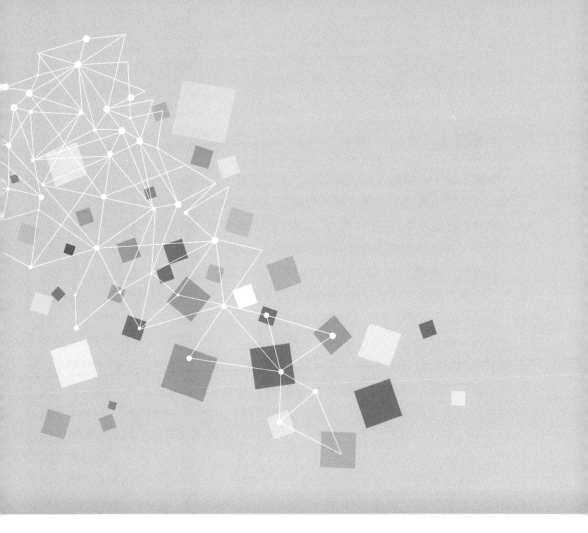

藝術策展與臺灣主體性想像

知識展示重構：博物館建築空間與觀眾經驗
Reconstructing Knowledge and Exhibition: Museum Architecture, Space and Audience experience

一、前言

　　承繼前章，以菜市場與策展出發，本章同樣聚焦於食物與策展，但問題意識則轉向思考藝術展覽與臺灣主體性想像。這個問題意識的起點，固然來自於研究者對臺灣策展論述及其發展的研究意圖，特別是聚焦於飲食文化與策展概念；但與此同時，有幾個相關的歷史趨勢與軌跡不容忽視。首先，臺灣自 1987 年解嚴後，各種以「臺灣」為名的主體性論述的爭奪戰激烈開展。對臺灣當代藝術的美學認同與主體性，逐漸從戰後以降的大中國觀點，轉向以臺灣為中心的關鍵時刻，正是約莫從 1990 年代這個時刻啟始的（陳香君，2013：38）。倪再沁 1991 年於雄獅美術發表的〈西方美術・臺灣製造〉一文，引發對「臺灣美術」，以及臺灣美術與歷史敘事的主體性等相關命題的激烈論戰延燒接近兩年（倪再沁，1991；葉玉靜編，1994）[1]，相當程度詮釋了這個象徵意義戰爭的戰況。也是從 1990 年後，臺灣陸續出現許多超級大展（blockbuster exhibitions）。從 1993 年故宮的「莫內與印象派畫作展」、1995 年「羅浮宮珍藏名畫特展」；1997 年歷史博物館的「黃金印象：奧塞美術館名作特展」等等。但相應於這個「文化輸入」的軌跡，1995 年臺灣首次參加威尼斯雙年展；臺北市立美術館也從 1996 年起，開始舉辦臺北雙年展，意圖取得在國際藝術策展的發言權。臺中的國美館從 2000 年起，突破限制爭取參加威尼斯建築雙年展，逐步發展為政府公務預算例行性支持的藝術／建築展。

　　從參觀的觀眾端來說，循著文化全球化與藝術民主化的趨勢，不僅穿越國界的流動旅行變得容易，接觸不同文化的經驗增加，在國內同樣可以接收許多來自不同文化的藝術展示活動。以往藝術創作者與觀眾之間的文化資本的差距縮減，

1　倪再沁的文章刊登於 1991 年 4 月的《雄獅美術》月刊，持續至 1993 年 2 月的《雄獅美術》，仍持續環繞著相關課題的討論。最後這二十五篇文章集結為《臺灣美術中的臺灣意識》一書（葉玉靜編，1994）。藝評人陳宏星於 2011 年 8 月，於《典藏今藝術》雜誌中，撰文描述這一段二十年前的公案，開宗明義即陳述：「距倪再沁在《雄獅美術》發表〈西方美術・臺灣製造〉一文以來，轉眼已過了二十個年頭。年輕的讀者可能不知道，當年這篇文章在臺灣藝壇所引發的大地震，搖醒了所有的藝術家、藝評人、藝術史學家與藝術理論研究者。其強度讓當時遠在巴黎念書的我都感受到了，記得讀完之後內心餘波不斷，久久不能平息。而在這主震之後所觸發的連鎖筆戰也餘震不斷地持續了快兩年之久，最後所有的災情與傷亡都被收錄在《臺灣美術中的臺灣意識》一書中，成為臺灣藝評史上永不磨滅的一章。」（陳宏星，2011）

觀眾對展示的詮釋主體性提高。為了爭取更多觀眾，強調積極與觀眾溝通、互動的展示模式，也高度影響著展覽的操作與美學。

前述這三股臺灣藝術場域重要軌跡，為審視臺灣藝術與主體性建構不可忽視的視角，有助於理解前一章所提出，西方藝術理論與評論界提出的「關係美學」（relational arts）、「對話式創作」（conversational art / dialogical art）、「參與式藝術」（participatory arts）等概念之生成及其推衍。而置於全球化效應中，其帶動世界各地在文化主體性戰場上的分進合擊、多重認同和離散作用等複雜挑戰，值得從藝術文化策展角度來觀察這個趨勢。其中，最值得關注的課題，除了前述觀眾詮釋權提高外，相對於以往的美學／詮釋權權力位階關係中，以創作者／藝術家最優位的生態，也逐漸讓位給所謂的「策展人」（curator）及其策展論述。

藝評家與藝術史教授畢莎普（Claire Bishop）指出，1990 年代後，藝術重新燃起對討論社會的熱情，轉為以展覽為框架，而非以作品來主導藝術生產趨勢，關鍵原因在於，擅長論述與議題操作的策展人逐漸取得主導權。藝術家和策展人競相與被社會邊緣化的成員一起創作各種計畫，將展覽改造成創作而非展示的場域（Bishop, 2015: 371）。這樣的觀點也呼應了藝術史學家霍爾佛斯特（Hal Foster）的說法：許多藝術行動與計畫開始和場域緊密相關，但這個部分經常被去政治化地處理，而藝術機構開始將展覽變成一種視覺奇觀，是一種被收集的文化資本，所欲彰顯的並非是作品本身，反而是策展人變成了明星（Foster, 1996: 198）。再以畢莎普提出「代理式展演」的概念來看，「策展人」與「觀眾」這兩端之間的關係及其演變，似乎是當前值得觀察的藝術生產現象與課題。

進入 2000 年後，藝術創作「民主化」的發展趨勢並未稍減，臺灣社會浮現許多強調邀請觀眾參與互動的藝術行動及計畫，但這個架構仍是以「策展人」為首，連結創作者及其作品的藝術生產模式。2014 年的 318 學運後，「公民」運動、公眾參與，特別是年輕世代草根力量崛起的價值，使得「公民參與策展」的宣稱也就此浮現。其中，2015 年的「米蘭外帶臺灣館」計畫，以及 2016 年倫敦雙年展「修龍／相撞」這兩項策展文化行動，以青年動員公民參與的文化行動引發了許多關注。本章以這兩個策展行動為研究個案，以當代策展思維中強調的關係美學、參與式的藝術實踐，和強調社群溝通的對話性創作等概念視角切入。一

方面，置放於臺灣的策展與藝術生產的脈絡中，以及對臺灣（藝術）主體性與認同建構思維的層面，檢視其策展過程所浮現的論述生產與行動操作，同時反思藝術生產場域的策展美學實踐及其意涵。亦即，試圖回答本章一開始提出的問題意識：藝術策展與臺灣主體性想像之間的關係。

二、從國家藝術機構到體制外的策展

從全球化發展趨勢架構來看，在文化場域中發聲以取得發言權，成為治理上無法忽略的課題。「臺北雙年展」（Taipei Biennale）自 1996 年開辦，迄今超過二十年。從文化治理層面來說，透過藝術雙年展形式拓展臺灣文化外交路徑，國際藝術文化場域發聲，建立美術館專業論述等企圖，已經逐漸累積其成果。另一方面，臺北雙年展似乎也揭露了藉由國際舞臺曝光，以文化軟實力作為臺灣尋找主體性與認同建構的選項之一。

從 1995 年臺灣藝術家開始參加威尼斯雙年展，如今成為臺北市立美術館的例行性業務。針對威尼斯雙年展場域之於臺灣美術發展的意涵，北美館的官方網頁是這樣說的：

> 「威尼斯雙年展臺灣館」展覽是近二十年來臺灣與國際藝壇對話、交流的重要場域，……威尼斯雙年展臺灣館是 90 年代到新世紀臺灣當代藝術國際展出的重要經驗，透過兩年一次的展出，具體呈現屬於臺灣文化美學的發展趨勢，引起國際藝壇對臺灣藝術發展狀況之關注，並提升臺灣當代藝術在國際上的能見度。另一方面，也因為臺灣在現實存在的獨特性，使得「臺灣館」多年來在藝壇變成對臺灣主體性巨大的想像標的。」[2]

北美館出版的工作手冊是這樣描述這段歷史的：

> 「1995 年臺北市立美術館突破重圍首度以國家名義「臺灣館（Republic of China, Taiwan）」參展，並由館內自行編列預算承辦之。2001

2　資料來源：臺北市立美術館官網，取自 http://www.tfam.museum/Exhibition/ExhibitionTheme.aspx?id=4&ddlLang=zh-tw，檢索日期：2017.06.04。

年由於中國官方向威尼斯雙年展大會進行施壓，2003 年大會要求臺灣館變更參展名義，並將臺灣館從國家館參展之列移除。同年，大會接受各國藝術機構參展新設「加碼 50」（Extra 50），為持續將臺灣藝術推向國際平臺，北美館向大會提出平行展參展申請，至此臺灣館的參展類別遂由國家館改為由機構代表參展的平行展。臺灣館參展以來，雖未在綠園城堡及軍火庫中的國家館區展出，之後也不屬於國家館，但因臺灣館展場普里奇歐尼宮邸（Palazzo delle Prigioni）緊鄰威尼斯總督府，位於人潮鼎盛的聖馬可廣場旁，是市區前往綠園城堡觀展的主要動線之一，其地點優勢與歷年來的持續耕耘，使得來參與威尼斯雙年展的國際藝文人士慣以「臺灣館」稱之。」（臺北市立美術館，2013：10）

從早期美術界積極參與威尼斯雙年展，到建築界於 2000 年征戰「威尼斯建築雙年展」有著類似的過程。當時倪再沁擔任臺灣省立美術館館長時，1998 與 1999 年，連續舉辦兩屆分別名為「全球華人美術策展人會議」與「發現亞洲新航線──亞洲美術策展人會議」，乃是臺灣美術館首次以策展人為名舉辦的正式研討會（周佩璇，2009：13）。會中嘗試定義「策展」這個首次在臺灣出現的詞彙所指涉的身分與工作，希望通過這樣的初步定義，幫助臺灣建立起一個足以被期待的國際視野（鄭慧華，2012）。這些會議的舉辦，凸顯倪再沁對「策展」概念在臺灣美術論述場域實踐的積極作為。但更重要的是，企圖藉由策展概念的美學實踐，作為確立臺灣美術主體論述的制度性機制。例如第一次會議與時報文化基金會與《新朝藝術》雜誌合辦。時報文化執行長余範英指出，「除了讓其他的文化的發言者經由他們的論述與詮釋，來認識華人當代藝術之外，還應該有『華人觀點』的發聲，……提出一個展覽的組織去詮釋與闡述策劃人的主體思維，更是一種權力的展現！」（余範英，1998：7，轉引自郭瑞坤，2006：39）。與此同時，國美館也將此美學實踐，表達於爭取臺灣館參與威尼斯建築展。國美館的官方網頁是這樣描述的：

「威尼斯建築雙年展乃全世界矚目的國際展覽之一，在此群雄爭霸的競技場中，全球建築師們不斷地提出最新的建築方式與概念，企求最適合人類生活的建築條件。臺灣於 2000 年，由國立臺灣美術館策劃參加『第七屆威尼斯建築雙年展』，邀請建築師李祖原、王重平、藝術家蕭勤

共同以《生命城市》（*Life City*）為題，踏上威尼斯建築的平臺後，自此開啟了臺灣建築界與世界各國相互架接、聯繫的因緣……為使臺灣更多建築師有參展的可能性。在此，期盼臺灣在未來的威尼斯國際建築展中，透過文化與建築脈動快捷的串聯、東西方文化價值體系的互惠交融之連結，建構出更廣闊的國際視野與豐厚的建築美學。」[3]

從爭取國家文化預算，於威尼斯設置「臺灣館」常態性基地等發展軌跡，漸漸常規為國家文化政策的例行性活動與官方支出。這些透過文化藝術專業實踐以期在國際藝文界「讓臺灣被看見」（make Taiwan visible）的舉措，從早期正當化為國家文化預算支撐、具有代表國家合法性介入的文化外交模式。這樣的政治措辭，似乎已經是臺灣社會藝術場域的日常。但對於論述內容為何，則似乎欠缺了對話與討論機制。換言之，國家體制中的美術館作為政治與美學實踐的一環，藉由這樣的論述動員來結構臺灣對外的策展論述，長期以來，鮮少受到任何質疑或挑戰。亦即，這些藝術場域的論述機器操持著策展論述的武器，卻多以行政委辦的角色，一方面透過邀請投標的政府採購途徑，邀請策展人或團隊，透過法定程序，成為政府機構的委託廠商；另一方面，這些每年例行性的工作，是文化與外交部門的業績，但卻難以累積為臺灣藝術美學實踐場域的文化與社會資本。論述的貧乏與各種不確定的因素，這些所謂代表臺灣的「國家館」似乎也難以彰顯，或表達任何與臺灣社會緊密連結的論述生產，遑論在國際上凸顯臺灣文化價值與主體性。

值得關注的矛盾是，延續著這樣的論述生產模式的想像框架，近年來，特別是 2014 年的 318 學運後引發的世代緊張，年輕世代主張應納入新生代與草根的觀點於各項決策與治理層面。這看似能為臺灣的藝術策展與論述實踐注入新的觀點。然而，透過年輕世代網路社群動員管道與草根參與，儼然逐步轉化為某種弔詭的合謀：專業場域積極以此論述措辭，一方面爭取社會大眾來自草根的力量，取得官方預算支持，及其論述上的正當性；但同時進一步地「美學化」為某種統合主義下的當代文化產物；由於這些文化藝術創作的展示對象為認同邊界外的視角，亦即，這些文化藝術創作的論述雖欲對外宣稱自身，但又企圖以外來

3　資料來源：國立臺灣美術館官網，取自 https://www.ntmofa.gov.tw/ntmofapublish_1048_1172.html，檢索日期，2017.06.04。

觀看之眼，在文化主體性的層次重新「包裝」「臺灣」認同的成分，以詮釋某種想要被看見的理解方式，並欲以此「想像的主體性」（imaginary subjectivity）回過頭來在論述層次上，架構起某種集體性的認同。這種「雙重的他者性」（self-otherness）特徵，看似儼然成為臺灣近年相當具支配性的策展論述與美學共識（aesthetic consents）。相較於先前多以公立藝文機構組織，即美術館主導了這些國際藝術策展的美學論述，年輕世代強調透過參與的草根組織模式，挑戰了原本策展論述的生成。著眼於其策展概念中的公民參與意涵，本章以 2015 米蘭外帶臺灣館計畫和 2016 倫敦雙年展修龍／相撞這兩個策展為討論個案，檢視其策展生產過程與可能浮現的論述危機。

　　這兩場展演有幾個共通性：策展人，或說是主要推動者以年輕世代為主；善用社交媒體動員群眾以建構公共論述；透過展覽來面對國際發聲，且策展論述均聚焦於臺灣的國際社會處境與文化認同課題，最後，這兩個展覽從發起到執行的過程中，最終均轉化成以「公民外交計畫」（project of citizen diplomacy）為名的社交媒體所集結的社群計畫中。換言之，以藝術展演行動來表達某種「以公民知名」所動員的公共議題美學政治，是這兩個展演計畫的論述核心。然而，由於這兩個展演計畫都是以歐洲城市為發表的舞臺，「臺灣」這個政治實體，如何透過藝術文化展演活動在國際社會上取得發言權，成了這兩場展演召喚參與者的焦點。一種夾雜了傳統臺灣遭國際社會排擠的悲情論述，但又企圖以年輕世代公民美學觀點，重新主張臺灣主體認同的矛盾，成為貫穿展演的論述主調。

三、從關係美學、參與式藝術、對話性創作到「公共策展」

　　法國藝評家布希奧（Nicolas Bourriaud）最初 [4] 提出「關係美學」（Relational art / relational aesthetics）概念時，強調應該有新的藝術評論概念來探討當下社會情境的藝術生產，而非停留在 1960 年代以降的藝術創作思維。「關係藝術」可以

4　這個概念最初是布希奧於 1996 年於波爾多當代美術館策展時，其策展文件中提出的。後將其 1997 年的評論文章集結為《關係美學》一書，成書為 1998 年的法文版 *Esthétique relationnelle*。後英文版 *Relational Aesthetics* 於 2002 年發行。

視為是對於從過去的「商品經濟」（commodity economy）邁向服務經濟的直接回應：必須將藝術實踐放在更為廣泛的整體文化中來看待。他以「關係藝術」來指稱：「這是一組來自於人類與其社會脈絡整體作為出發點，結合了理論與實務的藝術實踐，而非只是個別的、私人的象徵空間。」（Bourriaud, 2002: 113）藝術作品創造了一個社會環境，讓人們可以匯聚於此，參與共同的活動；換言之，任何藝術生產不僅已經無法僅僅停留在藝術家個人的美學耽溺，也並非只是意念形式或想像的烏托邦，而是一種真實的行動或生活型態。在這個過程中，所謂的「關係」指涉了相對於藝術家，觀眾被視為一個「群體」，即所謂的「社群」（community）。兩者的關係不僅是單純的看與被看的對立兩端，而是形成一個互為主體的相遇（inter-subjective encounters）（Bourriaud, 2002: 18），這個彼此的相遇即如同是建構起一個相互溝通的平臺，兩端彼此理解，共同創造出意義。現代性理性全稱主體的存在，以及藝術家相對於觀眾，其擁有支配性論述生產權力的發言位置，已逐步崩解。換言之，這樣的立論觀點部分來自於布希奧試圖將藝術生產視為在公共空間的共同事件，藉由不同的社會生產鏈結方式，讓原本不相關的社會聯繫，經由這個創造性的過程，產生另一種社會現實。讓原本孤立的社會現實能夠以感知形式再現於藝術表現中（林宏璋，2015：5）。更有甚者，布希奧提出「關係藝術」乃是對全球化和虛擬世界的一種反動：布希奧敏銳地觀察到 90 年代後新的藝術創作趨勢，藝術家希望在真實世界與人面對面接觸與互動，許多藝術家與策展人已經不再穩握對藝術表達的意義壟斷權，不僅邀請觀眾參與在創作中，也在展示現場中，例如幫觀眾烹煮食物、交換物件，或是分享想法等等，不斷地「重製」其藝術生產，在產生複語式的藝術詮釋與理解的溝通過程中，藝術作品的意義得以反覆改變與重生，強化了 90 年代後，藝術作品充滿變動、不可預知、以及不具特定形貌的特徵。這樣的藝術生產趨勢固然來自於藝術生產的「民主化」和權力下放，同時提醒了藝術家如何尋求、掌握和社會大眾溝通的開關，開啟另一重藝術想像窗扉之餘，把握這個可以跟觀眾溝通共創的平臺，也形同緊抓住理解社會脈動、介入社會空間的論述生產。布希奧的觀點帶動 90 年代藝術評論新的視野（Bishop, 2004: 53），此思維軌跡開啟後續相關概念與藝術生產間的持續辯證。例如畢莎普（Claire Bishop）2004 年發表的「對立主義與關係美學」（Antagonism and Relational Aesthetics）（Bishop, 2004）即是更為基進地反思此具實驗色彩之策展模式。

　　畢莎普雖然肯定布希奧觀點具當代的啟發性意涵，但她也提醒了這個過於樂觀正向的命題策展模式：既然關係美學意在處理「關係」，那麼，究竟是誰跟誰的關係呢？看似讓觀眾擁有了較高的藝術詮釋權與主導性，但誰的關係被涉入，而又是何種關係又被忽視了呢？這個強調彼此互為主體的相遇，可能太過簡易地將「主體性」視為一個毫無權力運作軌跡、去政治性的「關係」。換言之，由於這個「關係」的運作與操弄軌跡來自於創作者的「設局」（game setting），關係美學所「安置」（set up）的關係本質上並不民主，社群整體當然也不可能有個內在一致的理想主體性（Bishop, 2004: 67）。美學原本即為一種再現的鬥爭，主體性與美學間的相互指涉，當缺乏這個主體性位置之際，美學再現及其經濟邏輯也就難以彰顯，反而可能是透過美學再現複製了原本的象徵秩序。

　　畢莎普提出「代理式展演」（delegate performance）的概念，來指稱與布希奧關注的 90 年代後同一時期的藝術生產趨勢。她認為，以往藝術家個別的展演形式具有獨特性與表現性，但如今雇用業餘展演者，或其他領域的專家來代表這些藝術家出場，構成其集體性的意涵，畢莎普將此稱為「真實性外包」（outsourcing authenticity），並且提出了暫時性的三種分類模式，分別是外包給業餘者，邀請其他專業者，以及透過視訊和影片建構情境的三種模式。這個討論取徑除了凸顯出新的藝術實踐美學生產模式外，更重要在於探討勞動的倫理學：這裡剖陳出三個層次，首先，相對於既有藝術生產的物化傾向，這些「外包」式的身體展演代理，構成另一組藝術美學再現，將展覽場域同時構成為作品的一環，挑戰了這個議題的公共空間構成，與社會理解與詮釋的集體性意涵；在第二個層次中，由於這些代理的身體來自於不同的主體位置，舉凡不同的性別、社會階級、種族族裔、年齡與身體外觀狀態（例如髮色、膚色、肢體、刺青等），在視覺化導向的藝術實踐過程中，可能透過奇觀化的過程再次複製、強化或否定其身體的主體存在，構成另一種主體的否決或身體的剝削，以藝術美學實踐之名，置疑了其本質性或原本主體位置的美學存在。第三個層次，若以布希奧的關係美學的概念來說，前述創作者透過代理身體的主體狀態，究竟是以誰的、何種關係來闡述和再現誰的美學與藝術？換言之，在此並非是完全否定了布希奧的概念，而是從身體與勞動實踐讓批判論述往前更推一步，而能夠看到藝術美學實踐中的文化與主體政治。

對藝術家來說，在推動這些議題發展的過程本身就是一個創造性的活動。所謂「具體的介入」是以「社會政治關係」來取代傳統藝術材料。就此觀之，這樣的藝術與美學實踐和現代主義的傳承有關的是，重點不在於物件的形式狀態，而在於藉美學經驗，即一種「對話性創作」（conversational art / dialogical art）的藝術實踐，挑戰尋常的觀念和我們的認知系統（Kester, 2006: 16-17）。

從「關係美學」到「對話性創作」，這兩個內涵與思考向度看似有著類同的軌跡與趨向，但前者關注於藝術創作者如何緊繫於社會變動，敏察於創作者的美學介入與既有主體狀態的變動，凸顯其動態的能量作用，聚焦於對介入的辯證論析。後者則傾向於已逐漸發展為一種規範性思維，亦即，「關係美學」概念與美學介入的實踐，促動藝術創作更朝向社會性議題發展，欲取得社會關係與符號互動層次的發言權。美學介入的社會運動，是過程、也是終極意圖。

臺灣近年來在藝術實踐發展趨勢，似乎也呈現朝向前述範型進展趨勢，不論是藝術介入社群、藝術家進駐計畫、新類型公共藝術等。觀察其近年在國際間及臺灣的發展，挑戰了過去對藝術的功能、藝術家角色定位的固有認知，不僅擴大了藝術活動的界域，更可見藝術發生場所不只侷限一般認知裡的展演空間，也對當前的社會、文化、經濟等產生了具體影響及改變力量（董維琇，2013：32）。循著前述從關係美學、參與式藝術實踐到對話性創作等概念鋪陳，凸顯出藝術創作實踐對於改造社會的企圖，也架構出了創作者／藝術家、展示空間／博物館／畫廊，與觀眾之間不同的關係。試以幾組概念圖式來表現這幾組關係的變動。

概念圖 5-1，在傳統的博物館或畫廊中，透過研究員或策展人所產出的展覽活動，是串聯藝術家創作和觀眾的核心，觀眾和藝術家之間乃是透過博物館這個場域，以及展覽本身所中介；在概念圖 5-2，強調策展人的角色逐漸成為美學實踐的主角，藝術家及其作品乃是透過策展人組織串聯，雖然觀眾仍是透過觀看展覽的過程中獲得美學經／體驗，然而，所謂的「關係美學」或畢莎普關切的代理式展演，積極地創作出藝術家和觀眾的互動或替代關係，觀眾參與藝術體驗和美學活動的程度更高；在概念圖 5-3 中，策展人透過邀請藝術家和觀眾特定社群的合作，共同構成創作產品或是展覽，這時的展演已經不限於傳統的博物館或畫廊，其所在的場域變得多元且充滿各種可能性，由此構成整個完整的創作產出，

而這樣的美學實踐產出，所欲對話的乃是特定的場域、地點，或特定社區及其社群。

　　藉由這幾個概念分析圖，本章以此來分析米蘭外帶臺灣館計畫和倫敦設計展的修龍／相撞這兩場展演的產出，及其所衍伸的美學及論述實踐。

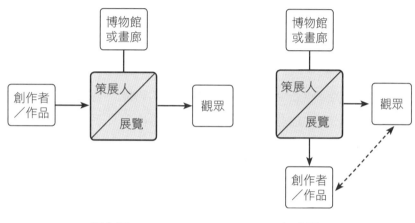

概念圖 5-1　　　　　　　　　　　　　**概念圖 5-2**

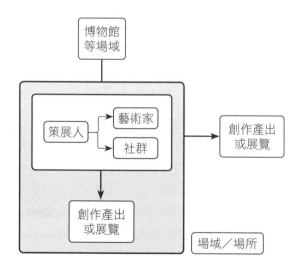

概念圖 5-3

資料來源：本研究繪製。

四、米蘭外帶臺灣館發展概述

「你知道臺灣本來將在 2015 米蘭世界博覽會中缺席嗎？ 148 個國際單位，53 個受邀國家，臺灣卻消失在名單之中。但今天有了這群人，我們可以不被世界再次遺忘。這是世博史上第一次，由公民團體自發性成立的國家館。也是臺灣第一次，以公民身分爭取在世博的國際地位。他們，讓世界看見臺灣了，那身為臺灣人的我們呢？『其實我們真正希望的是，讓臺灣看見世界』。」（陳映妤，2015）

前述引文來自於網路新聞媒體《群眾觀點》的報導，引據於米蘭外帶臺灣館計畫發起人的專訪內容，以凸顯臺灣因特殊歷史緣由，長期孤立於國際社會的處境，以期召喚更多人關注這次的展演動員行動。但「世界博覽會」並非僅以「國家」為參加單位，而是臺灣政府基於預算考量，挪用了外交上被封鎖的慣行辭令，不參與這樣的國際活動。那麼，這個國家機器有意的「缺席」，召喚出公民欲建構自發性的國家館，這個公民外交計畫所欲對話的究竟是誰？其所欲召喚的主體又是誰？

「世界博覽會」（Universal Exposition 或稱 World's Fair，現多簡寫為 EXPO）或稱「萬國博覽會」，一般多以 1851 年倫敦所舉辦的萬國博覽會為起點，但這樣的活動模式最初發源可追溯自歐洲的移動式商展活動。1928 年成立「世界博覽會國際組織」（Bureau International des Expositions，簡寫為 BIE）後，其以國際組織運作的模式，逐漸正式化為「取得 BIE 註冊」和「認可型」博覽會兩大類。目前 BIE 共有 169 個簽約會員國，進入 21 世紀後，BIE 試圖逐步讓博覽會的舉辦常態化，目前朝向以五年舉辦一次為目標；取得 BIE 註冊，且展期長達半年的世界博覽會較受到關注；此外，展期較短、以國際博覽會或各類專業型為名的認可型博覽會，則依照申辦國規劃與舉辦時間為主。相較於聯合國旗下國際組織多以現有的國族國家為會員依歸，「世界博覽會」對參與者並未嚴格設限，舉凡國際組織、民間團體或公司法人，都可以自由參與在博覽會的活動，彈性高，甚至主辦國也可以自行設定其規劃目標或策略。例如過去許多主辦國會採取減徵註冊費、或者是以中南美洲國家聯合參展的方式，以利於某些開發中國家參與。

　　由於臺灣特殊的政治歷史條件，長期被排除於聯合國及其相關組織的國際社會各類活動，如何積極參與各種國際活動，以論證臺灣為主權獨立之國族國家，具國際政治存在的正當性身分等等，在狹義的國際政治中，擁有其政治措辭的號召力，但在廣義的認同政治脈絡下，則儼然成為某種宣稱臺灣主體性悲情論述的基調。2015 年米蘭世博會在「一個中國」的架構下，雖無法接受臺灣以國家館的名義參展，但並未限制以企業館或其他國際組織形式參與。官方所謂的「顧及國家尊嚴、宣傳效果和節省財政三大底線，我將審慎考慮」（江慧真、舒子榕，2013）等外交政策辭令，遮掩了興建臺灣參展的展館，以比照 2010 年上海世博會的天燈館為例，估計即需花費臺幣 30-40 億元的真實。因此，援引既有臺灣社會相當熟悉的「有損國格」、「不願屈就」論述，並且以「2015 米蘭世博，我被拒國家館外」的政治措辭，形塑臺灣乃是被國際社會拒絕的孤兒，顯然是官方文化治理思維中，相當易於理解的、與社會大眾溝通捷徑。在這個情境條件下，成立於 2014 年 11 月 28 日，名為「公民外交計畫 optogo」[5] 的臉書專頁中，即是以這個標題為「米蘭世博我被拒國家館外」的新聞報導（江慧真、舒子榕，2013），作為該粉絲頁成立的里程碑，將之稱為「外交部放棄參加世博會民間參與的動機發起」——「**臺灣退出聯合國後，外交困境一直都是非常頭痛的問題。即使明瞭臺灣身處在國際邊緣，還是有許多公民團體試著用自己的方式來與世界對話，不放棄任何被國際看見的機會，而這也是 optogo 誕生的契機**」[6]。

　　在這樣的論述脈絡下，如同前述引文所使用的措辭——「臺灣消失在名單中」、「但今天有了這群人，我們可以不被世界再次遺忘」、「這是世博史上第一次，由公民團體自發性成為的國家館」、「臺灣第一次，以公民身分爭取在世博的國際地位」。這群所謂平均年齡 27 歲，大多為設計背景的年輕人，以公民身分試圖讓世界看見臺灣的努力，蘊含著「讓臺灣看見世界」的另一組命題，著手推動「OPTOGO 米蘭世博外帶臺灣計畫」，該計畫精神尚包括了：「從我到我們的世博會：由公民參與所打造的臺灣館」、「臺灣品味的輸出模式：由下而上

5　該臉書社團原本名為「米蘭外帶臺灣館 optogo」，2016 年 9 月 19 日更名為「公民外交計畫 optogo」。

6　相關文字資料，可參見：https://www.facebook.com/pg/optogo/about/?ref=page_internal。

輸出臺灣品味的全民實驗」。換言之，這個計畫從一開始乃是為了表達對於政府一貫地從國際文化舞臺上自我消失的反抗。以一種公民的力量對抗文化治理的模式出發。

根據計畫召集人之一蘇民指出，最初從官方「維持慣例不參加」消息出現後，即和友人醞釀是否以所謂「公民力量」參與國際舞臺。最初引動計畫的起點，還有來自於米蘭理工大學教授的提醒：「**現在歐洲人對亞洲的文化非常有興趣，臺灣缺席太可惜了。**」（黃玉景，2015）懷抱著這樣的期待，2015 年 1 月24、25 日兩天，於東海大學建築系館舉辦了米蘭世博工作坊，吸引八十位來自二十個不同單位的學生與社會人士，這些人的專長分別來自建築、都市、景觀、室內、美術、廣告、產品、生科、財金、管理、電子、外文、社會、機械、資訊、植物、數位機構、視覺溝通、工地監工、活動企劃等等（馬于文，2015），兩位活動的主要發起人謝宗諺與蘇民於會中的討論對學員提問：「臺灣的飲食文化代表是什麼？」、「政府不參加世博會，我們該不該自己去？」在為期兩天的密集討論後，從大會主題「餵養地球，滋養生命」（"Feed the Planet, Energy of Life"）發展出來的行動方案，環繞著 2015 EXPO 的副標題「水」、「食物」、「永續」，策展主持人謝宗諺將本次臺灣國家館設定為「構造」、「活動」兩者的永續，意指米蘭世博結束之後，藉由「低成本」、「低技術」的設計手法，透過空間結構使其與街道發生關係，使商業行為與活動持續進行，這可移動的空間裝置亦可讓小農們自行製造這樣的空間，也可持續與義大利城市廣場結合。構造物將會融入當地，活動也可成為樣版持續發生（何熊貝，2015）。

這個計畫的操作模式，某個程度可以視為延續了 2014 年 318 學運的論述思維與動員模式。例如，透過網路召募志工，成立專頁宣傳，一個多月即吸引近四百名志工，其中來自全臺灣各地約三百人，海外約一百人，這群人極大的共同特點為年輕——約 99% 為 25-26 歲的青年。如同畢莎普挪用布希奧《關係美學》一書的概念所提醒的（Bourriaud, 2002: 13），在全球化的情境中，可以透過網際網路的虛擬空間，輕易地動員到大量主體，但這同時引發社群力量渴望創造出可以實質碰觸、彼此相遇的社會空間（Bishop, 2004: 54）。反過來說，擁有掌握網路溝通介面能力，是產出這個藝術創作溝通平臺的一大前提。顯

然，相對年輕族群的網路溝通優勢與工具掌握，某個程度決定了這個展演活動操演性表徵，甚至，經由網路動員與資源集結，相當程度地決定了這個展演再現的模式。同時，在 Web 2.0 的時代，使用者透過數位平臺與社交媒體，自行將內容予以分享、轉作、混搭等，以產生新的數位內容，即所謂的「使用者自製內容」（user-generated contents, UGC）。這些具有數位溝通優勢的使用者／觀眾，能夠輕易地轉換為內容的生產與提供者，更根本地顛覆了原本的藝術生產模式。從高度互動性、參與性、可變動性的幾項主要特徵，不僅能夠取代原本藝術家／創作者的角色，觀眾、內容生產者與策展人之間的角色模糊，甚至，更進一步地，社會運動的參與者也得以參與其中，使得社會運動和藝術創作之間，靈活地構成美學政治動員能量。

「外帶臺灣館前進米蘭──one pavilion to go（optogo）」計畫發展經歷不同階段，有許多不同的變貌。在東海大學、勤美基金會等場域舉辦工作坊、論壇與座談會中，透過課程設計、腦力激盪和情緒動員，原本只規劃以小型的、打游擊式的方式介入世博會，「小巧」與「機動」是原本討論提案的關鍵字（何熊貝，2015）。然而，透過網路動員後，虛擬世界的熱情回應，大幅改變這個展演活動的規模和想像，並且隨著各種狀況動態有機地發展其實踐形式。例如，最初規劃僅簡易地以改裝自行車來兜售飲食的行動攤販攤車，並邀集相關專業者著手研究如何改裝自行車，以達成藉由自行車便於移動的優勢，藉由城市街道穿梭附掛宣傳文宣、或沿街兜售小食等模式，達成行銷臺灣的任務。然而，米蘭市政府考量舉辦世博會的各種公共衛生條件管控，於 2015 年 4 月發佈禁令，依法不得於移動式攤車販售任何食物或飲料；使得這些有限時間內研發出來的改裝攤車，最後僅能作為沿街宣傳活動的廣告宣傳車；加以米蘭市區石子路，不利於攤車移動，一次出行必須由至少五個人從旁協助，這些改裝的攤車成為一種有趣而引人注目的行動景觀。最終，整個活動則逐漸發展由三個主要部分構成，分別是「移動攤車」、「料理公寓」、及「不落地展館」（最終分別是以「臺灣影音館」／「文化攤車」（Vendors Taiwan）／「料理食寓」（Casa di Taiwan）來命名）。

這三個部分最引人注目的是餐廳。除了以移動自行車來宣傳臺灣外，策展團隊租用了當地的百年古蹟 Palazzo Bovara，打造「料理美食公寓」，傳遞臺灣

人在「家」吃飯的味道，期待可以將臺灣最引以自豪的美食分享給遊客，在成功邀請到宜蘭渡小月廚師團隊後，這個規劃也得以落實：其命名為「臺灣食寓」（Casa di Taiwan），經由民眾票選出最具代表性的十五道料理，包含滷肉飯、乾麵、臭豆腐等，以活動期間每週五、六、日三天，提供臺灣美食給來賓享用，搭配食材相關講座，呈現臺灣在地美食與飲食文化（Peggy Yu, 2015）。

這個美食公寓的活動場地透過米蘭理工大學教授出面租借，經由網路集資，承租了一棟超過百年的建築。這棟精美的建物前身為法國大使館，據聞 1880 年拿破崙曾經在此宴客。這些故事透過建築本身歷史訴說，強化了美食跟建築豐富歷史的對話，特別是在這些所謂的歐洲古典建築內部空間中，擺設出臺灣食材烹調模式，筷子、調羹等器具，本身即意涵著不同的用餐歷史。

世博主辦單位曾表達，願意在世博主會場中提供展區空間給臺灣的策展團隊，但計畫團隊考量為凸顯這次活動的議題與動機，並非單純只是要參加世博會，而是要凸顯臺灣社會期待在國際舞臺「被看見」，故放棄了世博會活動主場館展區，而是透過和米蘭市政府的申請協商，取得距離米蘭大教堂約兩百公尺的核心歷史城區來設置臨時展館（圖 5-4），以優勢的展示區位，以美食主題向遊客呈現臺灣文化。館內的展示包含食譜等相關文宣（圖 5-5），懸掛平板電腦，其螢幕動態播放與臺灣（美食）相關的影片。牆面懸掛以臺灣「街頭辦桌」為主題的攝影作品，仿擬畫廊展示的效果；館內播放歌仔戲與傳統採茶歌謠，形塑出如世博主展場的各主題展 pavilion 的表現形式。內部以臺灣紅綠相間兩色的塑膠筷子懸掛如同水樹簾幕般，外觀

圖 5-4 米蘭外帶臺灣館臨時展館的外觀

照片來源：饒祐嘉拍攝。

則以圓型原木組成如珠簾的流蘇。這個臨時性的展館如同基地和活動據點，邀請
遊客經由參訪認識臺灣，活動志工可以就近服務米蘭大教堂周邊遊客，介紹與解
說臺灣，這裡同時也是自行攤車出發與回程的基地（圖 5-6）。

**圖 5-5　展館內部自行車上擺放的臺灣美食
　　　　文宣品**

照片來源：饒祐嘉拍攝。

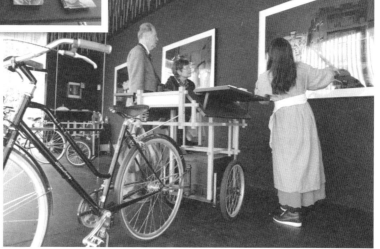

**圖 5-6　穿著制服為遊客解說的志工，館內擺放改裝的自行車，可
　　　　見到懸吊的紅綠塑膠筷簾幕。**

照片來源：饒祐嘉拍攝。

　　米蘭外帶臺灣館行動計畫經由一個靜態的基地據點，動態的自行攤車遊逛式
地穿梭展示，加上料理公寓提供用餐空間三者組成。從形式符號運用角度來說，
臨時展館以原木材料組裝而成，利於施工。木頭材質成為表達東方文化元素的捷
徑。志工的制服以紅綠白三色構成，綠色象徵大自然與生機盎然，紅色凸顯了熱
情與人味，加上純淨無華的白色，頗能符合大會的主題，紅白綠三色同時也是義

大利國旗的配色。服裝剪裁極為寬鬆，以上衣搭配寬鬆褲腳，欲表達為農村鄉間，輕鬆而利於工作的形式，但某個程度也具有東方服飾的表現意涵。白色腰帶可以轉搭成領巾，設計感佳。雖然這樣的配色並非華人社會慣用的搭配[7]。

從媒體報導並無法窺見具體量化的參觀人數等資料，但檢視相關報導內容，大致均高度肯定年輕人挑戰不可能任務的成功典範，讓臺灣在國際上被看見；在展演現場，許多觀眾從未聽過臺灣，但透過美食操演來認識臺灣。將近四百名來自全球的年輕志工辛勤付出，臨門一腳金主即時馳援等各種激勵人心的真情故事。換言之，整個行動計畫完全依循策展團隊寫就、期待的劇本搬演，精確而無誤差：藉由成功的網路社交媒體動員，在人力、物力與論述資源相對豐沛的基礎上，這個展演社群成員創造出以歐洲城市空間為舞臺，以食物所架構起的認知與感官體系，建構起臺灣與國際社會間的「關係美學」。於此同時，藉由這個關係美學的提案，提供臺灣社會一個重新回看自身歷史時空與所處情境的機會。

五、倫敦雙年展——「修龍（相撞）——臺灣文化進化論」發展概述

英國首都倫敦每年 9 月舉辦的「倫敦設計節」（London Design Festival），是英國推動其設計產業與世界文化首都的企圖展現，結合其既有的設計產業、教育體系、藝術生產與文化觀光等不同環節，成功累積為文創產業的完整展現。「倫敦設計節」自 2016 年起開始舉辦倫敦設計雙年展（London Design Biennale）。

臺灣團隊策展參與的「倫敦設計雙年展」與前述的「米蘭外帶臺灣館」有著極為類似的參展動機論述：由於政治因素，臺灣自從 2003 年的威尼斯雙年展後即失去以國家館的名義參展機會。2016 年的倫敦設計雙年展是臺灣重新取得以國家館名義參展的機會。「既是國家館，自然有展示與較勁各國文化軟實力的意味存在，臺灣館如何凸顯臺灣文化特色，同時呼應本屆大會主題「Utopia by Design」（設計烏托邦），自然成為眾人關注的焦點」（翁浩原，2016）。「藉由食

7　針對配色，雖然並未有明文的規範，但紅色用於喜慶，白色則因涉及喪事，除新娘白紗的外來文化融合，一般儀式或節慶場合鮮少使用，甚至視為不祥禁忌等觀點，較具有社會共識。綠色在華人文化中較不常使用，而紅色與綠色的搭配，通常因對比色，往往被視為太過突兀。

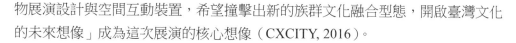

物展演設計與空間互動裝置，希望撞擊出新的族群文化融合型態，開啟臺灣文化的未來想像」成為這次展演的核心想像（CXCITY, 2016）。

　　米蘭跟倫敦兩次的藝術展演行動雖然都是國外參展的形式，在全球化的情境中，這兩場行動都與臺灣旅外設計工作者有關。前者為行動者自發性地、號召大量志工，自行籌募經費；後者的起點來自於幾位旅英的設計工作者：曾熙凱、吳雅筑、張雅筑等人曾經在 2015 年倫敦設計週以 Eattaipei 參展作品獲得好評，再次受邀於 2016 年參加倫敦設計雙年展。為呼應 2016 年設計雙年展的大會主題「Utopia by Design」（設計烏托邦），臺灣館定名為 Eatopia。策展人曾熙凱、吳雅筑，協同共同策展人張雅筑，延續 2015 年的 Eattaipei 主題，結合「歷史、地景、臺北人、生活型態、未來」五項議題，以五感體驗經驗倫敦設計節，提出臺灣館的內容主要以「食物設計」概念，端出五道精心設計的創意料理來訴說臺灣是什麼。另外搭配現場播放的影片與臺語歌曲，加上現場布展的空間設計，共同構成這次的參展行動。但相較於前次強調民間自發的力量匯集，這次有大量官方資金的協助，包含外交部、文化部、臺北市文化局、2016 臺北設計之都等，行前相關部門大手筆地召開記者會，宣稱這個「國家館」的成形／行（CXCITY, 2016）。

　　整體工作團隊成員領域含括了設計工作者、專業廚師、影像和音樂工作者，張雅筑、曾熙凱、吳雅筑、蘇民、廖俊裕等為設計工作者，蔡中和是專業廚師，謝宇恩為導演，廖俊裕及李英宏為音樂工作者。張雅筑雖然臺灣出生，但 15 歲即移居英國，長期以倫敦為發展基地，她接受媒體訪問時指出：「**臺灣是由許多不同背景的移民定居之地。**」（觀點網站，2016）整個展演幾乎就是以不同歷史階段「移民」及其代表的多元文化作為策展主軸思維。策展人之一的曾熙凱受訪時說：「**這次透過食物設計來呈現臺灣族群的糾葛與複雜，我們認為不應該在既有的族群中，爭論誰才是臺灣文化的代表，而是做出新的、融合的臺灣文化，這代表一種進程，一種真正的臺味。**」（翁浩原，2016）

　　前述這段話說明策展團隊欲採取「融合」，或說「平和共處」的模式來論述臺灣移民文化差異所意涵的食物故事。從實際展現角度來看，食物設計成功地以視覺包裝這些食材元素，例如根據其展覽論述說明，第一道「跨海愛 Crossing the Strait」，描述福佬客家族群於清領時期隻身移居臺灣，入贅平埔族成為最早的族群融合，就像光棍過黑水溝來到臺灣，故以彩色麵包棒來表現。第二道「新秩序 Order on the Island」，用綠茶凍做成尺的形狀，意涵著以尺來測量土地，欲表達日治時期帶來的守法守規矩的觀念，以及日治時期的基礎建設，描述在臺灣日治時期引進職人文化與法治守時概念，同時對臺灣進行非常詳細的文化調查。臺灣的文化樣貌輪廓也在此時由模糊變得更為清晰。第三道「破立 Liberation」，象徵國民政府解嚴前後，威權瓦解，其中孕育出自由民主的力量，鳥籠的開啟，比喻社會上各種力量被解放，以各種色彩的食材，象徵「打開」繽紛的生命力。第四道「共生 Mutualism」，描述絕大部分的臺灣基礎建設、製造與家庭照護由移工移民支撐著，其他產業也陸續有新移民加入的現象，漸漸變成社會中無可忽視的力量，與臺灣人互利共生的樣貌。以兩個三角錐體「短兵相接」，以象徵來臺移工與新遷入的住民，雖然是顏色完全不同的色塊，難以「相融」，但卻能各自以其姿態相連，均為社會中無可忽視的力量。最後一道菜「和而不同 The Melting Pot」，英文名稱即為「熔爐」，即是將前面四道菜，個別擺放陳列，一字排開，各有姿態，隱喻著即將倒入奶油濃湯裡頭，如同火鍋一般，就像是「**融合後的未來想像，擁抱不同族群，回應修龍碰撞後再次融合所誕生出的新文化，呈現豐富而多元的環境**」（翁浩原，2016）（圖 5-7）。這些食物設計構成這個展演的主論述與主視覺——透過食物設計加上參與式劇場的模式，邀請來賓在主持人的故事劇本朗讀中，體驗每一道食物裝置（圖 5-8、圖 5-9），不僅是從豐富的故事情節與互動體驗，透過食物來認識臺灣的歷史與文化內涵，也構成讓人在視覺之外，更多元的五感體驗展演模式（圖 5-10）。

　　為了創造更為多元豐富的體驗，除了食物設計與現場的空間場景設計外，策展團隊邀請臺灣的新銳導演與地下樂團為這次設計展創作音樂及影像。展覽主視覺由廖俊裕（小子／Godkidlla）設計，表現形式取材自臺灣街頭常見的噴漆字體，以俗艷的螢光粉與綠色，和噴漆的動態線條感架構出字元空間，並於文字旁佐以爆炸的火花與樹木枝椏的意象，比擬臺灣目前的狀態。導演謝宇恩執導的影片試圖以多元敘事聲線呈現出精彩的臺灣意象，在其視覺意象中，臺灣的菜市場及舞龍舞獅、歌仔戲曲、泰國拳擊等多重元素，交雜了原住民、閩客族、臺灣庶民、中日民族、新住民五種族群而建構出「修龍」的張力（YannYang, 2016）。

圖 5-7　倫敦設計雙年展 Eatopia 食物設計的五道食物

資料來源：梳理台灣文化的多元風采，「修龍」（相撞）進軍倫敦雙年展！（2016）。
haveAnice，取自 http://www.haveanice.com/article/「修龍」進軍倫敦雙年展

**圖 5-8　食物設計加上參與式劇場，現場觀眾都參與在
這個藝術行動中。**

照片來源：饒祐嘉拍攝。

**圖 5-9　參與現場藝術行動後即可享用的食
物，既是展品，也是食物。**

照片來源：饒祐嘉拍攝。

**圖 5-10　色彩的食物設計同時誘發多重感官
體驗**

照片來源：饒祐嘉拍攝。

六、「關係」或「美學」的建構與再建構？自身文化語境中的異鄉人認同？

　　這兩個展演有幾個思考構成的共通點。最核心的美學實踐乃是挪用「美食」，以食物作為建構自身認同的根本元素。易言之，以關係美學的策展論述架構觀之，策展團隊意欲以美食來建構其欲探討之「關係美學」。然而，與其說這兩個展演行動要以臺灣的食物為母題，架構「臺灣」這個存在實體跟其他文化主體的關係，策展團隊毋寧更在意的是，這些食物不僅僅只是「美味」，更代表「臺灣」。換言之，不論是米蘭世博強調的食物生產與人類社會生態性連結的課題，如何從糧食安全與生產等面向，反思人類社會對環境的過度剝削。或者是倫敦設計展強調的設計構成與美學想像，「食物」這個物件，在這兩場展演中，都是以擔負著臺灣社會與人群實質且真實存在見證的沉重。「食物」及其烹調形式、行為與再現，作為記錄與表徵臺灣社會人類生活軌跡的記憶和情感承載。食物，既確保了生命的存在與延續，也在意識形態層次展演生命歷史。享用食物帶來的愉悅快感，成為訴求臺灣主體存在的正向價值。

　　在這個關係建構的過程中，「臺灣美食」被置換為「臺灣」，臺灣是美食王國，這等於臺灣很好，也等於臺灣生活很好，更等於臺灣社會整體都非常美好：這一連串的等號可以無限制地繼續發散擴張下去，因為這個無限美好的存在，乃是為了其二元對立而存在，其欲對應的是：臺灣外交處境不好，世界對臺灣不好，中國對臺灣不好，政府對臺灣不好等等，這些持續不好的負向。貫串起這兩組正負關係的，則是這次的策展核心價值：亦即，透過食物來訴說、形塑與建構某種美好世界的想像，以對抗這個世界中的遺憾與缺漏。這組關係的認知系統一旦被建構起來，意味著策展團隊的用心構成達到目標了。但這其中的弔詭是，攸關於這個「好」與「不好」的對應，乃是來自於臺灣主體認同與存在的危機，而這個危機的化解來自於否定對立面的存在價值。以及，這個好與不好的評價乃是以揭露在一個「歐洲性」的存在而確立。如此一來，不僅與食物生產整體系統相關的其他面向都被暫時擱置，存而不論，僅僅停留在以國族國家為想像的「關係美學」建構。事實上，甚且是以國族國家的對應思考，抹除了任何內部差異性的對話與討論，內部「關係」無從建立。反美學地、整個展演團隊統合在「讓臺灣

被看到」的簡化思維下，這個社群以一種「臺灣美食」作為溝通平臺上唯一被看見的符號，並且以這個符號來自我認知與界定。原本強調其具有創作性的、對話性與彼此相互溝通的美學實踐歷程，在此似乎成為雙重的他者：臺灣團隊極為自豪地欲以臺灣的美食來自我再現，食物被物件化、刻板化為一種關係美學下的產物，原本具有與在地風土氣候連結的有機脈絡，在地食材的認識理解與善用，口味偏好的歷史繁衍傳承，與文化辨識和認同等內在關係，僅能被片斷化地、被設計後再現，而展演團隊社群僅能以此片斷化的美學實踐，表彰自身的認同與存在。

在米蘭臺灣食寓的運作經驗中，受限於許多臺灣本地食材無法及時輸出，僅能以在當地取得的食材來設計菜單，那麼，何謂「臺灣料理」？如何從這些米蘭當地食材來認識臺灣文化？另一方面，在展演所揭露的歐洲想像與全球化的語境現場中，為了在美學層次取得認可，必須創作出期待被看見的視覺美學經驗。舉例來說，「臺灣食寓」和藝術家合作，以蔥、薑、蒜等食材進行食物雕塑作為桌面裝飾。在有限的器具資源中，藝術家的創意令人驚喜，也饒富趣味。其中，「筷子」是象徵東方飲食文化的重要元素，不僅是靜態展館的主要裝飾符號，也是食物設計擺設中的元素。但藝術家的裝飾擺放卻類似於臺灣民間信仰中，祭拜亡者的置放方式[8]。或許，這樣的創作在食物設計的藝術表現上取悅了用餐的觀眾，但同時成為自身文化語境中的異鄉人。

更有甚者，這個自我異化的雙重他者化過程，是以一種同化、融合的論述，來掩蓋其中的衝突與矛盾。在 Eatopia 計畫中，透過食物設計，各種食材轉化為構成裝飾的元素，強調其視覺美感，抹除其可食用的本質。與其說是以各個族群文化的食物來說故事，看來僅是以一個臺灣慣常而熟悉的族群腳本，作為食物雕塑的基底，以族群之間、毫無疑問與掙扎的「融合」觀點，忽略其中的各種緊張、衝突的文化政治議題，甜美的食物設計讓一切回歸為操演式的、視覺的美味饗宴想像。根據策展人曾熙凱的陳述：

8　藝術家王怡婷與宜蘭渡小月和臺灣世博的食寓 Casa Taiwan 合作，配合主題開門七件事柴米油鹽醬醋茶，以蔥薑蒜為媒材做桌上雕塑創作。「蔥薑蒜是臺灣料理中自然的調味料，以雕塑的方式重新詮釋我們日常料理中的可見與不可見。味覺轉化為視覺，永恆與稍縱即逝的對比襯托臺灣菜的色香味俱全。」資料來源：https://www.facebook.com/optogo/?fref=ts。

「在追尋國家認同、文化認同、自我認同的過程中，我和每個關注認同議題的臺灣人一樣，試圖從島嶼上崎崛複雜的歷史脈絡與各種生活軌跡尋覓蛛絲。貼標籤選邊站，難道就能獲得自我認同的答案？我深信通往烏托邦的道路，只有在真正瞭解自己時才會出現，因為我們自身即為各種族群與文化血緣的總和，無論這些文化樣貌源自於哪裡，早已在我們的血液裡和解。」（Yann Yang, 2016）

深刻地瞭解自己的確是關鍵，但我們自身如何能如此輕易地成為族群和文化血緣的總和？而和解又豈是如此輕易地透過宣稱即可觸及？

這種挾著「不要害怕衝突」等於「必然達到和解」的簡化論述在修龍影片與音樂中更是展現無遺：「修龍」一詞來自於閩南語中「相撞」的直譯。其實，同時存在兩個版本語言模式命名的內在思考邏輯，本身即值得深究──這是一個遠在英國倫敦的展演行動，所有華語必然是以翻譯方式再現。換言之，這個閩南語版本乃是搬演給熟諳閩南語的（本土）觀眾，而非展演所欲訴求的外國訪客。那麼，這個版本的再現是為了要凸顯閩南語才是臺灣官方語言的「正典」？在作品的命名上，策展團隊欲凸顯臺灣歷史文化的多元性來自於彼此之間的「相撞」。但此處所謂的「相撞」，是為了凸顯彼此之間衝突與矛盾的緊張關係，還是要強調這只是歷史上的撞見與相遇？這兩種不同的解釋取徑，攸關對這些歷史的理解、詮釋，及其所牽動的文化政治意涵。在前述食物設計的故事陳述中，僅強調不同族群的存在，確認彼此的差異，但正是由於沒有任何一個族群可以代表全稱的臺灣，因此，各個族群間的「融合」成為最簡易輕便、且政治正確的解答。在「修龍」的論述構成，及其視覺再現的敘事語境中，顯然是更在意衝突殺戮的一面。以及建構出某種所謂的「生猛有力」、「臺味」，以正面讚揚臺灣的主體性認同。甚至，這個未假思索的相遇，在完整版的影片 [9] 及歌曲〈修龍〉MV，以及短版的預告片 [10] 中，毫不掩飾地暴露出了許多內在的刻板印象觀點與歧視。

短版預告片中，臺灣各個族群被貼上了類似於線上競技遊戲般的命名，例如原住民族稱為「鐵山一派」，閩南及客家移民稱為「聖獸機動隊」，所謂的臺灣庶

9　完整版影片長度 2 分 39 秒，網址：https://www.youtube.com/watch?v=yab37U8NDzo，檢索日期：2016.02.20。

10　短版預告片長度 26 秒，網址：https://www.youtube.com/watch?v=EpEMDICQVdA，檢索日期：2016.02.20。

民族[11] 稱為「電鳳交易市場」,「鬼連邪娛樂場」指的是中國和日本民族;最後,「煉獄散擊流派」則是以泰拳來指稱所有的東南亞新移民。這些中文命名難以從字面上窺得其意涵,需要搭配英文字詞才能理解。換言之,類同地,這些中文命名是給自己人看,而英文是給國外觀眾理解用的。先不論這些中文命名傳達了什麼,或意圖傳達什麼訊息,從臺灣既有而熟悉的分類範疇,很難理解為何是「閩客」和「中國和日本」這兩組之間的區分。是為了強調中國和日本都是外來政權統治者?只有原住民是臺灣最初的主人,閩客都是四百年前渡過黑水溝來的?不在這一波的移民群中,就被視為鬼/邪?而閩客雖然是「獸」,但是是機動的聖獸?至於東南亞新移民則是煉獄來的[12]?

　　再從影片 MV 中的影像視覺再現來看,歧視與扭曲更是如此。舉例來說,將原住民放諸山野,以原始的狀態來刻意彰顯其野性文化,遑論混亂而無章法的原住民造型及服飾語彙;以女性身著「旗袍」來隱含外省族群,搭配的是打麻將和唱京劇的場景,某種陳腐而回不去的惆悵支撐著這個畫面,更別說將中國和日本放在一起,字幕打出中日民族,對曾經參與對日抗戰的人及其家族來說,不知道是何種心情。以泰拳搏擊選手雖然傳達出衝突與勇猛的新移民形象,但其採用的跪拜姿勢,則清楚地傳達了矮化與鄙視新移民的內在欲望。最後出現的舞龍舞獅,是要以龍來象徵中華文化?臺灣文化?還是透過舞龍舞獅的競技民俗凸顯彼此之間無止境的競逐和爭奪?看來,這些不同文化的撞擊還會持續,因為宣戰的戰場不斷地被衍生著。那麼,無法輕易達致的和解,應該更值得珍視。

　　另一方面,某種粗野的「臺味」,透過極為短淺的食物符碼在 MV 中再現著。例如臺灣啤酒的瓶子出現不只一次,卡拉 OK 舞臺和五彩燈光象徵辦桌文化,機車飆車之餘,是要衝到懸掛著解體豬肉、如同屠夫面孔拿著尖刀的市場肉攤。維力炸醬麵出現在頹廢的麻將桌上,撕爛的王子麵外包裝,成為年輕女生時尚造型的裝飾。種種俗民文化中的符號,搭配刻板印象化與創作者發展出來的族群分類界線,構成了對於臺灣歷史文化相撞且無解的答案。

---

11 這個用語的確切指涉不詳。

12 臉書社群中有匿名作者以「不是只有酷跟帥就可以拯救臺灣文化美學的囧境」為題,指出影片裡關於原住民族的服裝錯置,情人袋背法為喪事所用,並提出多項批判。發表日期為 2016.08.28,https://www.facebook.com/Kaobeiart/posts/1789328854616664,檢索日期:2017.06.05。

畢莎普發展其外包真實性概念時，初步架構出三種展演代理的模式為當代藝術實踐中的常態：包含交給業餘者、邀請其他專業者，以及運用影視作品均是藝術家展演代理的常見模式。本章探討的這兩個展演行動中，均大量地邀請了非專業藝術工作者參與其中，而倫敦設計展中，邀請了專業廚師和音樂影像工作者共同參與展演，也邀請觀眾參與行動；同時，修龍的歌曲和影像也為該作品藝術實踐定調。雖然畢莎普的論點集中於討論關於勞動倫理層面的課題。但挪用其概念，從身體的藝術勞動延伸至對於個別主體認同位置的反思，以「食物」作為本質性認同的起點——在米蘭、倫敦這兩場展演的展場空間架構出來的公共性，策展團隊意圖操演的認同軌跡，以食物作為一種想像的認同建構（imaginary identity），抹除了食物在不同群體邊界的差異化經驗。例如，為什麼是「滷肉飯」來代表臺灣美食？臺灣啤酒？王子麵？維力炸醬麵？這些被標示出來的食物美學究竟是一種想像出來的認同建構？還是成為另外一種差異抹除的全稱概念？以享用食物伴隨著愉悅正向情緒，偷渡著、脅迫式地，為策展團隊提出的飲食文化想像背書。透過臺灣必須走出去，讓臺灣在國際舞臺上「被看見」的大敘事下，讓差異的主體性淪為他者，不僅是自身飲食文化的他者，更是被外國觀眾觀看下的他者。若未能更加深刻地檢視這個展演代理所夾帶的論述危機，則相較於膚色、年齡、性別、身形、階級，裝扮等外觀的個別主體差異，在這個展演代理過程中面臨無言地剝削與否定，飲食文化承載與再現的情感認同和記憶，更面臨著無聲靜默的抹除。

七、政治的美學化進展或美學經驗的顛覆性？臺灣藝術策展的反身主體性思考

回到本章關切之藝術策展與臺灣主體性想像的問題。事實上，爭取參與威尼斯（建築）雙年展、或是（米蘭）世博會、倫敦設計節／展等等，這些文化實踐爭取的是如何藉由「策展機制」（curatorial mechanisms）的作用，讓臺灣的主體性得以透過藝術策展被看到、被彰顯、被討論與引發對話。關於策展機制如何對應於主流美術館與博物館等展覽體制，及其引發各種反美學、反形式、反主流文化等等的論述發展，在這數十年間的發展，固然並非本文在此要探討的重點，但

從 Pierre Bourdieu 的研究觀點來看，這兩股力量代表著不同的學術社群的知識角力，體制內展覽體制被稱為「文化的掌管者」（the curators of culture），而另一端則稱為「文化的創造者」（the creators of culture），兩者之間的關係猶如捍衛「正統」與倡導「異端」者的對立。文化掌管者的任務主要在於傳遞合法化的知識體系，以文化再生產（cultural reproduction）為目標；文化創造者則在於創造新的知識類型，以文化生產（cultural production）為目標（Swartz, 1997: 124，轉引自程怡嘉，2011：142）。易言之，應該要回到展覽內容、即文本本身，才得以探討此文化生產場域的論述作用，及其所意涵的臺灣主體性想像的創造與投射。這也是關係美學、對話性創作、或參與式藝術等理論概念意圖提醒與揭露的：任何論述實踐及其分析批判，均須回到文化生產場域中，解祕其間的權力作用與社會關係。

本章援引的對話性創作、參與式藝術等概念尚有一個更為關鍵的理論關注，即透過「展覽」美學實踐及其內容所欲倡言僅是第一步，這些對話性過程尚需達到相互溝通與理解／誤解的彼此觀照的作用，以及，最終得以可能翻轉雙方的論述權力關係、藝術想像與美學實踐位置，不論是產出新的知識觀點，或者是孕生出不同的主體位置。這樣的過程才得以讓對話性創作的美學實踐，得以宣稱其對話及創作這兩端的本質，或是參與其中的代理展演者的主體性發聲。這也是本章發展出的分析概念圖中，從最初觀眾僅是被動的觀看著既有特定主流展覽機制所提供的展品與展覽（概念圖 5-1）；到逐步強調觀眾能取得與作品和展覽之間的主動詮釋權與互動關係（概念圖 5-2）；最終發展出不同社群能夠和藝術家、策展人，在博物館之外的展覽體制中，共同創作新的概念產出或展覽，並且和場域產生持續的對話動態關係（概念圖 5-3）。

本章探討的兩個策展案例中，策展人（團隊）過於強調爭取策展機制的發言權，反而使得策展內容，僅成為支撐取得這個發言場域的副產品，未能更具反身性地從作品本身，爭取到更多建構性的主體想像（constructive subject imaginary）溝通的機會，而落入僅能從他者的眼中來想像自身的論述困境中，導致了這個美學實踐的論述危機。

本章從策展論述切入探討在全球化的發展趨勢中，為了彰顯自身文化認同與主體存在，積極藉由美學實踐建立起社會主體之間的連結，已經成為藝術展演中不可忽視的表現型態與軌跡。特別是置放在臺灣的歷史情境中來看，包含文化治理中倡議的社區營造、藝術介入社區、地方文化館等等，均是意圖藉由文化實踐的美學化歷程，舉凡動員在地認同，建構起主體發言位置，或者是作為剖析政治美學化措辭的批判性工具，檢視這個過程有助於反思其中蘊含的權力關係及其運作模式，這也是臺灣當前較少碰觸與探討的論述取向。再加上 2014 年的 318 學運以降，年輕世代對代議式政治的高度不滿，積極運用其所擅長的數位工具與社交媒體，意圖串聯起草根民主的表現形式，開創其政治美學化的論述與視覺語言。例如各地挪用的太陽花形象極為典型：「太陽花」意涵的年輕、熱情、真誠、向陽、光明等價值，以及公眾皆可共享、及自由創造與轉化其形象，成為透過美學符號共享政治價值的具體例證。這個符號乃是一個集體性創造與意義共享的歷史性產物，這個美學化的過程確保其對話性與關係性的建構。

凱斯特（Grant Kester）雖倡議對話性的藝術創作實踐，但他也坦言，這個實踐範型遇到第一個，也是最關鍵的難題在於，缺乏討論這類作品的現代藝術理論。特別是從審美經驗的角度來說，這類作品經常會被質疑美學價值低、不好看，過於議題導向地，犧牲了視覺的愉悅，或判定其為失敗的藝術。即便如此，凱斯特仍是強調，從一個批評性與分析性的觀點來看，應該將這類作品視為一種特殊的藝術實踐，有其特性和效應，亦即，這個藝術實踐過程雖然和運動有關，但又有所不同，應該要發展出自己的批判觀點（Kester, 2006: 25-27）。

本章藉由米蘭外帶臺灣館與倫敦設計雙年展──修龍兩個展演為分析個案，試圖引入對話性創作的分析觀點。視這些展演或藝術行動以打造公共議題空間的創造性過程為其藝術實踐的核心；將這些議題置於公共場域中並非行動的終結，而是藉由這個過程的創造性意涵，重新質疑既有論述與思維，挑戰原本的認同邊界與主體狀態──「食物」是創造對話空間的美學介質，藉由食物的美好意涵來開啟對話與交流的創造性空間。然而，這個創造性空間面臨兩個論述危機：一方面，將這個對話與交流的創造性過程，以尋求認同邊界外的認可來確立其正當性，另一方面，這個看似渴望再問題化主體認同的對話過程，卻已經限定了其再現與期待被觀看的視角。米蘭外帶臺灣館以一個暫時性地、被穩固的認同集體性

來尋求其他文化視角的認可，並且以此來闡述與宣稱自身，忽略了內在衝突與矛盾。「修龍」則是以族群刻板印象、甚至是隱含某種歧視與意識形態的扭曲再現，意圖訴說其生猛有力、百無禁忌，可能具有衝撞與對話的潛力，但這個過程不僅不具重新省思的對話與創新性，甚至稱不上是回到原有的象徵秩序中，更是一種倒退。「奇觀和參與的再度攜手，使得藝術批判和社會批判的緊張關係益顯必要。參與式藝術歷史裡許多最著名的計畫，都在顛覆作為該論述的基礎的對立性，但不是要徹底瓦解他們」（Bishop, 2015: 458）。換言之，隱身於視覺奇觀化以訴求美學經驗的創造性，可能正是一種以藝術實踐之名的美學災難。在藝術創作和社會批判恆常的緊張關係中，期待於美學經驗顛覆性與倫理的持續對話。

參考文獻

江慧真、舒子榕（2013）。〈米蘭世博我被拒國家館外〉，《中時電子報》，取自 http://www.chinatimes.com/newspapers/20131207000317-260102，檢索日期：2017.06.08。

何熊貝（2015）。〈OPTOGO- 外帶國家館，帶走滿滿一杯故事〉，《欣傳媒》，取自 https://solomo.xinmedia.com/archi/17066-Live，檢索日期：2017.06.15。

周佩璇（2009）。〈90 年代以來臺灣視覺藝術機構與獨立策展人興起之研究〉。國立臺北藝術大學藝術行政與管理研究所碩士論文。

林宏璋（2015）。〈關係前後：你的參與不保證我的政治〉，收錄於 Bishop, C 著、林宏濤譯，《人造地獄》，頁 3-9。臺北：典藏藝術家庭股份有限公司。

馬于文（2015）。〈OPTOGO- 熱血二日，東海大學的米蘭世博工作坊實記〉，《欣傳媒》，取自 https://solomo.xinmedia.com/archi/17137-2015Expo，檢索日期：2017.06.15。

翁浩原（2016）。〈倫敦設計雙年展臺灣館：如何用 5 道菜，描述臺灣族群融合新未來？〉，《端傳媒》，取自 https://theinitium.com/article/20160915-city-design-london-design-biennal-tweatopia/，檢索日期：2017.06.05。

倪再沁（1991）。〈西方美術・臺灣製造：臺灣現代美術的批判〉，《雄獅美術》，242: 114-133。

陳香君（2013）。《紀念之外：228 事件・創傷與性別差異的美學》。臺北：典藏。

陳宏星（2011）。〈西方藝評・臺灣製造：臺灣當代藝評的批判〉，《典藏今藝術雜誌》，227: 132-137。

陳映妤（2015）。「我們讓米蘭看見臺灣，那臺灣看見世界了嗎？」專訪米蘭世博臺灣館發起人，群眾觀點，取自 http://crowdwatch.tw/reports/129。檢索日期：2017.06.08。

黃玉景（2015）。〈大人看衰、募款碰壁 …… 十個七年級生勇闖米蘭世博〉，《今周刊》，978 期，取自，http://www.businesstoday.com.tw/article-content-92746-127650，檢索日期：2016.10.12。

郭瑞坤（2006）。〈博物館及其人的分類：以超級特展現象為例〉，《博物館學季刊》，20(3): 37-49。

程怡嘉（2011）。〈策展機制的文化生產角色與學術意識：以 2000-2006 年臺北雙年展下的臺灣策展人為例〉，《博物館與文化》，2: 137-162。

葉玉靜編（1994）。《臺灣美術中的臺灣意識：前 90 年代「臺灣美術」論戰選集》。臺北：雄獅美術。

董維琇（2013）。〈藝術介入社群：社會參與式的美學與藝術實踐〉，《藝術研究學報》，6(2): 27-38。

鄭慧華（2012）。〈策展意識與獨立意識：重省臺灣策展 20 年〉，《典藏今藝術》，241: 4-9。

臺北市立美術館（2013）。《威尼斯雙年展臺灣館工作手冊》。臺北：臺北市立美術館。

觀點網站（2016）。〈文化是設計的潛在發聲——吳雅筑〉，《觀點網站》，取自http://designperspectives.org/2016/12/06/rain-wu/，檢索日期：2017.06.05。

Bishop, Claire, 2004. "Antagonism and Relational Aesthetics." In *October*, no.110 (Fall 2004). pp.51-79.

Bourriaud, Nicolas. 2002. *Relational Aesthetics*. Dijon: Les presses du reel.

Claire Bishop 著、林宏濤譯（2015）。《人造地獄：參與式藝術與觀看者政治學》，頁 3-9。臺北：典藏藝術家庭。

CXCITY（2016）。〈2016 倫敦設計雙年展臺灣館——從倫敦、香港、臺北三地凝結文化《修龍》力〉，《欣傳媒》，取自 https://solomo.xinmedia.com/archi/88779-cxcity ，檢索日期：2017.06.05。

Foster, Hal (1996). *The Return of the Real: The Avant-Garde at the End of the Century*. Cambridge, MA: The MIT Press.

Kester, Grant H. 著、吳瑪悧等譯（2006）。《對話性創作：現代藝術中的社群與溝通》。臺北：遠流。

Peggy Yu（2015）。〈「OPTOGO」計畫前進米蘭世博／臺灣美食　米蘭嘗鮮〉，《閱讀臺北》，第 571 期，取自 http://reading.gov.taipei/ct.asp?xItem=113570898&CtNode=82197&mp=100021 ，檢索日期：2017.06.09。

Swartz, David (1997). *Culture and Power: The Sociology of Pierre Bourdieu*. Chicago: The University of Chicago Press.

YannYang（2016）。〈「修龍」「相撞」，臺灣公眾外交生猛進擊倫敦設計雙年展〉，《關鍵評論》，取自 https://www.thenewslens.com/article/47613 ，檢索日期：2017.02.20。

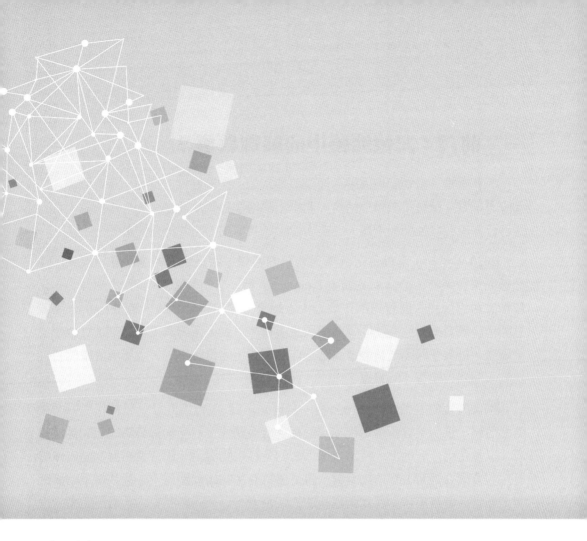

6 展覽敘事空間與時間雙重性

知識展示重構：博物館建築空間與觀眾經驗
Reconstructing Knowledge and Exhibition: Museum Architecture, Space and Audience experience

一、前言：記憶纏繞中的展覽敘事？

「花園裡，植物記憶纏繞」像是浪漫詩句，作為展覽主標題，詩意飽滿，凸顯陰柔氣質。這股柔美陰翳特質，開創出藝術與科學知識之間的無盡對話，也打開理性知識和感性藝術兩端，在美術館場域共構出的空間詩意與美學。

2020 年年初，南投草屯毓繡美術館的展覽，由張婉真博士出任策展人，澳洲藝術家珍奈特・勞倫絲（Janet Laurence）為核心的藝術創作者，「同理心」是藝術家勞倫絲這次展覽的創作核心（張婉真、珍奈特勞倫絲，2020：18），展覽意圖邀請觀者能以此心境同等看待天生萬物。策展人張婉真更為深刻地從哲學思維層次，以美學觀照邀請觀眾，透過作品視覺上的優雅再現，及層層疊疊的各種隱喻，回到人類智性的省思。

這個展覽的副標題為「珍奈特・勞倫絲個展」，但不同於一般創作者的藝術作品個展，這個展覽產生過程本身就相當值得關注——勞倫絲造訪的空間場域臺灣，以及在這片土地上，持續累積下來的各種生物群落、研究者與博物館收藏等等，包含國立臺灣大學博物館群、農委會特有生物研究保育中心及其轄下的研究與工作者，是這檔精彩展覽跨越時間的共創者，以及人類歷史的共同見證者。換言之，這檔展覽看似是單一藝術家的創作展，卻同時是一個運用了大量標本，意圖挪用過往博物學／自然史博物館式的敘事風格，以藝術創作來重新訴說人和自然的關係。既有自然史／科學教育博物館、藝術類博物館和美術館等等的分類與藩籬被顛覆，經由在美術館裡複製自然生態，更多人與自然之間的觀看方式與相互對應，被重新問題化／美學化。

近年來，以藝術介入作為傳達社會議題討論取徑，特別是透過地景藝術或環境藝術等公共藝術實踐，聚焦於人與環境關係、永續發展等課題的討論，為藝術創作場域中的重要課題（Grout, 2009，黃金菊譯，2009；周靈芝，2012）。藝術與科學兩端相互穿透的張力，不僅使得傳統博物館分類的邊界產生游移，也在展示的層次上，改變了博物館展覽敘事、文物展示與美學再現。

舉例來說，國立臺灣博物館 2020 年的「繪自然——博物畫裡的臺灣」特展，即是場號稱「是藝術也是珍貴自然史」的展覽。藉由展示早期記錄科學研究

的優美「科學繪圖」，來訴說人類進行自然史研究的發展歷程。這些昔日留下的精緻繪圖，放在當代博物館場域中，經過不同世代已習於透過照片來認識自然物的理解習慣改變，打破了慣常理性科學的敘事風格，創造出另一種以藝術視角來認識自然萬物的理解途徑。

　　博物館的出現本即意味著透過真實物件來傳遞與保存知識。而如何保存與展示，是博物館發展歷程的重要軌跡。從早期珍奇櫃、驚奇屋的陳列方式，到 18世紀分類學概念發展後，注重分門別類的科學觀點；19世紀後關注如何重現年代脈絡，或是如萬國博覽會後，融入設計的理念；進入 20世紀，逐漸發展生態造景（diorama）的展示方式，以及戶外博物館的情境塑造等等，博物館的展示方式隨著時代條件，不斷變異著（耿鳳英，2008）。那麼，著眼於博物館發展以降，在展示形式不斷演變的認知角度出發，「勞倫絲個展」案例中，在藝術和科學兩端穿梭的展示美學，是否帶來什麼啟發？

　　無獨有偶地，張婉真教授撰述的學術專書，提出當代博物館展覽的「敘事轉向」（the narrative turn）趨勢，著力於建構起一個對博物館展覽敘事的分析視野。本章試著從張老師提出的展覽敘事觀點，來閱讀這個展覽開展出的藝術歷程。

二、從展覽文本到文本空間

　　「藝術家」這個概念大約是 18世紀末才出現的，而一直到 1830年代後這個稱謂才開始獲得新的象徵價值（陳逸淳，2018：237）。法國藝術社會學者漢妮（Nathalie Heinich）指稱，藝術的構成分成三個部分，分別是「作品」、「觀看者」、以及作品與觀眾的「兩者之間」（l'entre-deux），三者缺一不可。亦即，要把「作品」遞交到「觀眾」的眼前與理解，並不是一個理所當然的過程，而是必須在兩者之間建立起關係，要理解作品如何被傳遞，作品和觀眾的關係如何被建立起來，「兩者之間」這個神祕的存在，也就是存在於藝術過程中的「社會媒介」（Heinich, 2009，轉引自陳逸淳，2018：239）。

　　藝術社會學理論關注藝術家、作品與觀眾之間的關係。挪用這樣的理解角度來詮釋展覽與作品的關係，如此一來，在羅倫絲的作品個展中，要讓觀眾從作品

中接收、掌握或讀到作品所承載的訊息，這個過程中所謂的媒介，或許就是展覽敘事了。

　　張婉真借用電影敘事的相關概念，以期建構出一套對展覽敘事的分析。電影敘事研究者梅茲（Christian Metz）提出辨識電影敘事的五個標準，這五項特徵分別是：（一）敘事有其開頭與結尾。（二）敘事具有雙重的時間段落。（三）任何敘述都是一種話語。（四）敘事的感知使被講述的事件「非現實化」。（五）敘事是一系列事件的整體（張婉真，2014：26-33）。張婉真挪用這組概念，有助於我們思考敘事的定義，以及展覽敘事可能具有的特徵。

　　易言之，展覽本身具整體統合性，有其自身的開端與結尾。展覽本身乃是透過敘事得以再現相關的線索、資訊、概念與知識，必須在展場這個小宇宙中，講述完成展覽敘事所欲表達的故事情節，自然構成其自身的真實性（authenticity），而和真實社會有著論述上的距離。值得注意的是，每個敘述都是一種話語權的表現，而既然敘事的開展和現實世界相對立，也就凸顯了必然有個述說故事的主體存在，而主體是誰？擁有如何訴說故事的詮釋權掌握在誰的手上？能夠先釐清這樣的主體位置與觀看視角所在，是解析展覽敘事時的第一個挑戰。

　　其次，不同的文學及語言學者，均試著想區辨出「敘事」本身的兩種話語模式（modes of discourse），即所謂的「描寫」與「敘述」（張婉真，2014：26-33）。這兩者的差別在於，前者是比較靜態的，對場景與物件的說明。後者則具有行動能力，是動態的，關切著具有行動能力的主體。在展覽中，比較常見或運用的，以描寫為主，也就是靜態地描繪事物本身及其特徵。正是「敘述」這個動態的概念，讓展覽的敘事得以豐富而立體起來：任何一件展品必定有其自身所蘊含的故事，舉例來說，一座土地公神像木雕，對這件展品本身的靜態描寫，或許得以展現臺灣傳統在地民間信仰、佛像木雕工藝與民俗技藝等等面向的特質與元素，而在展間裡表達其物質文明上的價值；然而，若是加上其他具有時間或動態的敘述，例如，這是一座由傳教士馬偕博士當年在行旅傳教途中收集的神像，曾被他送回母國加拿大，後再回到臺灣被展出。則這件展品所承載的故事、歷史價值與文物意涵，自然更為豐富、複雜，也強化了展覽「敘事」的故事性。「描寫」與「敘述」這組概念兩者相較，前者針對人物與物件的共時性，傾向中止時間的運轉，延展敘事的空間；後者著重行動與事件，強調敘事的時間面向；前者

是沉思且相對「詩意」的，後者是行動性的（張婉真，2014：28）。

　　經由「描寫」與「敘述」兩個概念，在此則帶出另一個概念，即展覽敘事具有的雙重時間性：任何敘事都強調兩個時間性：一方面是被講述事件的時間性，另一方面是屬於敘述行為本身的時間性（張婉真，2014：26-27）。簡言之，觀眾在展場感受的時間性（temporality），與該展品及其敘事所欲傳達的「時間性」，兩者之間並不一致。這個不一致的張力使展覽敘事得以開展——觀眾在其間，經由兩組不一致、甚至可能相互矛盾的時間性，與自身經驗的對話及提問，得以互為主體地建構起一個想像的、展覽文本所存在的文本空間，而讓這個敘事得以在觀眾的理解與觀看過程中推進。

　　除了闡明展覽「敘事」具有的重要特徵，張婉真也著力於指出另外兩個重要概念，即「展覽文本」和「文本空間」（張婉真，2014：33-37）。承繼著後結構主義的觀點，我們對文字與敘事的理解已經不再受限於原本的語言文字形式，所謂的文本，乃是廣義地指稱任何一個具有可分析性符號的集合，是一個有限的、有結構的整體。故舉凡一首歌、一段話、一部電影，都可以稱為是一個文本，那麼，一個博物館裡的展覽，自然也可視為「展覽文本」。

　　博物館的展示不僅僅只是擺放出作品或物件，而是必須同時在物質與符號層次，讓觀眾透過對展品的理解與詮釋來獲得訊息，「展示」必須與人的處境和社會文化的需求對話（王嵩山，2005：6）。對「展覽文本」的理解與閱讀，除了要掌握文本所在的場域和脈絡，即所謂的「文本」（text）與其周邊構成脈絡（context）的關係之外，由於文本必須是有限的、有結構性的「整體」，因此，如何設定或理解文本的邊界，成為另一個挑戰。「文本空間」，即是文本所處身、具結構性與可辨識之邊界的框架所在。由此來說，博物館的展示空間或即可對應為「展覽文本」所處身與架構的「文本空間」。將展覽同時視為意義結構與影響溝通行為的脈絡，綜合視覺與多重感官的體驗，試圖與觀眾互動，這並非一個封閉的自足系統，而是一個物質化、空間化的話語（張婉真，2014：35）。而如同漢妮（Nathalie Heinich）所言，觀眾和作品之間，必須建立起連結，透過與觀眾互動，才得以完成其敘事的時間性。對觀眾來說，觀看與理解一個展覽的過程，即是透過博物館場域的「文本空間」，以其自身的視角，來閱讀與詮釋「展覽文本」。經由觀覽「展覽文本」的過程中，同時感受作品本身所承載、敘述的雙重

時間性。

挪用前述「展覽文本」、「文本空間」、「展覽敘事雙重時間性」等概念，本文嘗試以此來重新閱讀這檔勞倫絲的展覽。即展覽敘事本身所欲傳達的時間性、展覽文本的空間性特徵與詩學，為本文作者閱讀這次展覽視角與核心概念。因此，以下論述書寫從美術館本身的空間架構入手。

三、展場體驗與記憶描述

毓繡美術館的室內展場空間主要有三層。一樓開場的作品，佔據了整個展場大廳，一棵龐大的枯樹枝。這樣的枯倒樹木在大自然裡，不足為奇。但放在美術館展場裡，很清楚地，被定位是「一個藝術作品」，那麼，這個名為〈心臟休克〉的作品想表達什麼？

圖 6-1 　一樓展場倒臥般的枯木引人視覺的震撼與暫止，但作品本身的諸多細節，例如下方的鏡面與反射，牆面的貓頭鷹，以及地面擺置的物件，又讓人不自覺想要走近端詳。

照片來源：毓繡美術館提供。

英國藝術史學家米契爾（W. J. T. Mitchell）曾經針對藝術史傳統上重要的地景畫（landscape painting）類型，提出犀利的批判。他直言，「地景」這個概念應該視為一個動詞，因為這個意指著人類文明作用加諸於大自然的視覺再現，本身就是一個文化實踐。透過對地景畫的詮釋與批判，我們得以找到人類社會權力作用的真實軌跡（Mitchell, 1994）。在此展中，策展人與藝術家則是以「花園」的概念來取代「地景」，挪用藝術史視角中，解析地景跟人的關係，將廣袤之地濃縮在展館方寸之間。

如同策展人撰文指出，「花園」可以視為一個與人類最為親近而最小的生態系統。花園，是各類生物齊奏譜曲的場域，相互競爭資源，也共同開創生機。人類的生命在其間運轉，歲月流逝，記憶在花園裡堆疊、累積，也隨著季節更替，不斷地重生與降臨。如同深度生態學（deep ecology）所欲提醒的，過往人類仍是將「環境」及其他生物視為「他者」（the other），是外在於人類萬物之靈的異己存在，但隨著各種環境變遷衝擊的劇烈變動與提醒，人類必須更為謙卑地，清楚自身乃是宇宙中的微小存在，辨明自身在龐大生態系統長期身為破壞者的威脅。

這件作品，一棵「本尊」來自南投鹿谷鄉秀峰村「大葉欖仁」枯樹根下方的鏡子，投射出映照著人類在其間的觀看，提醒著我們，人類應該更為謙卑地向「下」觀看，重新調整我們的視角，看到大自然間，環環相扣，各類物種間相互依存。例如扮演著分解生態物質與循環的要角：「真菌」；或是枝頭樹梢依附共生的地質生成物，像是石英、黑曜岩、水晶、孔雀石、花崗岩、黃銅礦、自然硫、褐鐵礦等等。周邊佈置著許多實驗室的玻璃器皿，以及牆上可愛的貓頭鷹標本。透過這些在地物種，既真實地揭露出這個展覽所在的特定地點與生態條件，也就是本文所欲凸顯，展覽文本所在的「文本空間」概念——這個作品同時在抽象層次，訴求於生命的不斷循環，看似有著枯樹、標本與真菌經歷著死亡與分解，但也正訴說著生命循環的生生不息。展覽敘事的雙重時間性，在此充分揭露。然而，這些曾經有過生命的物種，有另外一條生命時間軸線。在展場中，這些生命全部被凝結靜置，從真菌、貓頭鷹、一直到樹木的生命週期，彼此之間生命循環或長或短、此起彼落，可以想見構成交響樂章。沿著時間敘事，帶入「空間」的概念則無疑是促進了觀眾在閱讀展覽時，能夠不斷地抽離、同時投射自身對於空間理解與認知的投射，在這個對作品的理解過程之中。

圖 6-2　看似任意棄置的石頭，安靜地透過鏡面反射，讓人不禁想問，這些物件想要表達什麼呢？

照片來源：毓繡美術館提供。

周邊牆面上棲息著我們俗稱的「貓頭鷹」。牠們是跟人類共同生活群落中，經常飽受威脅的群體。這次展出了黃魚鴞、鵂鶹、領角鴞和東方草鴞等四種，都是南投特有生物中心採集的標本。如果僅從生物學角度來描述，我們可以為其加上的敘述像是，鵂鶹和領角鴞是「二級珍貴稀有保育類野生動物」；東方草鴞為臺灣特有亞種是「瀕臨絕種的一級保育類動物」；黃魚鴞族群極少，目前只能在國家公園等保護區見得到蹤跡，但尚無法建立起有效的保育方案等等的文字。

如果從作品的視覺角度來重新詮釋，鵂鶹是體型最小的貓頭鷹，身長 8 至 9 公分，大概就是拳頭大小一般，嬌小可愛，但卻是有著足以攻擊比牠身軀還大鳥類的爆發力，是鳥界小辣椒。東方草鴞則是有個如同剖半蘋果的心型臉盤，長相同樣討喜可愛。黃魚鴞是臺灣體型最大的貓頭鷹，體長大約 55-60 公分，主要逐水而居，並且有著穩定的伴侶生活。至於領角鴞，大約 25 公分左右，和人類生

活最靠近，經常在都市公園綠地可以看得到，領角鴞的幼鳥也是生物保育中心最常接獲人們送來急救的鳥類，跟我們生活棲地緊密相連不言可喻。從這些描述來看，我們是否對自己的珍貴芳鄰所知薄弱？透過這些鳥類棲居於美術館牆面的身影，俏皮地看著我們，從視覺感受上，讓我們意識到共生者存在的真實。在此，同樣是透過「文本空間」所暗示的從自然到展場的對話，讓觀眾閱讀這些以貓頭鷹所轉換成的「展覽文本」。

從展場二樓要進入三樓之際，挑空上方擺放的標本，同樣在鏡子的映照中，經由展覽「空間文本」的介入，訴說了另一個截然不同的展覽敘事。

這個名為〈鳥曲〉（Birdsong）的作品安靜地道出大地的無聲悲歌。這個作品是在 1 公尺直徑的圓形壓克力平臺上，彙集了來自國立臺灣大學動物標本館鳥類棍棒標本。壓克力平盤抬高，上方有著燈光映照出倒影，但作品擺放在樓梯間，觀眾很容易透過光線的引導，看到上方光亮引導。事實上，該作品在三樓的懸挑處，環伺著清水混凝土的靜謐牆面，再次因為光線引導人們趨前，色彩斑斕的五色鳥，如實再現了標本製作時刻的美麗身影，也讓生命的逝去與人類的獵捕，得以在作品裡，再次被訴說出來。「鳥類棍棒標本」反映出人類科學研究發展的歷史真實軌跡——人類在生物學等博物學研究的推展中，在所謂的「科學眼見為真」的思維典範中，能製作這些動物標本，說明在歷史發展軌跡上，人類具有征服、控制、支配這些動物生命的技術、專業與能力。透過足夠數量的標本收藏與驗證，支撐了博物館等學術研究機構的制度性推展。

這批標本絕大多數來自於青木文一郎的收藏。青木文一郎 1929 年來臺，任教於甫於 1928 年設置的臺北帝大理農學部，負責動物學第二講座，即脊椎動物比較形態學，以及哺乳動物學講座，為臺北帝大哺乳動物研究的代表人物。展場中這件作品，由許多隻鳥類棍棒標本排列成圓形陳列，鳥身上留下的標籤，看似相當精確且科學的檔案紀錄，說明著每一隻標本製作的時間、地點、名稱、製作人等等理性的科學資訊，揭露著 19 世紀以降，殖民拓殖與同步輸出的科學知識方法。這個看似冷靜的檔案再現，在 21 世紀的展場空間中，點出了殖民主義剝削與征伐土地的本質，乃是建立在某種科學論述上。而栩栩如生卻安靜躺臥的鳥隻，在美學與感知的層次，無聲卻充滿能量地，共鳴著被殖民生靈的歷史記憶。

圖 6-3　鮮豔依舊的鳥兒身影，排列圓滿，安然靜謐，卻訴說無限。腳上如身分
　　　　證般的紙片，揭穿了牠們的身世祕密，以及牠們和人類社會與土地的關
　　　　聯所在。

照片來源：毓繡美術館提供。

　　時間性的辯證，在這個作品展現無遺。藉由 19 世紀鳥類標本製作的知識與
技術，在 20 世紀初製作而成的標本，在 21 世紀的美術館中，策展人與藝術家有
意地讓這些時間性的線索，透過標本上的標籤說話──觀眾不僅在當下看到這
個憂傷的展品，更讓觀者的歷史時空想像回到殖民時期，讓展覽敘事的雙重時
間性，默默地傳遞著殖民的訊息。而這個作品所在的「文本空間」，看似描寫著
鳥類標本，實際上相當詩意地，敘述著這些鳥類所在的臺灣土地，跨越時間的界
限，承載著殖民的歷史記憶。

　　相較於一樓大廳，看似枯槁的荒木，二樓展場中心綠意盎然，充滿生機地，
盛放著各種綠色植物。這裡匯集了超過四十種，由臺大植物標本館提供的臺灣本
地植物。可以想像，要在展場裡養活這些活體綠色植物，維持著欣欣向榮的境
況，是展出單位的日常挑戰。但也正因為植物有機變動生長著，勞倫絲以玻璃容
器裝盛擺放，意圖讓這些每日的生命變化，在展場裡有機演出，呼應著展覽主題
「花園裡，植物記憶纏繞」，更對照著牆面上，藝術家拍攝於各地的山林綠意。

也同樣呼應著前述所指稱的，這個展覽敘事之中，從生物生命時間軸所交疊出的
多樣曲線。

圖 6-4　進入展間的滿室綠意，差點讓人忘記身在美術館。好奇如何在室內維持
　　　　生氣盎然，也想問如此複製自然的意念為何？

照片來源：毓繡美術館提供。

　　這個名為〈與植物對話〉的作品，環繞著二樓展廳三大牆面，是進入二樓時
相當搶眼的綠色意象。這些意象不僅來自於各地拍攝的山林樹林綠意，也包含勞
倫絲在南投山林間的採集記憶。相較於地景畫以透視法再現畫家看到的風景形
貌，並且以這些風景秀麗的圖畫，吸引著人們想要貼近山林，懷想著某種自然主
義的浪漫情懷。「攝影」作品經由拍攝者有意圖地框限與擷取畫面，透過各種影
像「再製」，使觀者對於田野風景的觀看與理解，產生各種片段的、交錯混雜與
重新組織的理解和感受。拍攝作品經由膠片數位輸出懸掛牆面，但底下襯著鏡
面，不時微微飄浮的膠片，讓鏡面影像重疊動態輕擺，彷如植物會動，也讓綠意
疊影迴盪，一再挑動人們回想自身與身臨周邊綠意的記憶——正是在大量綠色山
林影像再現的視覺經驗中，我們得以辨識，許多山林生態樣貌跟臺灣是不同的。
在這個視覺身分比對的對話過程中，我們得以具反身性地，透過植物，辨識自身
是誰，所在何處。而這也是我們平素看慣了周邊綠色山林景致時，未曾想像過

的，此處與他所的差異。「影像被認為是對現實最真實呈現的證明，而非只是出自某一種思想體系或是某一類觀看的方式。以一種大公無私的方式呈現，影像不可能說謊，觀看的人也都會有一種認識了這個世界的感覺，好像他們是親眼目睹了一樣。然而實際上，這個世界其實是被放在一個框框裡，在看見和看不見的遊戲中被取景下來，在符合測量規則下加以詮釋」（Grout, 2009／黃金菊譯，2009：99-100）。

圖 6-5　以為山林綠野看起來都一樣？隨意飄動的膠片，對映著下方的鏡像，看到每一處林野景觀，各有姿態，自在飄逸。

照片來源：毓繡美術館提供。

　　相較於真實植物與影像的複製再現，二樓展區的另一個房間，則是虛實交錯地，複製了一個博物館植物標本展示區。只是，這裡的每件展示，並非單純是植物標本，而是都來自於藝術家的悉心創作。

　　這個名為〈花間〉的作品，以壓克力製作仿擬「溫室」，從臺大植物標本館的萬件檔案中，挑選出二十一件臘葉標本與果實種子，再加上藝術家來自澳洲，以及美術館周邊所採集的植物共同組構而成。所謂「悉心創作」意味著，回到本

圖 6-6　19 世紀自然史博物館的標本和作者的採集製作，形成了雙重時間性
的視覺再現經驗。

照片來源：毓繡美術館提供。

文關切的時間雙重性概念，藝術家一方面要複製出 19 世紀自然史博物館中，對待與再現標本的方式，但又要讓這些標本化的展示，如同美術館中的藝術品一般，具有高度的可視覺性美感。正是這樣的雙重性，既再現了對於 19 世紀博物館典藏室的歷史想像，同時也藉此歷史距離，讓觀眾在博物館藝術展品的理解中，拉出了可能的美學想像時空。展覽簡介上的文字是這樣描述的：「勞倫絲有意翻轉自然史博物館既定的展示規則，……重新揉合美學、生態學和標本學等知識，並詩意地演繹了植物生命歷史的各個斷面。此作品探討不同層面如標本的多向意義與相關機構發展概況，其果實種子亦隱喻地球資源的匱乏與憂慮。」

相對於一樓槁木清冷、二樓的翠綠悅目，三樓展場高度節制的燈光、場地色調、音樂聲響與氣流，創造了某種讓觀眾沉陷的觀展情緒。這個名為〈森林之息〉的作品，有著從天花板懸吊流瀉而下的薄紗布幕，讓觀眾進入三樓後，有著直接的視覺衝擊，像是森林就在眼前，某種神聖崇高的地景美學，震懾人心，卻又吸引人想要靠近。這些簾幕一般的巨幅，是藝術家擷取了各地拍攝的樹林與

圖 6-7　大型布幕垂吊於整個展間，有限的光線中，簾幕上或明或暗的擺盪飄動，整個森林的景觀跟著你穿行其間的腳步，出沒在你身邊。

照片來源：毓繡美術館提供。

188

棲地等生態景象，經過光影、色調、比例的調控，每一幅既像是優美的畫作，又像是童話般夢幻的森林。經由光影搖曳所營造出來的氣氛，彷彿是隨著音樂與現場氣流擺盪的動態迷宮，邀請著觀眾穿梭流動其間，觀覽美景。觀眾可以選擇喜歡的路徑，自由穿行在這些垂吊布幕之間，來回巡遊，感受置身於大自然神祕領地中的迷濛。然而，少有觀眾選擇進入森林之間，自在於大地間，舞動自己的身體。寧可站在布幕區外觀看。這或許也說明了人們對於大自然，仍是有著高度敬畏恐懼之心，無法與之共同呼吸，感應大地氣息吧。

　　三樓展區後方則是一部 9 分 16 秒的錄像作品〈消逝〉。這部作品最初 2009 年在澳洲墨爾本展出，是以花豹、熊、長毛猩猩和長頸鹿等動物為凝視拍攝的對象。透過慢動作、局部放大，特別是將這些動物有著易於辨識的皮毛花紋外觀，以局部格放，搭配呼吸聲息的緩慢訴說，看似記錄，又像是記憶與悼念著，這些生活在人類威脅肆虐下的動物，跟植物的安靜與標本的無聲相比，這件作品的呼吸聲，儼然成為展場裡，清楚提醒著人類世界其他物種共同存在的真實。

圖 6-8　緩慢地、顯得幾乎是沒有動態的影像，形成一種弔詭的展示文本。反而是藉由畫面中可辨識性高的皮毛花色與呼吸聲響，說明作品所欲揭露的生命動態。

照片來源：毓繡美術館提供。

四、文本空間：作品與美術館

前節花了相當篇幅陳述這個展覽的內容與作品，讓人看似進入的自然史博物館的場域中。然而，這個展覽的副標「珍奈特‧勞倫絲個展」，清楚點出這是藝術家的創作作品展，而「毓繡美術館」的自身定位，同樣強化了這個特徵。換言之，如果從「文本空間」的概念，重新審視這個展覽和美術館兩者之間的關係，是否可以提出何種不同的詮釋角度？以下從不同空間尺度層次，來探索這個展覽。

展覽選擇在臺灣陸地的心臟──南投舉辦，毓繡美術館主辦單位對藝術教育的用心之外，這個展覽空間本身充滿著象徵意義與各方隱喻的。

「中央山脈」是一種再現與理解臺灣自身的取徑，只是我們總會忘記。南投草屯的九九峰，曾經是文建會選定，打算以其優美環境設置「國家藝術村」的地點。1999 年 921 大地震，改寫了南投山區人們的生活軌跡。九九峰大量的土石鬆動、崩塌走山，觸目驚心，植被樣態改變、褐土荒蕪，藝術村計畫就此中止。一直到 2011 年，山林逐漸復育穩定、再現綠意生機後，政策重新調整為「生態藝術園區」，由草屯的工藝中心負責營運。可以想見，這個記憶臺灣近年來重大生態災害的所在，山林綠意之間，人們脆弱的生命逝去，而環境點滴地自我復育。回到草屯的大自然懷抱，勞倫絲在此採集臺灣的山林記憶。如同展覽主題所提示的，「植物記憶纏繞」，這個纏繞，看似以植物為主體，實際上，人們的記憶也寄寓期間，人們的生命有限，而山林綿延無盡。纏繞之際，人和自然互為主體，互為記憶的對象，當然，也可能互相遺忘。展場中意圖提醒的各種記憶纏繞，或許也可視為，重新召喚人和自然間的親密相生。

其次，以毓繡美術館本體來說，企業家侯英蓂、葉毓繡夫妻創辦美術館，選擇南投山野田間，本即是想要在此構築藝術文化地景，在資源有限的鄉間，撒下藝術教育的種子。「當代寫實藝術」為其設館的宗旨，而打造一個如同山中桃花源的藝術殿堂，則是他們內心深處的夢想。在山林深處打造桃花源般美術館的原型，貝聿銘為日本秀明會量身建造的「美秀美術館」是個可以參照的案例。金山的朱銘美術館，同樣在大自然中費心經營、追求天人合一境界的雕塑庭園。支撐

這些藝術殿堂取法自然的內在思維，雜揉了藝術所追求的美學與崇高的價值。

　　康德在其《判斷力批判》（康德／鄧曉芒譯，2004）書中，以「美」（beauty）和「崇高」（sublime）兩種概念來討論美學，即人對美的感知與理解能力。這兩者雖然都關心感受的滿足、具有普遍性，有其範例的必然性、合於人類主觀的目的性，並以人類的感知為基礎。然而，前者具有特定的、一定範疇的形式和範圍，後者是難以量度的、一望無際、無垠無限的；前者具有的優雅精緻、平衡協調，人們可以在直觀與知性層次，有所掌握。但後者經常涉及數量與力量的無限大，是人類在理性層次才得以處理的對象。如此一來，「美」對人產生單純的快樂、愉悅和身心暢快，是一種正向的快感（positive pleasure），但崇高因其涉及了龐大而不確定，可能是夾雜著痛苦與畏懼所轉化而成的間接快感，因著生命力受到威脅或阻礙，使更為強大的生命能量湧現，因情緒的瞬間爆發，或在本質上因為恐懼、拒斥，或因此產生感受性強烈的張力，是一種人類情緒經過衝撞劇烈感受的快感。換言之，以這組概念來想像或解釋人類對藝術和美的感受力，既確認了人具有感受美的知覺能力，是具有理性的主體，更重要的，則是指出了「美」不僅是一種甜美歡愉的存在，是一種擁有幸福感的正面感受。也可能是捲起人們內在各種複雜翻攪的情緒，面對龐大未知、令人不解而難以掌控的「崇高」，因為陌生、無名、恐懼，或試圖獲得掌控，而反轉出能量震盪更為劇烈的感受性。無庸質疑地，這種因藝術創作感受性而帶來的情緒衝擊，具強大能量，也具生產性。

　　康德以自然對象為例指出，陡峭的高山、具毀滅性的火山，或是驚濤駭浪的大海等等，如果我們自身處在安全地帶，大自然的可怕景象對我們就越有吸引力。因為，巨大的自然景象讓我們免於恐懼，並在心中發現一種抵抗和超越自然界巨大力量的理性能力。這種能超越自然威力的理性能力與人的道德情操有關，是一種維護人格尊嚴、臨危不懼的心意狀態。康德認為，單純的自然本身還不是崇高，必須使這些自然現象和人的理性連結起來，引起人主體內心的激盪，才是崇高。崇高實際上並不在自然裡，而在人的主體裡。崇高不是自然現象本身的特性，而是世人對自然的超越和戰勝，世人自身崇高性的呈現；對自然現象的崇敬，實際上是對人自身理性的崇敬（劉亞蘭，2020：18-19）。

位於山林間的藝術殿堂，看似在林間野性之間，追逐主體可掌控而穩定的美感經驗。具神祕與巨大能量的山林，正可以說是人類主體追求崇高壯闊美感的具體表徵。透過建築師所設計，以小巧建築、理性冷靜線條所欲追求的精緻美術館，加以建築師採用清水混凝土的靜謐低調，以及美術館建築量體外，經過修整配搭之庭園的優雅姿態等因素，使得在這個展覽文本空間裡，勞倫絲作品下的柔美綠意，對應著南投草屯山林野性，轉化成美術館空間中，具高反差的崇高美感經驗。

五、借展與展覽構成：誰是說故事的主體？

本章意欲從「敘事」的概念來梳理如何觀看與理解展覽——展覽敘事的概念凸顯的是，有敘事，意涵著有人負責說故事，有人有話想說，有故事想要分享。那麼，誰才是有故事的人？誰是說故事的主體？例如，〈鳥曲〉那件作品中，說故事的是鳥？棍棒標本？還是當年做了這些標本的青木文一郎？

當代策展人的角色越來越受到關注。相較於藝術創作者，策展人想藉由展覽構成，展覽敘事的組織、再現及訴說，陳述其對相關議題的觀察與詮釋，或是溝通與傳遞特定價值。策展人成為掌握展覽敘事生成的主體。然而，說故事的人，要運用什麼素材來敘說呢？「藝術家的創作」固然是藝術展覽活動中的主角，然而，在這次的展覽中，跟許多學術研究單位和博物館出借展品，特別是自然史類博物館與標本，乃是本次展覽構成中不可或缺的要角。諸如國立臺灣大學博物館群中的「動物博物館」、「植物標本館」與「地質標本館」，以及特有生物研究保育中心等。

展覽敘事具有雙重的時間性。放在臺灣的歷史發展脈絡來說，從殖民時期，經由殖民者日本政府設置的大學研究機構與博物館，墾拓開發和累積的各類型標本，透過這些物質化的實體，具體承載了臺灣土地歷史的軌跡，闡述了殖民統治時期的殖民視角；另一方面，則是本土研究資料得以歷時性地持續累積，深化對臺灣本土生態物種與環境的貫時性研究。

　　然而，這些標本，經由策展人的專業論述，以及藝術家創作的重製與再詮釋，華麗轉身地置放於 21 世紀的美術館裡，不但提出了新的敘事時間性，更重要的，是讓原本的殖民統治的展品，有著重新被世界認識與理解的空間距離。這個重新理解與詮釋之所以重要，不僅在於這個展覽敘事本身所建構出來的時間性，讓我們得以同時認識勞倫絲創作與再現中，對於相關議題的藝術性思辨，觀者同時得以跟著這些標本，回到其所生成的殖民拓墾時期──一個土地神祕能量被人類肆無忌憚地大量挖掘與破壞的時刻，而「博物館誕生」的意涵，從原本殖民者懷抱「文明化儀式」的啟蒙想像，一個帝國主義知識教化之歷史性計畫的支持體系，得以重新經由策展人和藝術家重新詮釋的中介過程，轉化為當代知識分享的機構。說故事的主體，經由物件與展覽敘事，將理解與詮釋權，重新交回到觀眾手上。

六、圖繪自然／地景神聖美學

　　本章從展示評論的視角切入，挪用「展覽敘事轉向」的觀點，意圖藉由「勞倫絲個展」的案例，經由「展覽文本」、「文本空間」、「展覽敘事的時間雙重性」等概念的操練，重新想像與檢視美術館展覽所敏察的環境議題，並以此延伸，作為思辨、理解與詮釋展示美學的可能視角。

　　隨著地球永續等環境議題的迫切性日益升高，博物館作為知識生產體系的一環，肩負著有效回應社會變遷，調節社會矛盾的教育機構，各類型博物館均積極地舉辦各種展覽與教育活動，從各種不同的主題切入，以期為促進環境及社會永續發展，共同努力。而展覽敘事也透過藝術介入的過程，使這個對話與迴響得以持續被討論、記憶或傳遞。例如波伊斯（Joseph Beuys）1982 年在德國卡塞爾種下的「給卡塞爾的七千棵橡樹」（7000 Oaks / Sept Mille Chênes pour Kassel, 1982）。針對這個計畫，藝術家認為，這是對所有摧殘生活和自然的力量發出警訊的行動。事實上，這個從 1982 年一直持續到藝術家辭世的 1986 年，種下最後一棵樹的長時間藝術行動，經由訴說這樣的思維與主張，強調每個人透過自身行動，力行實踐意圖和環境重新修好的一點點努力。

回到本章探討之「花園裡，植物記憶纏繞：珍奈特‧勞倫絲個展」的展覽敘事，相較於從議題導向或環境危機的取徑來討論環境倫理議題，經由藝術創作的介入，特別是以過往自然史研究取徑的各種研究與標本的「再美學化」，或許是從更為直接地，透過地景崇高之美感經驗，昇華了人們對環境與藝術的感知經驗。而類似的展覽，也在臺灣逐步地累積推進中。除前述已提及的國臺博「繪自然」特展外，新北市的坪林茶業博物館，2020 年夏天推出的「茶山學」特展，同樣採取借展的策略，邀請了國立臺灣歷史博物館、臺北市立動物園、國立臺大動物博物館、國立臺大昆蟲標本館、郵政博物館、農委會特有生物研究保育中心、林試所植物園等七個專業博物學，提供相關的標本借展。經由這些跨越不同時間性的展品，環境永續不再只是口號，而是能夠經由展品標本本身所蘊含的物質時間，跨越時空地，透過展覽敘事所架構的多重時間感知軸線，讓觀眾從展覽敘事裡，經由大地崇高的美感經驗，召喚出人類對於生存與環境的恆久感應，再次豐富博物館展覽敘事所能創造的美學體驗感知與知識系統。

參考文獻

王嵩山（2005）。〈展示批判的形式論與實質論〉，《博物館學季刊》，19(1): 5-6。

周靈芝（2012）。《生態永續的藝術想像和實踐》。臺北：南方家園文化。

康德／鄧曉芒譯（2004）。《判斷力批判》。臺北：聯經。

耿鳳英（2008）。〈懷舊與創新：21 世紀歷史展示新定位〉，《博物館學季刊》，22(3): 39-54。

陳逸淳（2018）。〈怎麼看？當代藝術場域的被觀看策略與範式〉，《思與言》，56(2): 235-261。

張婉真（2014）。《當代博物館展覽的敘事轉向》。臺北：遠流。

張婉真、珍奈特・勞倫絲（2020）。〈策展記述 Curating in Progress〉，收錄於珍奈特・勞倫絲 Janet Laurence《展覽圖冊》，頁 18-26。南投：毓繡美術館。

劉亞蘭（2020）。《硬美學》。臺北：三民。

Grout 著、黃金菊譯（2009）。《重返風景：當代藝術的地景再現》。臺北：遠流。

Mitchell, W. J. T. (ed.) (1994). *Landscape and Power*. Chicago and London: The University of Chicago Press.

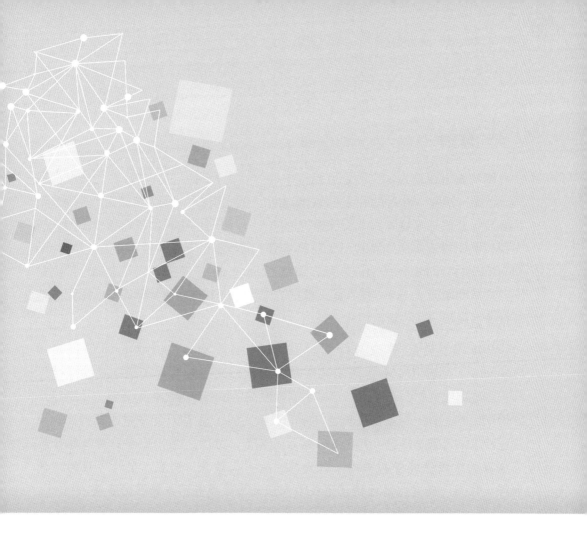

大學生博物館經驗初探

一、前言

　　博物館可說是人類文明進展過程中的偉大「發明」（invention）之一，從最早以收藏、崇敬、研究與保存知識的圖書館形式出現[1]。法國大革命後，再現為階級解放、公民知識寶庫與教育機構的形態[2]；伴隨現代化、啟蒙的腳步，博物館與學校共同構成傳遞知識的正式教育機構，前者屬於非正規教育系統（informal educational systems）、後者成為國族國家（nation state）教養牧民、意識形態國家機器之重要環節。一個「博物館」機構的出現，從其誕生伊始便與一個國家或地區社會發展現況狀態緊密相關。

　　1946年，於巴黎成立了「國際博物館協會」（International Council of Museums，簡稱 ICOM），經由其與聯合國教科文組織等緊密連結及國際合作等，因應環境變動因素，國際博物館協會逐次累積的專業經驗與見解，不斷修正對博物館的定義。目前國際對博物館的最新定義，為 2007 年 8 月國際博物館協會在維也納大會所修訂，列在其章程第三條第一款：「**一座以服務社會及其發展為宗旨的常設性非營利機構，對公眾開放，為教育、研究、樂趣等目的，來取得、保存、研究、溝通傳達與展示人類及其環境有形或無形的資產。[3]**」

　　定義的變化承載了不同的文化治理想像與價值。以博物館歷來被設定的角色與功能來看，雖經歷不同歷史階段的演進，但博物館的社會教育與文明教化功能，始終是核心面向，因其直接連結上國家文化資源的配置，並接合上因工業化、現代化，國族國家為提升其國民知識水平，以創造高素質勞動人力進入資本

1　歷史上，記載最早的博物館是西元前 259 年左右，托勒密一世興建一座獻給謬司女神的學院（museum），即埃及的亞歷山卓博物館（Museum of Alexandria），包括一座蒐集各領域藏品的圖書館、天文觀測台，以及其他相關研究與教育的設備，雖然比較接近現今學術研究與教育機構，但這代表了一種對知識的獻祭，對珍貴知識的典藏，雖與現代意義博物館略有出入，但仍具有典藏、展示與研究等面向，一般仍被視為博物館之起源。

2　由政府所設的公共博物館，則為法國羅浮宮的前身，即法國大革命後 1973 年所設的「共和博物館」（le Musee de la Republique）。此博物館一開始就對民眾開放，將社會教育與文化資產保存的雙重意涵帶進這樣一種新機構（郭為藩，2008：124）。

3　資料來源：取材自 ICOM 網站資料，取自 http://icom.museum/definition.html，檢索日期，2010.03.17。雖然在 2019 年的 ICOM 京都大會中，試圖要提出新的博物館定義，但由於討論意見眾多，陳述許多反映時代變遷的見解，但最終並未在文字上提出新的定義。

主義生產體系中的歷史性計畫（historic project）。

「博物館不再侷限於一固定的建築空間內，它變成一種思維方式（way of thinking），一種以全方位、整體性與開放式觀看世界的思維方式」（Harrison, 1994）。這段話描繪出過往將博物館視為華麗莊嚴神聖封閉空間內的物件展示的樣態，轉向訴諸更為內省而基進，思考博物館原初設置為傳遞知識而存在的價值意涵。在一個更趨於民主、追求公民平權、權力下放、去管制化的社會脈絡中，將知識禁錮為不對等權力關係博物館經營主張，肆應社會主體的平權訴求，轉向擁抱在地社群的地方需求。

面臨前述博物館發展趨勢現況，從學術研究角度言，一個日漸觀眾導向（visitor-oriented）的博物館專業，自然逐漸凝聚出以「觀眾經驗」（visitors experience）為研究重心之一。檢視國內針對博物館研究的取徑，黃智琪、許義忠（2009）曾經針對國內 1992-2006 年間，從包含《博物館學季刊》、《科技博物》、《現代美術》、《臺灣美術》、《科學教育學刊》、《戶外遊憩研究》等期刊專業文獻，以質性分析的方式，剖析臺灣博物館觀眾研究的發展現況，經由研究者檢視，這段期間總計有 73 篇與博物館觀眾有關的論文，大致可以歸類出五種研究主題類型，分別是：（一）博物館展示規劃成效評估。（二）服務品質與滿意度。（三）觀眾眾生相與市場區隔。（四）教育學習成果與評估。（五）其他。簡要概述其研究結果，在研究數量上，1992 至 1996 年有 8 篇論文（10%），第二及第三個五年數量相當，增加四倍達到 32-33 篇（各佔 45%），顯示博物館觀眾研究有明顯增加的趨勢。發表管道以《科技博物》及《博物館學季刊》為大宗，共 66 篇，佔了九成。前者十年間發表 38 篇（52%），在觀眾研究數量上超越後者十五年 28 篇（38%）的數量發展趨勢。研究方法以量化研究居多（86%），近十年來質化或質量混合研究仍為少數。至於觀眾的範疇，即其研究對象幾乎是以一般民眾為主（89%），只有極少數針對家庭、兒童或非觀眾群進行研究。研究場域幾乎全部都以公立博物館為對象（98%）。研究者提出的研究結論與建議為：（一）博物館觀眾研究的質量有待加強。（二）在資料蒐集、研究對象與場域等方法亦有改善空間。建議後續研究應該（一）認清觀眾研究的跨領域性質，建立觀眾研究概念圖，以強化研究內涵與品質，奠立並厚植觀眾研究的基礎。（二）觀眾研究的方向、題材與對象應朝多樣化發展（黃智琪、許義忠，2009）。

　　這份研究資料不僅呈現國內博物館觀眾研究的樣態，也反映出當前對博物館觀眾掌握有限之現況，突顯出觀眾研究缺乏長期性與系統性的問題，以及尚未發展出相關論述與主張，可能容易陷入見樹不見林的困境，難以正面提升博物館的整體營運（王啟祥，2005：35）。另一方面，再以目前進行博物館觀眾研究的對象來觀察，除了前述黃智琪、許義忠的研究指出，臺灣博物館觀眾研究對象多以家庭與兒童觀眾範疇為主。比對於碩博士論文的研究主題，針對觀眾研究部分，也幾乎一面倒地以家庭觀眾、中小學生觀眾為主。亦即，此設定的觀眾對象群體意涵了對於博物館服務對象的理解與想像，多停留在以博物館作為親子家庭教育、中小學學校教育之延伸等層面，而尚未能發展出更為多元的博物館功能探索。

　　針對前述現象的掌握，本章試圖以大學生作為博物館觀眾研究對象。考量因素有三。第一，以大學生觀眾群進行研究，作為拓展國內博物館研究範疇的初步嘗試。其次，回應於中小學生，不論是學校教育與家庭親子教育，運用博物館進行學習現場的延伸，多屬於被引導的狀態；而相對已經較為成熟的大學生，多可獨立從事博物館活動，針對此現象，從博物館教育與休閒娛樂等功能角度言，是否可從觀眾經驗中開展出不同的意涵？第三，經驗上來看，博物館的行銷角度來說，大學生可能是最難以觸及、同時也是自主性最強的觀眾群體，從大學生博物館經驗切入，是否能在觀眾行銷層面提供新的刺激？

二、從博物館觀眾到博物館經驗的評估

（一）從「觀眾研究」（visitors' studies）到「博物館經驗」（museum experience）

　　當「觀眾研究」逐漸成為博物館專業領域的論述重心，英國博物館學者胡珀-葛林希爾與穆索里（Hopper-Greenhill and Moussouri）曾整理過英美世界博物館觀眾研究文獻發展，提出未來研究發展的建議，包括：應考量不同博物館特性，將不同類型博物館環境納入考量；呈現博物館學習的多元過程，及其與正規非正規學習機構的異同之處；探討博物館參觀之短期與長期的學習成果；探討與

分析博物館學習在社會生活中的角色；分辨諸如學生團體、家庭、幼童、少數族群、年長者等各種不同觀眾學習過程與結果的差異；可設計運用綜合性研究方法與工具的相關研究，在不同類別博物館執行；發展適合博物館之多樣且複雜之學習現象的研究方法論；以不同領域專家之科際整合，進行不同類別博物館合作研究計畫，並運用不同學科領域之相關研究（Hopper-Greenhill and Moussouri, 2002）。胡珀 - 葛林希爾等人的提醒，指陳出觀眾研究持續進展三個面向的課題：首先是觀眾的多元異質性，這意味著博物館服務也必須考量差異性；其次，面臨「學習」內涵與本質的改變，對博物館永續發展的挑戰；最後，則是攸關綜合學科跨領域的援用與對話，以期在理論層面的深化發展。

另一位博物館學研究者借用大眾傳播理論，對過去五十年來的博物館觀眾研究，提出理論的辯證（Stylianou-Lambert, 2010）。援引孔恩（Thomas Kuhn, 1962）範型移轉（paradigm shift）的概念，在她的論述框架中，將過去五十年來的博物館觀眾研究，區分成「行為學派典範」（the behavioral paradigm）、「吸納／抵抗典範」（the incorporation / resistance paradigm）、「視覺／展演典範」（the spectacle / performance paradigm）三個階段，既代表研究取向與理論進展，也寓含觀眾行為屬性的變化。

例如 1950-60 年代，行為學派理論當道之際，以單一向度的刺激反應理論解釋博物館觀眾對於在博物館內所接收的訊息及回應；在社會科學研究者眼中，觀眾彷彿如同白老鼠一般（rat-like visitor），關注與研究觀眾如何被動而單向地，接收來自博物館內的他所被設定可以認知的資訊（preferred message），而一旦觀眾未能接收來自博物館展示所欲傳遞的資訊，則這個展覽會被認定為「失敗的」。

自從英國文化研究學者霍爾（Stuart Hall）提出「編碼／解碼」（encoding / decoding）的論述架構後，傳播理論意識到觀眾主體能動性，及其對於接收資訊的篩選與解讀能力。亦即，是否真的可以如博物館方或傳播者所想像的，設定觀眾所能接收的資訊意涵？也帶動博物館重新思索，其貼近觀眾的方法、模式，及資訊傳遞過程。因此，在博物館研究中，不僅開始關注觀眾，亦著力於設定不同觀眾群體及其差異，例如家庭、觀光客、年長者、殘障者，甚至開始關心為何那些不進博物館的人，即所謂的「非觀眾」群體。

然而，吸納與抗拒典範無法解釋許多積極主動參與的觀眾行為，從葛蘭西（Antonio Gramsci, 1971）的霸權（hegemony）理論，視覺與展演典範出現的基礎是日常生活的認同形構（identity formation in everyday life）。自戀的自我，加上外觀與風格日益受重視，使人們更敏於面對視覺符號與資訊，且悠遊其中，藉由視覺符號等象徵性力量來展現自身的認同（perform their identity）。主動積極參與的觀眾成為博物館討論的重點，觀眾高度主體化差異展現的現象構成擴散式觀眾（diffused audience）概念的產生，而博物館扮演資訊傳播者、觀眾是接收者的這個二元對立模式的界線也完全鬆動。主動觀眾與認同建構的課題，開始在博物館研究文獻中浮現。在後現代主義多元異質且強調個別主體性的理論氛圍中，學習理論在這段時間亦出現變化，開始主張學習者乃是為自身建構知識與意義，回應這些變化趨勢，博物館一方面必須提出多樣化的學習方案，也轉而積極經營更高度互動、強調參與與樂趣的展示與教育活動，以期吸引具高度自我意識主張的觀眾。更有甚者，越來越多博物館轉而擁抱參與式的展示活動，以凸顯個別的參觀經驗勝於教育目的。博物館成為一個開放的作品（an open work）（Stylianou-Lambert, 2010: 131-137），交由觀眾自發地來描繪、填充與感知其意義。

作者精彩的理論分析不僅回顧過去的研究發展脈絡，亦提出了博物館權力關係、觀眾的主動性與博物館的責任三個面向，作為期勉後續研究發展的建議，某個程度呼應了博物館雖作為教育機構，但應敏察於兩端在資訊與教育權力的不對等狀態，而持續地將學習與詮釋權回歸觀眾本身，貫徹以人為主體的博物館思考狀態，因此，以博物館經驗切入個別主體的研究取徑自然成為不可避免的趨勢。

提出「博物館經驗」的分析視野論證了前述博物館轉向以人為主、強調觀眾導向的專業發展趨勢。所謂的「經驗」的研究取向一方面凸顯個別觀眾的參觀角度與過程，也涉及其使用博物館歷程中，交織複雜的情感、認知、知覺、體驗與社交活動。回歸本質個體經驗的探詢，讓研究焦點落在個別主體，強化博物館教育層面的功能與價值，而非既往以文物保存為重心的經營管理模式。特別是博物館本即為一個以經驗為核心（experience-centered）的場所，提供了在情感上與認知上的刺激，以及服務體驗消費所在（Chan, 2009: 175）。以「博物館經驗」提問的研究思考，有利於針對不同類型的博物館服務之間橫向比

較，因服務與教育功能乃博物館核心業務，避免因博物館類型的差異，限制了經驗交流與對話的機會。

但應如何定義博物館經驗？在博卡瑞克等人（Pekarik, et al., 1999）的研究中，試圖透過檢視重要的博物館經驗文獻來界定博物館經驗。安妮絲（Annis, 1974）提出了在博物館內，三個層次的象徵性參與。分別是夢想的（dream space）、實際的（pragmatic space）與認知的空間（cognitive space）。夢想空間是觀眾和物件間，在半理性與情感層面交流的場域；實際空間則指稱實質現身活動的場域；認知空間則是回應理性思考與博物館設定秩序的場域。葛拉邦（Graburn, 1977）則從人類基本需求層面，在安妮絲的架構基礎上提出另外三個層次的經驗：崇敬的經驗（reverential space）、聯想的空間（associational space）與教育。孔爾（Korn, 1992）主張，除了教育功能之外，應該積極拓展更廣泛的博物館經驗。卡普蘭等人（Kaplan, et al., 1993）則鼓勵將博物館經營成讓觀眾可以充分舒展身心、補充能量的「復原環境」（restorative environment）。

為同時呈現博物館經驗之共同要素，及其獨特的複雜性，與每位博物館參觀者的異同，佛克與迪爾金（John F. Falk and Lynn D. Dierking, 1992）[4] 提出一組互動經驗模式的架構，以期有效詮釋關於博物館觀眾的資訊，並引入心理學、人類學與社會學方面的知識，促進觀眾研究的深化。這兩位作者提出的互動經驗模式架構乃是假設因博物館類型與參觀者的多元性，要瞭解參觀者為何到博物館、在館內做些什麼、以及參觀後留下些什麼等等問題，從觀眾角度來進行理解時，以個人（personal context）、社會（social context）與實質環境脈絡（physical context）[5] 三個不同向度切入，個人脈絡探討觀眾的興趣、動機與關心的主題。社會脈絡探討觀眾的同伴；實質環境則指涉博物館本身，這三個向度有助於從一個整體、及不同層面經驗交織辯證角度來掌握觀眾行為。

4　該書於 2013 年再版，2016 年再版二刷，原作者群將五類的博物館觀眾，再擴增兩類。探索者、設施利用者、專業／嗜好者、經驗找尋者這四類不變，第五類變為「充電者」（rechargers），這五類是較為常見的觀眾類型屬性。另外兩類凸顯出博物館近年來的變化，特別是收關了特定國族、種族與族裔等不同群體。新增加「令人敬佩的朝聖者」（respectful pilgrims）與「尋找同類」（affinity seekers）這兩類（Falk and Dierking, 2013/2016: 47-9）。但本章進行研究時，僅有五類參訪者，故在此僅能沿用舊版分類範疇與概念。

5　國內翻譯將 physical context 譯為「環境脈絡」，但中文字義中，「環境」可指涉實質與非實質層次，此處主要係指博物館內部的實質環境，故本文作者在此將其翻譯為「實質環境脈絡」。

佛克及其研究同道在 1992 年出版《博物館經驗》一書後，逐步將觀眾經驗研究重點引入觀眾「認同」的討論。佛克主張，觀眾進博物館前有其對博物館活動的預期，並會在參觀後，回溯自身在博物館內參觀的經驗，一方面強化自身認同、達到的自我實現與滿足其預期，這些認同建構的過程也意涵觀眾如何概念化博物館的角色。佛克透過大量觀眾訪談，歸納出五種類型的博物館觀眾。這五類範疇分別是：

1. **探索者（explorers）**：觀眾因為對博物館內容的好奇心所驅使，預期在博物館裡找到得以滿足其學習的東西。

2. **設施利用者（facilitator）**：觀眾是被社會所驅動，到博物館是為了使用其提供的相關設施資源，他們主要關心同伴的經驗與學習。

3. **專業／嗜好者（professional / hobbyists）**：觀眾覺得博物館內容與其專業或偏好是緊密相關的，他們對博物館的預期完全來自想要從特定的、與內容相關的物件來獲得滿足。

4. **經驗找尋者（experience seekers）**：觀眾拜訪博物館的動機來自於認為博物館是個重要的特定地點。他們的滿足直接來自於曾經到訪過博物館、曾經做過這件事情。

5. **心靈朝聖者（spiritual pilgrims）**：觀眾尋求有個內省的、心靈與修復的經驗。博物館成為日常勞碌工作的避風港，或強化其自身的宗教信仰（Falk, 2008: 30）。

（二）博物館服務體驗消費場所：從經驗的定義到評估方式

對觀眾研究的重視，使「博物館經驗」逐漸被視為博物館的產物（product）與成果（outcome），博物館是個消費服務與體驗的場所。既然觀眾的博物館經驗成為研究關注焦點，那麼，應該如何來評估其「經驗」？除了博物館學領域思考觀眾參觀經驗外，觀光研究對於遊客經驗的探討，以及行銷領域近年所浮現的「體驗經濟」概念，及其相應的評估方式可作為本章之論述參考。

1. 行銷領域的經驗與服務品質評估

自從 1999 年派恩與吉爾摩（Pine and Gilmore, 1999）提出「體驗經濟」（experience economy），已經成為探討當前經濟發展趨勢不可忽略的概念。這兩位行銷管理專家定義「體驗經濟」為：「當購買一種服務時，顧客是購買一組按照自己要求所實施的非物質形態活動。但若購買的是體驗時，他是花時間享受企業所提供、一系列值得記憶的事件。」（Pine and Gilmore, 1999: 11）

對一個進入博物館的觀眾或遊客而言，其博物館經驗無處不在。舉凡從門口買票排隊所需時間、入口是否容易辨識好找、大眾運輸是否容易抵達、博物館內部的空調、光線、指示牌是否清晰可辨、服務人員的態度是否友善、內部展示動線與解說導覽是否容易指認等等。引用體驗經濟或行銷學概念對顧客滿意度與經驗的評估，乃是建立在將博物館視為服務與經驗產出所在，以服務品質（service quality）的架構來進行理解與評價。

不同學者對服務品質的定義各異，但核心的共識在於，服務品質的界定需由顧客的需求產生。一個有品質的服務意涵滿足顧客預期。好品質的產品與服務乃是企業成功的關鍵，也是構成企業與組織行銷策略之基礎。顧客體驗的滿足與品質密不可分，通常一個好的品質服務可以提供顧客滿足的體驗，這使得顧客滿意度經常成為評估品質的判準。然而，由於個別顧客的預期價值有所差異，難以從不同顧客身上，測得單一組織之產出與服務品質的水平。對博物館來說，由於博物館經營日益強調以觀眾為服務核心，許多博物館參觀者已無法滿足於僅是靜態的展示物件的觀看經驗，為了讓觀眾能夠獲得良好的服務品質與博物館經驗，有效地處理觀眾的預期，以維持其與服務品質間的平衡變得日形重要（Rowley, 1999: 303）。此強調從觀眾自身的預期與認同切入以進行服務品質評估的思考模式，可聯繫上前述佛克提出的五種由認同所衍生出的博物館觀眾類型，其自我認同不同，對參觀博物館的預期各異。

另一個重要趨勢是，除了因為財政因素促使博物館必須積極進行自我行銷，以吸引觀眾進入博物館，原本以研究、典藏、展示、教育為目標的博物館功能，面臨休閒與消費社會在休閒娛樂層面的需求，以及過度商業或娛樂

導向的展示教育活動，面臨保存文物之嚴肅功能間的緊張關係（Corner and Harvey, 1991，轉引自 Rowley, 1999），除了擁有大量珍貴典藏的博物館仍能以其傲人的典藏品，策劃豐富的展覽與教育活動外，越來越多新興的博物館致力於應用現代科技與展示手法，加上鼓勵觀眾參與式的設計，以寓教於樂的方式來吸引觀眾，同時達到教育與休閒的博物館功能。由此脈絡言，博物館與休閒娛樂間的聯繫更被強化，也引致本章企圖從觀光研究思索觀眾研究與經驗評價的根本假設。

　　針對如何評估博物館的服務品質，在此依據管理學者整理出十項檢視的指標作為參考架構（Rowley, 1999），這十項指標分別是：

(1) **服務傳遞速度：**指包含觀眾接觸博物館時所能感受到提供一切服務的速度，舉凡進場購票、電話詢問、網站資訊或在館內尋求任何協助是否能夠獲得即時性服務。

(2) **便利性：**此強調博物館的可及性，如所在區位、開放時間等是否足以滿足觀眾需求服務的諸多事項。

(3) **人口年齡結構：**博物館所服務之地區人口年齡結構足以影響其所提供之服務內容。亦即，是否能從人口結構資料調整提升服務內涵，並動態進行調整。

(4) **選擇：**對顧客來說，提供多樣性選擇是服務品質的關鍵要項。博物館不須擔心創造多樣性選擇會危及其他服務。相反地，由於博物館也日益成為資訊與休閒娛樂的提供者，從行銷角度言，此娛樂功能如何有別於其他選擇？

(5) **生活風格：**顧客的生活風格對於評估博物館服務也很重要，例如通常他們如何進行何種休閒活動？餘暇時間是否充足？他們的選項優先為何等等。

(6) **折扣：**價格上的折讓為行銷常見手法，博物館服務的價格通常較難變動，但隨著市場競爭激烈，博物館應對於價格等問題更為敏銳。

(7) **附加價值：**附加價值係以原初服務來定義，博物館如何為原本的展示與教育進行加值服務？或是特別能夠提供給學生等特定族群？

(8) **顧客服務**：顧客服務主要關注觀眾與館員關係，館員需要愉悅且積極提供協助，更重要的是要被充分授權以協助觀眾處理相關服務。

(9) **科技**：善用科技已是不可逆的趨勢，如何應用與發展多媒體技術的潛力以同時提供資訊、娛樂與益處。

(10) **品質**：所謂品質在於滿足觀眾預期，但不同觀眾預期經驗值的差異須找到平衡點。

2. 觀光研究領域的經驗與價值評估層級

相較於行銷管理領域對顧客服務品質滿意評估討論大量建基在顧客預期層次，觀光領域研究的經驗則指涉「遊客面對服務時，其主觀所感受到的心智狀態」。但通常將觀光經驗均視為是獲益的（beneficial experience）、正面的經驗，至於如何獲益、或得到何種滿足與成長，是由旅客詮釋其自身價值來獲知（McIntosh, 1999）。考量觀光遊憩行為本身的特殊性，使遊客「經驗」多屬獲益且正面的感覺狀態，較難測量其經驗感受的差異與層級。因此，有學者依據遊憩需求的層級模式，以休閒活動、情境環境、體驗與獲益的四個層級，建構出所謂以獲益為基礎的管理模式（benefits-based management, BBM）的評估架構。此架構乃建立在社會認知理論上，以理解人們在不同的環境情境中如何思考與學習。而要能夠理解觀眾是否從其觀光或博物館參觀活動中獲益，其自身是否為有益的（mindful）或無心的（mindless）觀眾，代表兩種截然不同的心理認知狀態（Chan, 2009: 178）。

學者莫絲卡朵（Gianni Moscardo）提出「有心」與「無心」兩者觀眾心智狀態的區分，前者通常指涉有較高的知識水平與學習動機，感受力較強，而能欣賞與感受其所參觀或經歷的場景，也對自身行為有較高的控制與詮釋能力。至於後者，則強調其參訪或觀光行為，較重視社交與休閒面向，而非其內容，因此也可能對於博物館展示教育內容的認知較少（Moscardo, 1996）。

以觀光研究區分出遊客心智狀態差異，引發其經驗層次主觀感知與獲益感受的不同，一方面說明，並非所有博物館經驗均為純教育與學習導向，也可能凸顯其社會與休閒娛樂價值；其次，則是突顯以觀眾主觀狀態來建構其

207

正面獲益之博物館經驗的可能性。本章藉此區分來思考大學生博物館經驗，在其主觀參訪博物館與否心智狀態之相關性。

3. 博物館領域觀眾經驗的類型與評估

以觀光領域試圖在顧客主觀心理狀態區分出有心的、無意的兩種層級，以詮釋在觀光經驗中其所獲致經驗及感受的強度，相較來看，前述佛克試圖從「認同」取徑界定出來的五種觀眾類型光譜，從方法論的角度言，可能出現偏誤的是，其分類架構假設了所有的參觀者均具有明確而理性的自我認知能力，並且將博物館經驗均視為完全正面的價值，未能從其認同角度，指陳出其博物館經驗可能顯現的負面狀態。然而，檢視其五種觀眾分類的光譜，對於深化博物館觀眾研究、特別是針對不同的次群體，例如本章關注的大學生群體，則仍有其可持續發展的空間。不論是有助於從質化、立基理論（Grounded theory）來建構臺灣大學生的博物館認同模式，或可循著此架構，深入探究各個觀眾類型所關注的博物館經驗的側面。因此，本章仍希望能借用此觀眾類型模式，作為受訪者經驗分析的參考架構，以其建構出臺灣大學生的經驗樣態。

三、整合觀眾服務與經驗評估的博物館觀眾研究

綜合前述經驗現象、專業領域知識歷史發展、以及跨越行銷、觀光、認知心理、社會行為等不同領域，本章研究目的在於，從博物館文化消費與服務經驗角度切入，以大學生群體作為研究對象，藉由深度訪談方式掌握其博物館經驗，以建構臺灣大學生博物館觀眾樣態，拓展國內博物館觀眾研究範疇，作為博物館服務與經營參考，以及日後持續發展博物館觀眾對服務品質感受評估探討模式，朝向體驗經濟進展。

在分析架構上，試圖就三個不同層面提出分析，首先，借用佛克以認同視角所建構的觀眾類型作為探討依據，試圖從受訪者經驗中，架構出臺灣大學生的觀眾類型趨勢現況；其次，持續以顧客主觀感受與認知經驗為基礎，以觀光經驗研究的獲益基礎管理模式，以有心與無心的觀眾心智狀態的差異與比較，

探討臺灣大學生博物館觀眾從參觀經驗中，所獲得的正面感受與學習經驗。最後，則是援引行銷管理模型對於品質服務的探討，同樣以觀眾的感受經驗為論述基礎，觀察其對於博物館服務品質層面上的經驗與感受詮釋。

本研究以深度訪談方式為之。針對大學生採取立意抽樣加上滾雪球的方式來選取訪談對象。考量樣本之多樣性，故僅限定為大學生身分，其餘包括就學地點、出生與居住地、年齡、科系、就讀學校、性別等人口屬性，均盡量選取不同背景者，以試圖可以取得更為多樣的經驗來源。至於訪談進行方式，以訪談大綱為基礎來進行訪談。因本研究關切大學生的博物館經驗，故針對受訪者提及其較為豐富的經驗面向，則會針對該主題繼續深入討論。訪談時間為 2011 年 8 月至 10 月。總計訪談人數為 23 人，其中男生 13 人，女生 10 人。受訪者基本資料詳見表 7-1。

表 7-1 受訪者基本資料表				
編號[6]	性別[7]	年齡	科系[8]	年級[9]
1	女	21	西班牙語	四
2	女	21	應用外語	二
3	女	21	教育	四
4	女	22	行銷管理	二
5	女	21	英語	畢業
6	女	19	化妝品應用管理	二
7	女	22	新聞	四
8	女	21	建築及都市設計	二
9	女	22	社工	三
10	女	20	視覺傳達	二
11	男	19	應用外語	二
12	男	19	航太	二
13	男	22	房地系	畢業
14	男	18	工程科學	一
15	男	21	商業設計	四
16	男	22	電子工程	四
17	男	22	數位動畫設計	畢業
18	男	24	統計	四
19	男	22	會計	三
20	男	22	電子工程	四
21	男	21	護理	二
22	男	23	護理	三
23	男	21	社會學	四

資料來源：本研究整理。

6　資料編排序並無特定意涵，為便利資料整理，依照性別區分兩區。

7　性別分布比例並非刻意選取，而是立意抽樣加上滾雪球法逐步發展後的比例。

8　考量避免因為就讀學校的分數排名等既有刻版印象，可能影響對該學生個別經驗的分析解讀，故僅以就讀科系列入討論。

9　因訪談時間跨越暑假，部分學生剛畢業，為統一資料呈現形式，以 100 學年度第 1 學期為基準。

四、研究結果與討論

（一）認同與博物館觀眾經驗

1. 研究發現與討論

  針對受訪者描述自身的博物館經驗，本研究以佛克等提出的五個類型加以區分，所得到的結果呈現如下表 7-2。

  整體來說，臺灣大學生的博物館經驗類型，以「設施利用者」最多，占了 43.48%；其次為「經驗找尋者」，為 34.78%。第三為「探索者」，佔了 17.39%。專業／嗜好者僅有一位，占了 4.35%。但缺乏所謂的心靈朝聖者。

  缺乏朝聖者可能的解釋是，在大學生求學階段，生命經驗應屬較側重於探索與學習，對世界充滿探索的意圖，對於所謂內省的、宗教或心靈上的依託、或是視為日常疲累生活的調劑與充電，似乎比較屬於社會人士的生活經驗，或者說，藉由拜訪博物館獲得喘息，也並非一般大學生的減壓模式。

  以性別分布比例來看，男性以「設施利用者」最高，占了 46%，將近一半。但「經驗找尋者」和「探索者」則呈現同樣的數量，均為 23%。女生則以「經驗找尋者」最多，占了一半的比例。「設施利用者」次之，佔了 40%，探索者則只有一位。雖然目前缺乏對於臺灣博物館觀眾性別分布的研究，但在一般的博物館觀眾調查中，呈現出來的性別樣態為，女性觀眾佔了約七成。通常的解釋，往往主張女性觀眾較為涉入博物館的活動，顯示女性較男性更熱衷於學習等等，但似乎並未提出更為清晰的討論。例如，臺灣博物館觀眾群中，家庭親子族群為多數，那麼，女性比例偏高是否與女性從事親子教育有關？再以佛克等提出的認同觀眾架構來說，女性觀眾較多，是為了追求知識與學習，抑或因為女性較重視與朋友之間共同的社交休閒活動，故前往博物館是某種女性共同的交誼活動而非全然地以知識導向探索為主？這些數字所意涵的現象背後，提示了臺灣大學生男女兩性所呈現出來博物館經驗的差異，值得後續探討。

表 7-2　　大學生博物館經驗分布類型表						
性別比	男性	百分比	女性	百分比	小計	百分比
經驗找尋者	3	23%	5	50%	8	34.78%
設施利用者	6	46%	4	40%	10	43.48%
探索者	3	23%	1	10%	4	17.39%
專業／嗜好者	1	8%	0	0	1	4.35%
心靈朝聖者	0	0	0	0	0	0
	13	100%	10	100%	23	100%

資料來源：本研究製作。

2. 初步結論與建議

(1) 臺灣大學生的博物館經驗

　　針對佛克等從認同所發展出來博物館觀眾的五個類型，經由受訪者的經驗資料來分析，以歸結出幾項臺灣大學生的特性。

　　首先，第五種類型的觀眾幾乎不存在，在探討大學生經驗時，似乎可以考慮將這個類型的觀眾刪去。但若以博物館經營角度，以及佛克等強調的「認同」主題來看，如何提升博物館觀眾主體意識，並以此設計引導觀眾進博物館，則未來應可考慮針對大學生群體，加強在生命體驗或宗教神聖性方面的活動與教育內容。

　　其次，在「經驗找尋者」這個類型中，強調在博物館環境中所能取得較為全面性（gestalt of the day）的感官經驗，特別是博物館是否提供了新鮮有趣的活動，增進其休閒的滿足感，但對於臺灣學生來說，似乎較少將博物館認知為一個「好玩有趣的地方」，仍多是以體驗及學習為多，這樣的結論一方面呈現學習與教育意念對在學學生來說仍是重要課題外，顯示臺灣博物館經營未來的方向，應著重調整經營方向，提供有趣好玩的誘因，成為足以吸引大學生的休閒與學習場所。

　　第三，在臺灣的大學生博物館觀眾屬性，以「探索者」為多，「專業／嗜好者」尚難界定其存在，但應有在探索者與專業者之間的流動與變化，意即，針對特定專業科系學生，例如視覺傳達、建築、設計等科系

的學生，多參觀博物館中藝術與設計的展覽，或者如受訪者資料顯示，護理系的學生對於人體或醫學方面的展覽較感興趣，本即能夠補充其所學專長領域，作為日後累積其專業的基礎。特別是在大學學生階段，或也難以稱得上屬於專業／嗜好者的身分。另一方面，再從博物館服務與經營角度解釋這個現象，臺灣博物館觀眾基本上仍將博物館視為教育學習場所，是學生族群可以補充、強化、增益其專業知識的地方。但某個程度來說，這也凸顯出臺灣的博物館經營在專業性研究課題的累積上，還有應持續加強的需要，不限於只是在博雅教育、提升社會大眾文化水平層面上努力，應朝向專業化博物館的專業領域發展。

第四，「設施利用者」原本概念欲凸顯博物館觀眾認知上的社交與群體性，可適用於大學生博物館經驗的群體性現象，大多數學生，除非是學校課程活動帶領前往，若屬於自發性的經驗，多以與家人和朋友前往為主，但此似乎也反映出，以博物館作為群體社交場所的意涵，若從博物館經營角度來說，提供可作為大學生群體活動，以同時融合休閒、知識與社交內涵的教育方案，或者從博物館環境設施著手，增加群體互動空間場域，應該也是吸引大學生進博物館的有力誘因。

(2) 五個類型可視為連續性光譜

佛克等提出博物館觀眾的五個類型時，並未特別著力於探討這五類之間的關聯性。然而，從本章受訪者的經驗來看，很多經驗似乎難以完全切割成為邊界清晰的分類方式，相反地，似乎可以將其視為是博物館觀眾經驗的一個連續性的光譜，及其對於博物館參與強度與認同程度的表徵。

舉例來說，如前所述，「探索者」到「專業者」之間，本即為一個連續性的過程。同時，「探索者」與「經驗找尋者」兩者的差異似乎難有明確界定。若意圖從字面上意涵區分，前者似是強調對未知事物的探索意圖與感知，自我認同為知識的積極探索學習者，後者則是將博物館視為一個累積不同人生經驗的場所，知識與學習性意涵較低，社交性意涵較高，並關切在博物館裡的活動是否有趣，自我認同的身分在於追求愉悅經驗。如此一來，則其與「設施利用者」之間的差異顯得又縮小了，因「設施利用者」在博物館經驗中的學習預期也較為薄弱，其關心的是周

圍同伴的狀態，以及自身與同伴的關聯性，兩者均凸顯社交休閒面向，以及追求博物館不同功能層面上的滿足。

(3) **以大學生觀眾進行五個類型的修正**

以前述討論為基礎，本研究試圖以受訪者的經驗敘述，提出對於佛克五個分類的修正。修正的想法包括：

a. 刪掉心靈朝聖者這個類型。

b. 將「專業／嗜好者」與「探索者」整合調整為「知識探索者」（explorer），呈顯出大學生以追求知識及學習的探索意圖，是主動的學習行動者，有較高的學習動機與自主性。

c. 「經驗找尋者」調整為「休閒與社交行動者」（leisure and social actor），強調以博物館作為休閒體驗與社交活動場所。選擇博物館活動亦具有高度自主性，但進入博物館的使用經驗與類型，較側重於休閒社交層面，知識與學習性的比重相較沒那麼高。

d. 「設施利用者」調整為「機能性使用者」（functionalist），凸顯博物館觀眾並非完全擁有自主意識地使用博物館，而是經由告知博物館可能的設施與服務，以使用這些機能作為滿足其博物館預期者。

調整後的類型及內涵說明如下表 7-3。

表 7-3　修正後大學生博物館觀眾類型表		
類型名稱	**內涵**	**認同主體性**
「知識探索者」（explorer）	具追求知識及學習的探索意圖，是主動的學習行動者，有較高的學習動機與自主性。	以博物館作為滿足個人學習與知識探索者。
「休閒與社交行動者」（leisure and social actor）	選擇博物館活動亦具有高度自主性，是以博物館作為知性的休閒體驗與社交活動場所。	以博物館來滿足知性體驗及休閒社交活動者。
「機能性使用者」（functionalist）	經由告知博物館的設施與服務，為滿足其特定之博物館預期需求。自主意識較低。	利用博物館設施機能者。

資料來源：本研究製作。

(4) 認同模型面臨之限制

在臺灣大學生所呈現出來的博物館經驗中，由學校老師帶往博物館、或指定作業的模式非常常見，幾乎成為每個學生博物館的共通經驗，若從前述五個類型來界定，似乎並未能找到合適的對應，意即，在佛克等研究架構中所指稱，以認同為出發所設定的博物館觀眾特性，背後隱含的假設是，所有進入博物館的觀眾均為自發性與自我意識的主體，較無法涵蓋自主意識較模糊、或被動的、並未自發地掌握其具體預期的觀眾。

但或許另一方面可以詮釋為，臺灣學生的學習經驗較為被動，即使是由學校教師「規定」、「出作業」的方式才開始運用博物館的學習資源，則其尚未能預先地想像自身對於參觀博物館的期待，或許也可視為日後博物館經營時，與學校教育資源結合所設定的學習方案時，增加學生對於博物館初步認識與想像的方案，藉由增加學生對於博物館可親近性的想像，以提升其參觀前的預期，強化博物館經驗與自我認同。

(5) 對博物館環境設施及經營管理層面的意涵

佛克等以認同為基礎所提出的五種博物館觀眾類型，欲藉由觀眾自發性的理解與詮釋其博物館經驗，來思考如何整合博物館設施、環境與軟體的展示及教育方案，以滿足觀眾的預期。因此，從本章整理出臺灣大學生的博物館經驗，同樣可作為臺灣博物館未來在設施與服務內涵的調整參考。

舉例而言，強化博物館在休閒社交活動面向與空間設施的規劃；增強教育方案內容的活潑有趣，以改變觀眾對博物館屬嚴肅、靜態與神聖不可親近之場所印象；增加專門提供給大學生的教育方案、活動或展示內容設計；以館方角度進行大學生觀眾的深入研究；強化大學生觀眾性別化現象的探討等。

（二）觀眾的心智狀態與博物館經驗

立基於前述歸納的觀眾類型分布，以及觀光研究所指稱「有心的」與「無心

的」觀眾之對比，本章將「專業／嗜好者」、「探索者」與「經驗找尋者」視為前者，「設施利用者」歸屬於後者；亦即，前三者均屬於自主性較高，進入博物館時乃是有意識地要滿足其參觀意圖與預期。至於後者則較屬於被動式的參觀者，自主地參觀意圖與預期較不明確。

1.「設施利用者」的正面經驗與感受

「設施利用者」所提到的博物館正面經驗，主要是強調「親眼所見」真實物件的臨場感，「親身體驗、印象深刻」、「看實體感受更強烈、氛圍不同」、「看到實品、加深印象」等，例如受訪者 2、4、5、6、13、21、22、23 等八位受訪者，均提到這樣的看法。

其次則是與家人或朋友共同前往的愉悅感。由於「設施利用者」較關注與家人朋友共同參訪的經驗，參訪過程的知識學習反倒其次，有趣的現象是，在十位「設施利用者」中，高達九成都表示，曾經因為媒體大力宣傳、或因為身邊的同學朋友去看過，為了有共同話題，而被吸引進博物館，具體指陳出來的包含前一陣子在華山藝文特區舉辦的「一克拉的夢想」展，以及科博館。但這九位受訪者也提到，若是因為這樣的因素而進博物館，通常也不太記得自己看了什麼內容，因為主要是為了跟朋友去。

另外，這些受訪者也提到，要吸引大學生進博物館難度很高，當問到他們認為什麼方式可以促進大學生進博物館，主要答案分成三大類，第一類是希望可以跟學校自己科系所學相關，例如受訪者 22 提到，應該跟大學生自己系相關的主題會吸引大學生，受訪者 16 則提到，應該從學校教育就培養大學生進博物館的習慣，才是有效的方法；第二類則是主張應加強媒體宣傳；而第三類，也是最多人提到的，則是希望有所優惠，例如學生優惠方案、舉辦抽獎活動、以及門票優惠等等，這樣的意見與行銷學者主張，降價與折扣本即為行銷上最為簡單而有效的手法，表現在博物館服務上也同樣奏效。而真正關心展覽內容則只有一位，主張如果推出活潑有趣的內容、不要死氣沉沉，才可能吸引大學生進博物館。

臨場真實物件所提供的環境感受與氛圍，是博物館終極的優勢所在，即使這些受訪者未必是具有高度自主意識地前往博物館，但一旦到了現場，仍

是不可避免地被當場的氛圍所召喚，強化其對於展示物件的經驗感受，換言之，如何讓觀眾願意走進博物館，在經營策略上便已經成功了一半。

2.「經驗找尋者」的正面經驗與感受

從八位「經驗找尋者」所分享的經驗相當精采，這類受訪者對博物館經驗較有自己的見解與想法，如同學者所稱的「有心者」（mindful visitor），當請他們比較這些年來，他們感受到臺灣的博物館是否有什麼變化與新發展趨勢，共有七位均提到自己的觀察，或是自己在博物館經驗上的成長。例如，受訪者 20 提到，雖然未必每檔展覽都讓人印象特別深刻，但欣賞文物所獲得心靈上的享受，會讓人想要再去博物館；而他認為，現在臺灣的博物館漸漸趨向比較多元發展，不再只是展示古物或歷史文物而已。受訪者 8 有類似的看法，他覺得以前展的東西比較像是骨董類，現在的展覽則是比較生活化，並且有多元不同領域的主題，而他自己也特別偏好生活類的展覽主題。受訪者 7 則提到，現在的展覽多了很多強調互動性的展覽作品，例如運用 3D 技術等的展覽，並且讓觀眾可以拍照，親身體驗不同角度所帶來的親切感。

另一方面，幾位受訪者則是強調自己上大學之後，對於參訪博物館的正面成長經驗。例如受訪者 9 提到，隨著年齡的增長，自己對於事物價值的認識也相對提高，因此自身可以感受到，現在觀看展覽時，看法會跟以往不同。受訪者 3 則提到，高互動性的展覽會吸引他，但覺得現在看展的心態跟以前不同，以前可能會因為是學校老師的要求，並非出於自願，但現在會因為自己的興趣，對特定展覽活動有興趣，而喜歡邀約同學好友一同前往。受訪者 19 提到類似的經驗，以前去博物館只是為了應付學校，但長大之後，自己去看展覽就是為了自己的興趣而去，挑選自己有興趣、喜歡的展覽前往。受訪者 1 則提到，現在看展覽時，比較會仔細、認真地去體會其中的美，但以前去看展覽，往往只是走馬看花、湊熱鬧的心態。

這樣的經驗感受一方面論證了中小學校時期的博物館經驗是會一路延伸，足以影響大學階段的狀態，而大學生因為身心人格發展較為成熟、自主性較高，可以跟以往的觀看經驗進行對話，是個自我成長的正面發展過程。

其次，當詢問受訪者對於學校與博物館學習經驗的比較，八位「經驗找尋者」中，有七位都對博物館學習模式提出自己精彩的見解。像是受訪者 7 還自行進行比較，他認為，學校的東西即使沒興趣，還是得要接收，但博物館則可以自行選擇喜歡的知識吸收，例如學校的必修課，號稱必修，但學生未必會有興趣。而博物館的展示實體，的確是要更吸引人的。但另一方面，學校教育有其必要之處，例如學校要提供基礎教育、培養社會生存的基本技能等等，和博物館是很不一樣的。受訪者 11 提到，學校是聽老師講、是一種被動的學習狀態，但在博物館裡，是由自己去瞭解想要看的展覽與內容，學習者的主動性高，相對較有學習的動機與樂趣，而因為博物館的實物展示，會讓學習也比較有真實感。受訪者 8、9 均提到類似可以主動學習的意見。受訪者 8 提到，在博物館裡就可以親身體驗展覽，但學校只是課本上的學習。受訪者 9 指稱，博物館裡的學習比較活化，坐在教室裡只能坐著學習，但博物館裡不僅看的是真實的展物，他認為，自己去理解、找答案會比在學校裡，老師用 PPT 還要有意義，在教室裡都是聽老師的看法，但在博物館裡，可以由學生用自己的方式去理解與解釋。受訪者 9 更進一步強調，博物館應該也可以算得上是一所學校，但目前臺灣的博物館定義太過狹隘，只會規定成是一棟建築物，而博物館應該可以讓教育方面有更廣的發展，可以更生活化而活潑的，讓臺灣的孩子明白過去及未來。受訪者 1 同樣強調，學校教育是填鴨式的，不論喜歡與否都須接受，但展覽的學習是自由的，沒人可以強迫你接受不感興趣的事物，最重要的是，展覽的學習沒有標準答案，不用擔心會出錯。受訪者 19 同樣提到學習的自主性，他指出，學校的學習是一對多，但博物館有很多資料的學習不一定要侷限在特定地方，自己想看的學習意願會更高。如果學校變成像博物館一樣，感覺教學會比較多元化、學生學習意願應該會提高。至於受訪者 20 則特別提到了博物館學習多樣性的特徵。例如各種各異其趣的博物館，會展示各種不一樣的主題，例如海洋博物館、動物園等等這些都是學校看不到的，能夠近距離去感受、真實碰觸，不會只是書本上的講解與個人想像而已。

3. 探索者與專業者的博物館經驗與正面感受

在這兩類的受訪者中，普遍呈現的樣態是，相較於前一類，個人有更為

豐富的博物館參觀經驗，不僅會自發性地尋找自己有興趣的展覽前往，也會針對值得參訪的博物館主動拜訪，以累積其博物館參觀與學習經驗。因此，似乎表現出對博物館有較為自我的見解，並已養成一定的參觀習慣。

例如受訪者 18 提到，基於自己對於古文明的偏好與興趣，會主動前往參訪，並感到獲益良多，例如美索不達米亞文明展覽即是一例。也會在看展覽前，先看相關網頁介紹、瞭解整體展覽的情況。即使現在是網路時代，但到現場享受臨場的氛圍，看到實物和虛擬畫面的感覺完全不同。另一方面，雖然因為打工很忙，但因為就讀的大學裡便有博物館，也會善用課餘時間前往，並提到校內博物館也常有很棒的展覽活動。他認為，臺灣的博物館太過偏於教育為主，而國外的博物館則主題較為多元，有許多是珍奇異物的博物館，典藏許多有趣的文物。他會運用博物館的其他設施，像是買紀念品、跟朋友喝飲料聊天等。受訪者 17 與 18 同屬較為深入的涉入者，他提到，只要放假，有興趣的展覽有空都會去，不僅會事前先行收集網路資訊，也會在看完展覽後，到網站收集其他人的逛館心得，來補充自己沒有發覺到的心情和狀態，在博物館商店不只買紀念品、還會聽演講。他認為，參觀博物館不僅可以陶冶身心、培養興趣，參觀不同類型的展覽、畫展、模型展、服裝設計等等，都能讓人增廣見聞，學習到更多知識、產生不同想法，並且得到創作的靈感。受訪者 15 也是高度的涉入者，一年幾乎會去北美館十次左右。他提到，現在博物館較貼近大眾，以前都較為靜態的，但現在多了許多與民眾互動的展示。他不只看展覽、也會去博物館裡逛書店、買紀念品、聽演講。

相對於大多數受訪者強調博物館學習的多樣與有趣，受訪者 10、14 兩位則反過來主張，博物館與學校應該保持其差異，前者認為，博物館是比較安靜的地方，但學校則是充滿生氣、活潑的地方，因為在博物館只要出現一些嘈雜聲，就可能被行注目禮。但學校是應付考試的地方，博物館增長個人對歷史的知識。後者提到，對他而言，博物館是比較沒有系統性的教育、學到的東西比較概念性，但學校教的東西比較紮實，是比較有系統和深入的知識。由此來看，對他們來說，博物館屬於一個特定的場域，有其場域（field）所需的慣習（habitus），或許是值得繼續深究下去的課題。

　　經由本節的討論大致可以分辨出從設施利用者、經驗找尋者、探索者到專業／嗜好者的大學生觀眾，對於自身博物館經驗的描述與感受強度、深刻程度的差異，亦即，從所謂「有心的觀眾」往「無心的觀眾」之區分，雖然其正面獲益感受強度各異，但對於整理出觀眾經驗與意見，仍是提出許多值得參考，並應更進一步深究的課題與現象。

（三）博物館服務品質檢核：大學生觀眾經驗的角度

　　以行銷管理學研究針對博物館服務品質提出的十項檢核指標架構，由受訪者角度呈現其對博物館服務品質之感受經驗，大致整理如下表 7-4。但因本項檢視以服務內容為主，故略去個別受訪者標示。

表 7-4　　大學生觀眾視角的博物館服務品質經驗		
指標向度	概述	受訪者經驗呈現
服務傳遞速度	觀眾接觸博物館所有服務有關的傳遞速度感受。	1. 太熱門的展覽會因為太過擁擠、排隊太久。 2. 對博物館訊息通常是由網路和新聞得知，基本上是被動得知，大型展覽都會在電視上播出訊息。 3. 會由電視與公車得知博物館的訊息。 4. 臺灣的博物館宣傳沒有讓民眾真的充分瞭解每一次展覽的魅力及真正要表達的內容，民眾就不會有相當高的意願去看了。 5. 博物館的宣傳不夠。
便利性	博物館的可及性。	1. 學校內的博物館有地利之便會吸引人進去。 2. 有舉辦我有興趣，且票價、交通、時間均在可以接受範圍時我才會去。考量展覽主題、價位、交通便利與否。 3. 會去飲食區，雖然對文物安全或其他考量並不恰當，但禁止飲食而沒有休憩的地方，參觀會受影響。
人口年齡結構	服務地區人口年齡結構與提供服務內容之相關性高低。	1. 政府如果補助學生參觀博物館費用那很好，哪個學生不想省錢。一定會提高參觀意願。 2. 票價優惠或贈品的噱頭是可以吸引大學生的。 3. 會邀請朋友一起參觀，讓更多人覺得看展覽是件有趣的事情。 4. 必須要是大學生有高度興趣或與自己往後志向有些許關係才會有意願考慮去參觀。

指標向度	概述	受訪者經驗呈現
選　　擇	博物館是否提供多樣性選擇攸關服務品質。	1.臺灣博物館品質還不錯，但關於外國東西比較少，可以多和國外交流。 2.故宮印象比較深刻，因為很多展覽在那裡展出。 3.印象深刻通常不是常設展，有期限的特展很多都不錯。有時候重複性太高的東西會讓人覺得無聊。普遍常設展都大同小異，缺少明顯特色。 4.當代日本藝術家的作品展很新奇很引人興趣。 5.一定會去逛博物館商店，口渴或肚子餓也會去餐廳用餐。 6.常引進國外展品，卻忽略國內優秀的藝術家。 7.博物館應該可以包括很多種類，目前看起來博物館可能聽到就是一些固定的。 8.有個區塊可以增加定期的活動，增加和大家互動的機會。
生活風格	觀眾生活風格與博物館的關聯性。	1.去博物館是休閒娛樂兼教育性質，是跟朋友同去，若有揪團同行的特殊活動較吸引我。 2.博物館算是休閒娛樂活動，應該做出吸引大學生的展覽才能讓他們進博物館。 3.曾到國外參觀博物館，覺得他們比較不會人擠人而失去參觀的興致。 4.參觀博物館是放假打發時間的好活動。 5.對我而言，博物館是休閒娛樂，因為不會讓我有壓力。 6.會去博物館通常是朋友找去逛，或者在附近順便打發時間。 7.如果博物館商店有咖啡廳會喝杯下午茶。
折　　扣	價格折讓或任何折扣。	1.能不收門票當然很好，但不收門票是否合理應看該館的營運狀況而定。 2.不收門票雖然會增加參觀意願，但策展需要費用，要有品質就需要錢。 3.不管是否收門票都不會增加參觀意願，展覽的價值才會影響參觀人的心情。

表 7-4　大學生觀眾視角的博物館服務品質經驗（續）

表 7-4　大學生觀眾視角的博物館服務品質經驗（續）		
指標向度	概述	受訪者經驗呈現
折　扣	價格折讓或任何折扣。	4.免費入場對學生是有吸引力的。但門票收入對博物館經營很重要，若缺少收入將對博物館收藏物的保存產生影響。 5.臺灣許多大型特展門票超貴，但還好重點是有興趣就會去。 6.不一定要免門票，因為維護需要錢，但希望價錢壓低或公開透明化。 7.買套票送贈品可以吸引大學生。 8.不收門票固然增加參觀意願，但若因此影響參觀品質，我寧可付費參觀。基於使用者付費原則，免門票有點不太公平。 9.博物館裡面吃的賣太貴。
附加價值	博物館如何為原本的展示與教育進行加值服務？	1.臺博館和蘭陽博物館的建築都非常有特色，想再去會是因為建築特色而非展覽。 2.有些博物館服務需要費用，會降低參加意願。 3.與學校合作相關學習活動，藉此宣傳會讓學生有意願去參加。 4.符合大眾的興趣或是附加活動才會讓人想去。 5.喜歡臺博館的建築外觀。
顧客服務	館員需愉悅且積極提供協助，充分授權其協助觀眾處理相關服務。	1.導覽服務太冗長，有時候太過詳盡的敘述讓人沒有耐心專注。 2.臺灣博物館品質參差不齊，工作人員的素質與教育訓練是最需要加強的。 3.故宮導覽專業解說生動，有助於觀眾對展覽加分。 4.如果看不懂展覽可以詢問導覽人員。 5.參觀印象很好的是宜蘭傳藝中心，環境舒適、流量控制得宜。又隨時有人員維護展場秩序。原本不打算參觀常設展，是導覽員勸說才進去，幸好沒有錯過這個有趣的展，他們沒有大型宣傳、只靠服務人員口耳相傳，但裡面內容真的值得一看。 6.售票員臉超臭，很需要改進。

指標向度	概述	受訪者經驗呈現
表 7-4　大學生觀眾視角的博物館服務品質經驗（續）		
科　技	如何應用與發展多媒體技術以同時提供資訊、娛樂與利益。	1.導覽服務比較少用，感覺很麻煩，自由度會下降。 2.不喜歡使用網頁資料輔助，因這類網頁通常並不是做得很完善，介紹太過簡略或太過冗長，自行選擇大小都很重要，連結系統也要讓人一目了然，才不會找不到自己要的資訊。 3.看展前會先上官網大致看一遍，確認自己對該展有興趣。 4.我參觀展覽都會使用個人導覽系統，因為不想走馬看花又不想跟定時團體導覽人擠人，自由性較大。 5.會加入臉書與推特，如清明上河圖、手塚展、花博。
品　質	品質評估以滿足觀眾預期為前提，觀眾預期經驗值的差異須找到平衡點。	1.需要改善的是動線規劃。 2.遊客素質需要改進，許多爸媽帶小孩進去參觀，卻任由小朋友到處奔跑和觸摸博物館物品。 3.媒體大力宣傳有時候只是噱頭，或者公司投入大量資金達到廣告效果，但實際上並不符預期。 4.北美館參觀路線有系統規劃，但硬體設備老舊。 5.臺博館的動線規劃不夠完善。 6.小孩吵鬧影響參觀展覽心情。 7.當代館的動線優。 8.臺灣博物館水準良莠不齊，硬體設備如廁所與展場座椅需改進，展場空間不夠大應控管人數。 9.有些博物館會為了商業利益考量而犧牲掉參觀品質，這點必須改善。 10.臺灣博物館的管理方式比較不當，展覽只要人多場面必定有些混亂，讓人失去欣賞及參觀的感官享受，應該要有人數及參觀環境的規劃，和較為容易理解的展示方式。 11.臺灣博物館的場地問題及人的流量需要管理。 12.需要改善的包含設備與建築，印象中臺灣的展覽場品質不太好，之前在展場工作過，下雨還會漏水，對展品很沒保障。 13.博物館廁所應該多一點。 14.在博物館裡走路很累，因為椅子太少，且動線不良。

資料來源：本研究整理。

本章受訪者描繪出來的博物館服務品質，大概可以得到幾幅圖像情景：

1. 大學生對於臺灣博物館的場地與硬體設施普遍滿意度不高，例如多人提到有時展場人數過多、完全無參觀品質可言，應加以合理管制。動線規劃是否流暢亦為觀眾有強烈感受的。展場座椅、廁所等服務性設施的數量與品質也應加強。

2. 大學生普遍認同免門票、或政府提供大學生補貼，對於大學生是相當有力的誘因，但幾乎也都主張，不收門票是否足以確保原有的品質，以及對於博物館文物的維護，是他們在意的問題，亦即，若免門票卻足以威脅博物館品質，則不值得這麼做。

3. 大學生雖屬網路世代的年輕族群，但並不積極熱衷於利用博物館網路資訊或社交媒體，且少數使用者對於博物館展覽官網的滿意度並不理想。

4. 博物館服務遞送速度、館員服務與博物館的可及性等三項是較少被提及的課題，前兩者或許說明現有博物館服務中，館員角色的積極性不足，至於後者或許可以說明臺灣主要博物館的可及性均不低，對觀眾來說比較不是前往參觀的困擾。

5. 在博物館加值服務部分，以及針對參觀者的生活風格兩項應該是討論最少、最有限的，或許指出了國內博物館在未來服務品質提升亟待改善的部分。

6. 人口地區特色部分討論較少，因與本研究訪談並未設定特定博物館，故難以收集到相關資料。

五、期待持續挖掘大學生博物館經驗

本章試圖整合以認同為基礎的博物館學觀眾研究架構、觀光領域研究之獲益基礎管理（BBM）對遊客特質的分析；以及行銷管理領域對服務品質評估等三個向度的取徑，共同建構出理解大學生博物館經驗的研究方法。

依據佛克（Falk, 2008）擬出的五種博物館觀眾類型，臺灣大學生觀眾類型分布以「設施利用者」最多，占了 43.48%；其次為「經驗找尋者」，為 34.78%；第三為「探索者」，佔了 17.39%；專業／嗜好者占了 4.35%。缺乏所

謂的「心靈朝聖者」。第一種「設施利用者」對博物館學習與教育功能的需求強度最低，再以觀光領域的獲益基礎管理對遊客研究分類來看，為所謂「無心的觀眾」較關切博物館經驗的休閒娛樂面向；其他四類屬於「有心的觀眾」，依其分類類型，可以區分出不同強度對博物館知識學習的需求程度，並以此架構來討論不同主體在博物館經驗中的受益感受。最後本研究建議依據臺灣大學生觀眾現況，將此五個觀眾類型，重新調整為三類，分別為「知識探索者」（explorer）、「休閒與社交行動者」（leisure and social actor）與「機能性使用者」（functionalist）。

本研究雖刻意採取質化研究的深度訪談法，但在選定樣本時，僅考量大學生個別屬性的多樣化，而未做其他控制；同時，本研究意圖建立較為廣泛的博物館經驗收集，故並未在設定特定的博物館，進行其相關服務品質的評估檢核。一方面，未來應可考慮再針對大學生進行更為細部的區分，例如，不同學科背景、公私立大學、家庭背景差異、城鄉差距與性別差異等等因素，應可深化對於大學生博物館觀眾的認識。

此外，本研究原本嘗試進行大學生博物館經驗與理論研究上的對話，特別是針對視覺實踐的課題，瞭解大學生博物館經驗中的視覺感受，而非導向於博物館服務品質評估，但在初步接觸受訪者後，因大多數學生的博物館經驗尚不足以針對特定展覽、展場或展示，進入更為深入的討論，加以臺灣本土博物館觀眾研究尚在持續發展中，也需要大學生這個群體資料的補充與對話，本研究發展過程尚屬初步嘗試，期能拋磚引玉，以提升臺灣博物館領域從基礎到應用與理論之探討。

參考文獻

王啟祥（2000）。〈博物館教育的演進與研究〉，《科技博物》，4(4): 5-19。

李斐瑩（2002）。〈藝術管理：運用觀眾參觀經驗理論提昇博物館服務品質之探討〉，《藝術學報》，71: 17-32。

黃智琪、許義忠（2009）。〈博物館觀眾研究分析──1992~2006〉，《運動與遊憩研究》，3(3): 97-114。

郭為藩（2008）。《全球視野的文化政策》。臺北：心理。

Annis, Sheldon (1974). *The Museum as a Symbolic Experience*. Doctoral dissertation, Chicago, IL: University of Chicago.

Corner, John and Sylvia Harvey (1991). *Enterprise and Heritage: Cross Currents of National Culture*. London: Routledge.

Chan, Jennifer Kim Lian (2009). "The Consumption of Museum Service Experiences: Benefits and Value of Museum Experiences." *Journal of Hospitality Marketing & Management*, 18(2/3):173-196.

Falk, H. John (2008). "Viewing Art Museum Visitors through the Lens of Identity." *Visual Arts Research*, 34(2): 25-34.

Falk, H. John and Lynn D. Dierking (1992). *The Museum Experience*. Washington, DC: Whalesback Books.

Falk, H. John and Lynn D. Dierking (2013/2016). *The Museum Experience Revisited*. London: Routledge.

Goulding, Christina (2000). "The Museum Environment and the Visitor Experience." *European Journal of Marketing*, 34(3/4): 261-278.

Graburn, Nelson H. (1977). "The Museum and the Visitor Experience." In Linda Draper (ed.), *The Visitor and the Museum* (pp. 5-32). Berkeley: The Lowie Museum of Anthropology, University of California at Berkeley.

Gramsci, Antonio (1971). *Selections from the Prison Notebooks*. International Publishers.

Hall, Stuart (2001). "Encoding/decoding." In Meenakshi Gigi Durham and Douglas M. Kellner (eds.), *Media and Cultural Studies: Keyworks* (pp. 166-176). Oxford, England: Blackwell Publishers.

Harrison, Julia (1994). "Ideas of museums in the 1990's." *Journal of Museum Management and Curatorship*, 13(2): 160-176.

Hopper-Greenhill, Eilean and Theano Moussouri (2002). *Researching Learning in Museums and Galleries 1990-1999: A Bibliographic Review*. Leicester: Research Center for Museums and Galleries.

Kaplan, Stephen, Lisa L. Bardwell and Deborah B. Slakter (1993). "The Restorative Experience as a Museum Benefit." *Journal of Museum Education*, 18(3): 15-18.

Korn, Randi (1992). "Redefining the Visitor Experience." *Journal of Museum Education*, 17(3): 17-19.

Kotler, Neil and Kotler, Philip (2000). "Can Museum Be All Things to All People?: Missions, Goals, and Marketing's Role." *Journal of Museum Management and Curatorship*, 18(3): 271-287.

Kuhn, Thomas (1962). *The Structure of Scientific Revolutions.* Chicago: University of Chicago Press.

Loomis, Ross J. (1993). "Planning for the Visitor: The Challenge of Visitor Studies." In S. Bicknell, and G. Farmelo (eds.), *Museum Visitor Studies in the 90's* (pp. 13-23). London: Science Museum.

McIntosh, Alison (1999). "Into the Tourist's Mind: Understanding the Value of the Heritage Experience." *Journal of Travel and Tourism Marketing,* 8(1): 41-64.

Moscardo, Gianni (1996). "Mindful Visitors. Heritage and Tourism." *Annals of Tourism Research*, 23: 376-397.

Pine, B. Joseph and James H. Gilmore (1999). *The Experience Economy: Work is Theatre and Every Business a Stage*. Boston: Harvard Business School Press.

Pekarik, Andrew J., Zahava D. Doering, and David A. Karns (1999). "Exploring Satisfying Experiences in Museums." *Curator*, 42(2): 152-73.

Rowley, Jennifer (1999). "Measuring Total Customer Experience in Museums." *International Journal of Contemporary Hospitality Management*, 11(6): 303-308.

Stylianou-Lambert, Theopisti (2010). "Re-conceptualizing Museum Audiences: Power, Activity, Responsibility." *Visitor Studies*, 13(2): 130-144.

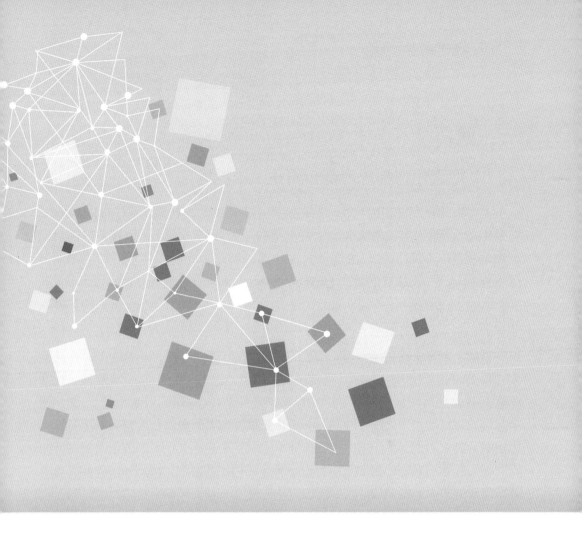

chapter
8

博物館建築、城市空間經驗
與市民生活想像

知識展示重構：博物館建築空間與觀眾經驗
Reconstructing Knowledge and Exhibition: Museum Architecture, Space and Audience experience

一、前言

（一）從文化古都思考都市再生？

　　城市是一個不間斷的過程。當前我們所面臨的「現代城市」（modern city）乃是 18 世紀開始出現於歐洲，並逐步地向全球蔓延，迄今仍是許多地區持續發展的樣態。然而，另一個值得關注的課題則是，即使在各地的命名不同，但不可諱言地，「都市再生」（urban regeneration, revitalization, urban renewal or renaissance）仍是全球各個國家政府持續介入的重要場域（Leary and McCarthy, 2013: 1）。

　　英國工業城市從破產到尋求重生的經驗開始，歐洲重要城市再生的時程起點大約為 1980 年代後漸次展開。而這股都市再生的趨勢，約莫從 2000 年後，逐漸在臺灣各大都市同樣上演著。特別是當創意經濟（creative economy）思維伴隨全球化效應持續作用之際，亞洲各城市也正積極地聯繫著文化能量，善用各種文化相關活動來形塑其都市再生。在最簡單的層次來說，文化可以強化一個城市的認同，並且對於衰退的舊城市中心的經濟發展與地方打造（place-making），可以創造出新的敘事。而幾個經常採用的方法包括了：建造具標誌性的巨大結構，將頹圮的工業區轉型為文創區域、從文化遺產挖掘新的主題、或是舉辦文化節慶活動，運用過往歷史之文化資源來發展觀光（Yuen, 2013: 127）。

　　循此，「文化」成為討論城市時無法忽略的關鍵概念。文化為當前資本競逐、國家發展，與城市／區域再生的關鍵詞。對文化的界定不論是精緻藝文、生活方式、流行時尚、品味教養、歷史記憶或多元認同，甚或前衛反叛，都紛紛成為塑造商品、賦予意義及召喚市場需求的資源（王志弘，2019：13）。各種攸關都市發展與治理的政策議題，舉凡文化資產、文化觀光（cultural tourism）、文化節慶（cultural events and festivals）、文化引導都市再生（cultural-led urban regeneration），或者是文創產業、創意城市（creative city）與創意街區（creative clusters）等等概念或議題，不僅傳遞出「文化」為分析當代城市時不可忽略的角度，更展現城市議題的「文化轉向」，浮現了「都市空間文化化」的樣態。如此一來，欲探討都市市民每日生活空間經驗與城市記憶，不能忽略市民生活與文化之間的連結所在。而其中，承載著各種日常生活經驗與內容的文化基礎設施

（cultural infrastructure），既為探索城市居民生活經驗的文化節點，也是建構市民城市認同的所在。這個概念從城市治理角度來說，具高度戰略性意涵，從市民經驗言，也具生產性。

　　臺南是臺灣文化資本最豐富、歷史悠久、最早開發的城市。通常描述與形容臺南時，必然冠上「文化古都」這樣的字眼。那麼，在當代城市治理朝向文化轉向之際，文化古都臺南所面臨的「都市空間文化化」為何種樣態，應該如何來理解這樣的城市結構轉變與城市空間意義的改變？特別是「文化遺／資產」乃是都市文化議題中不可或缺的重要面向，那麼，擁有眾多具法定文資身分的古都臺南，又可以如何從文化遺產的角度來詮釋前述議題？

　　國際上對都市再生的學術研究地景指出，現今的研究多聚焦北半球城市經驗，即已開發國家的城市發展命題。對開發中國家言，這個意圖從過往文化資源建立觀光或文化經濟，藉由創造就業機會與觀光產業，帶動地方發展的再生取徑，是相當務實的政策思考向度。國際組織如世界銀行（World Bank）等，具體推動實質的文化資產活化的產業方案，協助這些經濟弱勢國家或地區有振興的機會。從既有調查研究資料來看，這些經由文化資源所導向的都市再生計畫的確產生許多經濟上的收益。對這些發展中國家地區言，善用文化資產以推動觀光產業的計畫，經由對文化資產／資源的投資，有助於改善地方經濟，提供誘因創造就業機會，改善都市環境，強化其自身能量，提升其生活條件；進一步地，這些被改造的文化資產環境也會因為資產價值提升，稅收增加，得以創造出資源，支持地方的機構與提供更多公眾服務（Bigio and Licciardi, 2010: v）。換言之，既有歐美城市的北半球都市再生經驗，以及所謂的開發中國家貧窮地區的城市活化發展模式，看來都跟臺灣經驗城市再生有所落差，那麼，在這些既有的研究思考、視野與框架的基礎之外，我們是否有機會找出自己的城市再生模式或課題？

（二）臺南市美術館文化資產活化的城市治理視角

　　「臺南市美術館」為臺南市近年來諸多重要的文化建設之一。興建臺南市美術館為 2011 年甫上任之賴清德市長的施政計畫項目 [1]。該年 2 月 8 日賴市長正式

1　賴清德市長的任期自 2010 年 12 月 25 日起，2011 年為隔年農曆正月初六，即上任後不久的農曆新年上工日宣布這個消息，可以想見該計畫受到的關注程度及所列的優先順位。

宣告組成「臺南市美術館籌備委員會」，由資深藝術家陳輝東先生擔任召集人，學術界林曼麗、曾旭正、傅朝卿、蕭瓊瑞、陳國寧多位教授，以及畫家吳炫三等七位委員組成。發布記者會中，市長宣布美術館的選址由該籌備委員會專業決定，不限於新建或是古蹟活用，積極回應臺南市民長期盼望一座美術館的心願。深具新意的是，四個月後，2011 年 6 月 17 日，市長與委員會共同宣布選址確定為舊臺南警察署與公 11 停車場，此後積極地展開各項籌備作業。

這座背負著廣大市民數十年來期待的美術館，活化「原臺南州警察署」的古蹟為 1 號館，舊城中心區的公園則為新建築基地，經由國際競圖興建為南美 2 館。自開館試營運以降，兩座美術館不僅贏得市民的高度認同，具體承載了臺南市舊城中心活化的能量，更重要的是，這座美術館既興建了美學表現性強的標誌性建築（iconic architecture），也改造具歷史文化價值的古蹟活化為博物館。這些在都市建築營造展現出豐富的文化意圖及其象徵意義，對於市民的美術館參觀經驗與意涵又是如何？亦即，市民是如何理解與感受這些伴隨著在地城市景觀與文化資產意義轉變過程誕生的美術館？一座為支持與滿足市民文化藝術權利的美術館，是否同時也是一個強化與建構市民在地認同的文化機構？其間是否又面臨何種意義詮釋的折衝與多義辯證？

支撐前述文化引導都市再生的另一個思考脈絡為「創意城市」（creative city）論述。「創意城市」政策思維的假設在於，所有城市都可以藉由創造力取得成功的機會。在當前全球化經濟的脈絡中，對文化與藝術的投資，可以創造新的就業機會，也有助於較衰退地區環境的活化。以此來看，臺南市政府近年來諸多對文化藝術的投資，均可視為將「創意城市」的思維運用於其城市治理。然而，這個「創意城市」的取徑放在臺南經驗來看，似乎並未必然地導向創造就業機會與城市財富，而是更在意於創造出市民有感的城市生活與空間體驗。

綜上所述，本章以臺南市美術館為研究個案，在前述文化引導都市再生與創意城市的框架下，試著從市民空間經驗為基礎，嘗試建立具有在地城市治理經驗的詮釋觀點。

二、凱文・林區（Kevin Lynch）與城市市民空間經驗探討

　　討論地方美術館的誕生與都市地方治理的文化發展軌跡密不可分，也攸關民眾的空間感知經驗。臺南市以「文化古都」自我定位，並以文化資產活用為美術館建築。這些都市中心的文化資產與市民日常生活緊密連結，而一旦市民所熟悉的舊建築轉型有了新的利用，那麼，從美術館這個文化設施新增於市民生活場域中，對於市民的生活經驗意涵為何？這個感受是否影響其對於自身城市記憶與認同？即本研究關注於市民生活經驗和地方文化資產、文化基礎設施之間的關聯。本章借鏡都市研究學者凱文・林區（Kevin Lynch）在城市空間感知與認同，城市環境保育與歷史保存等討論概念，本節以兩個小節分別說明理論概念，以及分析研究素材。

（一）以市民感知與城市歷史認同為核心的研究取徑

　　長期關注於市民生活經驗與城市意義詮釋的學者凱文・林區，發展出「城市意象」（the image of the city）的概念，結合了人類學、心理學、空間行為研究、符號學等不同的研究取徑，企圖經由分析人類對環境的感知與詮釋，以建構出都市意象元素，並以此作為進一步探討與理解城市的分析性架構。對林區而言，每個人都具有環境知覺能力，而這個環境意象的概念乃是個人對於外在實質世界一般化的精神圖繪（cognitive mapping），是直接的感受，以及對過去長期經驗與記憶的產物（Lynch, 1960）。

　　林區的觀點與城市意象的概念，對探索市民的城市記憶與感受、城市意義詮釋、以及城市歷史書寫等面向，具高度啟發與應用的價值。「一個好的環境意象能帶給居住者一種情感上很重要的安全感，建立起自身與外在世界的和諧關係。……一個與眾不同、具可辨識性的環境不僅提供安全感，亦能提升人類經驗的深度和強度。……同樣的日常活動若是在較為生動的場景裡進行，就可能產生嶄新的意義。換句話說，城市本身可以是一個複雜社會強而有力的象徵，如果視覺呈現得當，城市亦可以富有強烈地表達意涵。」（Lynch, 1960: 4-5）

這段話同時強調了富含意義的城市生活對於提供市民安全感與認同是重要的，而穩定的城市空間結構與意義則是可以營造建構的。然而，不僅是依托於城市規劃者或公共政策而已，「觀察者必須主動感知周遭世界，創造自己的環境意象，且應有權利改變此意象以因應變的需求」（Lynch, 1960: 6）。

為了讓環境使用者，也就是廣大的市民能夠掌握如何感知環境意象，林區試著提出「特徵、結構、意義」（identity, structure, meaning）為分析環境意象的三個組成要素。首先是物質性的、實體的辨識度，此為該物體實存的特徵。其次，這個物體跟其他物體之間有著彼此空間或脈絡上的關聯，即是所謂的結構關係。最後，這些物體對於觀者是具有實際面或情感上的某種意義（Lynch, 1960: 8）。

從這幾個概念，林區經過三個城市的實證研究後，推導出了五項辨識城市意象的元素。分別為：通道（paths）、邊界（edges）、區域（districts）、節點（nodes）、地標（landmarks），這些元素成為討論市民城市感知與意象時，有助於辨識與討論的分析工具。這五項因素其實乃是相互交織的，但個別的獨特特性有助於不同的建築與城市意義詮釋；而以本研究關注的南美館兩館，最直接有助於分析應為「節點」與「地標」這兩項元素特徵。

林區所指稱的「節點」，乃是觀者可以進入的重要焦點，通常是通道交會點或某些特徵的匯集處，像是車站、地鐵站等交通轉運點，即具有這種人們自然匯聚，並有所轉折或連接的特性。「節點」的另一個重要特徵為「主題匯集處」（thematic concentration）（Lynch, 1960: 72-75）。在此所謂的主題匯集處，即是強調匯聚了各種各樣多元的城市活動，既凸顯出人們會因為各種活動，而在此空間聚集的環境特性，易言之，也說明了城市活動有助於建立起特定地點的環境意義，此則足以構成其為城市節點的緣由。

「地標」通常指稱具有高度可被視覺化辨識的實質物體，被視為辨識和瞭解城市結構的線索。地標主要特徵是非凡的，甚至在某些方面是獨一無二，且令人印象深刻的。當地標有較為清晰的型態時，就會更容易辨識，更容易被當成重要的事物。而隨著對環境越來越熟悉，對地標的依賴也會越來越深（Lynch, 1960: 78-79）。

林區不僅建構有效的知識系統來分析和支撐市民的城市環境意義、記憶與認同，他也積極關注歷史環境保育的課題。在另一本討論環境保育的專書《斯地

何時？》（*What time is this place?*）（Lynch, 1972）中，林區以「時間中的根源」（roots in time）為題強調，如同法律與習俗一般，環境也會提醒我們為所當為。例如在教堂裡，我們要莊重，但在海灘我們會很放鬆。歷史性地來說，人們總是依循著我們所在的環境，而有相對應的行為，環境也會提醒或激勵我們特定的行為模式。但正是由於時間變化，要維繫這些社會行為的穩定性：「在過往的情境之中，人們共同以過去的行為模式來反應，有助於社會的延續性。」他且舉人類學家李維史陀所提醒的故事為例說明，西方傳教士如何經由強迫 Bororo 人放棄他們傳統聚落的配置，藉此來扭曲他們的文化（Lynch, 1972: 40）。由此推衍，林區強調，在我們所生存的環境中，環境的象徵性乃是用來創造穩定性。保存過去可以成為邁向未來的一種學習方式。但重要的是必須要跟公眾溝通過去的歷史知識，讓他們從中獲得愉悅與教育（Lynch, 1972: 43-51）。而這也就是博物館存在的價值、意義、以及被賦予的公眾任務——讓人們可以在博物館的公共場域中，跨越時空地向歷史與前人的經驗和智慧學習。

　　綜合前述討論，大致可以整理出幾項重要的研究觀點。首先，人們具有主動感知環境的能力。城市景觀乃是可以被創造與經理的。但這個權利不應該完全落在都市規劃的技術官僚手中，而是應該讓市民有參與的機會權利。其次，關注市民的城市經驗與記憶，不僅應提供其參與公共決策的機會與管道，主動收集其意見，掌握理解市民空間感知經驗與記憶的技術及方法，也應持續更新與回應相關的變動，順時調整。第三，特別是城市文化資產使用用途的改變，或者是新增各項設施建設時，更應強化與公眾的溝通與對話。第四，文化基礎設施，諸如美術館、博物館或是法定文化資產等，不僅是與市民文化藝術生活需求之間的協商基地，也是提供公共服務，創造與市民公共對話的場域。

（二）研究資料收集方式

　　本章關注核心為市民的空間經驗與情感記憶，聚焦於南美館兩棟建築，及其周邊城市環境。但受限於研究期間的新冠肺炎疫情管制因素，無法採取直接訪談，改以「環境自傳」的質性研究方式來取得研究資料。即邀請居住於臺南地區、曾經拜訪過兩座美術館的市民，以自我撰述的方式，書寫其自身在臺南的生活經驗與空間記憶，特別是以此經驗來描述對南美館的經驗與看法。

資料收集則是以滾雪球的方式進行。分別由研究者認識，以及從社交媒體洽詢居住於臺南的市民，再邀請其代為詢問是否有其他親友同學願意填寫，但填寫者資格包含下列兩項：參訪過南美館，有意見想要表達；以及在臺南居住一定時間者。但考量資料收集過程及資料有效性，特別關注兩個課題。其一是關於「何謂市民」的界定；以及如何確保資料來源不會因為受限於研究者的人際因素，集中於特定群體。

意圖收集「市民經驗」乃是立基於居住於此地一定時間者，對於其每日生活城市空間的經驗感受、情緒感知等的描述與詮釋。但針對何謂「市民」，或應該居住多久時間，其生活感受值得被記錄與討論，則是較難以標準化的課題。為確保資料的有效性，能夠收集到利害關係者的意見，研究者採取兩個策略：其一，會先徵詢其在臺南的生活經驗，是否有想要分享的意見。其次，則是在題目卷中，請其描述在臺南的具體生活歷史。例如，從小在此出生、近年移住的移民、因為就學或工作因素定居於此等等，以作為分析其意見的參照，取得更多對照於其生活經驗的素材。

針對滾雪球式的抽樣與資料收集過程[2]，往往會出現的結構性限制，即在於研究者人際網絡之侷限。故在尋找願意受訪對象，特別注意到個人背景的多樣性，避免太過集中；請受訪者再代為邀請時，強調希望可以協助尋找年齡、性別、職業、專業背景差異較大的對象，以期能夠收集到更為多樣的市民經驗。

本章的資料收集時間從 2021 年 6 月 10 日到 7 月 10 日間，累積共計收到七十一筆的市民經驗。其中，因設定至少是 18 歲以上為填答邀請者，故填答者最年輕的群體落在 20 歲的大學生，最年長也有 66 歲以上的退休人士。此外，不乏許多拜訪超過十次以上的愛好者。詳細分析與相關討論詳下兩節。

三、南美館建築概述

臺南市美術館 1 館建築，原為日治時期的「臺南警察署」舊址。該建築落成於昭和六年（西元 1931 年）11 月，僅次於臺北南警察署（1929 年 3 月完工，現

2 　有些受訪者並非研究者直接認識，而是透過社交媒體詢問是否為臺南在地居民。考量問題卷必須由受訪者自行填寫，需要花費一定時間，故邀請過程中會特別詢問，是否對臺南市美術館有想表達的意見，並且願意花些時間協助填寫，若沒興趣則不會邀請作答。

已拆除），為臺灣第二座興建的警察署，即現今仍存時間最久的警察署建築[3]。戰後改制更名為「臺南市警察局」，仍持續作為警察官署。1998 年 6 月，該建築指定為臺南市定古蹟，但仍維持原使用。

　　根據文資局的官方登錄資料，該建築指定為古蹟之評定基準有三項，包含：（一）具歷史、文化、藝術價值；（二）具稀少性，不易再現者；（三）具其他古蹟價值者。主要指涉警察官署建築的稀少性；該建築為梅澤捨次郎（1890-1958）任職於臺南州地方技師時，所負責的建築。在形式風格上，具有日治時期洋樓建築出現的新藝術元素（art deco）裝飾元素，鋼筋混凝土為主要結構，其建築表面有許多紋樣裝飾。

　　2010 年，臺南縣市合併升格為直轄市，此處法定身分改稱為「直轄市定古蹟」，原本的臺南市警察總局功能則遷移至新營區的原臺南縣警察局建物。騰空的原臺南市警察局於 2011 年 6 月發佈，與鄰近街廓的原公 11 停車場用地，共同整合為臺南市美術館的基地，此處規劃為美術館 1 館。公 11 停車場用地則為 2 館，另以國際競圖的統包案方式，於 2014 年 8 至 9 月間，完成了這個國際競圖的甄選工作。選出「聯鋼營造工程股份有限公司」組成的團隊，設計建築師為日本的坂茂，臺灣在地的協力團隊則是石昭永建築師事務所。

表 8-1　南美館 1、2 館建築基本資料表

項　目	1 館	2 館
基地面積	5,696 m²	24,503 m²
建築面積	1,989 m²	11,717 m²
總樓地板面積	7,370 m²	23,488 m²
層數	地下一層、地上三層	地下二層、地上五層
建築高度	17.6m	30m
法定造價	新臺幣 390,062,166 元	新臺幣 17.78 億元
直接工程費	新臺幣 375,141,918 元	新臺幣 1,086,247,175 元
設計時間	2014 年 9 月至 2016 年 3 月	2014 年 9 月至 2016 年 6 月
施工時間	2016 年 4 月至 2018 年 6 月	2016 年 7 月至 2018 年 10 月
開放日期	2018.10.17 試營運	2019.1.27 開館

資料來源：本研究整理。

3　國家文化資產網，取自 https://nchdb.boch.gov.tw/assets/overview/monument/19980626000006

前述提及，賴清德於市長任期初即透過專家委員會的模式來協助南美館的選址。若後設地解讀這個選址的結果，可以有幾項解釋。（一）象徵層次上的價值：在古都臺南選擇一處古蹟活化為美術館，在象徵意義層次上值得肯定。（二）舊有廳舍需要活化：在實質空間議題上，反映了既有臺南舊市區中心缺乏足夠腹地，加以因臺南縣市合併，許多行政公署因縣市合併面臨辦公室整合搬遷，原臺南舊市區的辦公廳舍受限於興建年代較早、或市區密度較高等因素，使得市區出現部分閒置空間需要活化善用。臺南警察署舊址建築即屬於這樣的案例。如此一來，形同一併解決閒置辦公廳舍，以及美術館需要空間的難題。（三）和臺南舊歷史城區既有文化設施形成文化藝術園區。臺南舊市區以民生綠園為核心，周邊許多文化資產已有豐富多樣之文化設施的活用，因此，即使分屬兩館，也能跟周邊的文化氛圍相互支撐。（四）善用明星建築師的名牌建築，在舊城區植入嶄新的建築有助於帶動城市創新氛圍。

1 館為法定文化資產，南美 2 館雖然是全新建築，但事實上原基地的歷史意涵累積更為豐富。該處清領時期原為地方仕紳宅邸「宜秋山館」，甲午戰爭後捐出。日本北白川宮能久親王征戰南臺灣時曾駐紮，後病逝於此。故此基地新建主祭北白川宮的臺南神社，於 1923 年完工。戰後，1946 年國民政府改為忠烈祠。1969 年忠烈祠搬遷，現址改造為臺南室內第一棟環形室內體育館。1991 年，拆除體育館，依都市計畫改建為 11 號公園與地下停車場。

前述這些城市歷史，如同羊皮紙般不斷地被刮除再寫，根據收集的訪談資料來看，這些城市過往非屬稀少罕見，而是蠻多市民都會提到的記憶。可以想見，對文化古都臺南來說，任何新建建築都在跟市民過去的城市記憶對話。也持續地挑戰著市民的每日日常生活記憶。從凱文・林區所提出五大城市意象元素來看，這兩館的基地無疑都屬於城市中的重要節點。只不過，在殖民時期的臺南神社與警察署均屬於具高度權力意涵的地點，前者被寄寓為神聖地點，後者則是屬於民眾不願意接近的馴訓管制空間。戰後階段，神社變成忠烈祠，同樣被賦予革命先烈先賢犧牲生命的高度神聖性；而警察，甚至是警備或是調查局等白色恐怖相關的場所過往，相較於殖民時期，是承載了更多負面記憶的地點。

然而，1 館經歷了文化資產轉化活用，改變使用用途為一般社會大眾可以自由出入的公眾博物館，連帶地脫離了原本的負面記憶場景。就如同林區在《斯地

何時》一書所說的，空間的存在提醒我們過去在此的故事，空間留下來，過去的故事也會留下，而如何去訴說，跟大眾溝通這些故事，則是我們關注於城市記憶與環境保存議題時，不可忽略的層面。

2 館的場域精神因歷經多次的記憶刮除與重寫，而顯得失落掉了許多歷史的線索。相較於節點所傳遞出來的空間特徵，2 館新建築更像是一個城市的新地標，等著要經由市民的來來往往，為這個節點豐富的歷史文化層，重新上漆。因此，從兩館 2019 年年初正式啟用迄今兩年多，從市民經驗的角度是如何理解或詮釋這些城市建築與空間故事呢？

四、南美館市民空間經驗分析與討論

本章採取受訪者自我陳述的文字書寫，有大量問題需要以文字描述方式展現，屬於質性研究。故以「問題卷」稱之，避免以傳統問卷模型來理解。在進入受訪者的自我陳述分析前，先簡要陳述填答者基本資料，包含拜訪次數、滿意度評分等可量化說明的項目，作為後續質化內容討論參考。

（一）填答者基本資料分析

1. 填答者的性別分布

共計收到 71 份，其中填答者男性與女性分別為 33 人與 38 人。換算百分比則為男性 46.5%，女性 53.3%（參見表 8-2）[4]。

臺灣的各式針對文化消費與社會公共服務參與研究中所呈現的性別分布情況，得出數據大多男女比例為三

表 8-2　填答者性別分配表

分　佈	人數（人）	百分比 (%)
男	33	46.5
女	38	53.5
合　計	71	100.0

資料來源：本研究製作。

[4] 發出去的問題卷比的確實際收回更多，包含邀請協助轉發。邀請的溝通過程中，表達有許多題目需要花時間填寫，尊重受邀者的主動填答意願。有許多填答者同意受邀，但最後並沒有交回。但無論如何，研究者相當珍惜且感謝每一份願意花時間填答者的意見，及其對學術研究工作的支持。

比七，呈現相當高度的性別傾斜。多以女性較積極參與各項文化活動，例如參觀博物館／美術館等，觀眾以女性居多。故邀請填答時，特別關注性別比例是否過於失衡。

2. 填答者年齡分佈

發出邀請填答時，刻意盡量多涵蓋不同年齡層，以期收集到的意見考量了不同年齡經驗分佈。年齡分佈狀態大致仍屬多樣平均（請參見表 8-3）。

表 8-3　填答者年齡分配表

分　佈	人數（人）	百分比 (%)	分　佈	人數（人）	百分比 (%)
16-20 歲	1	1.41	46-50 歲	11	15.5
21-25 歲	8	11.27	51-55 歲	6	8.45
26-30 歲	7	9.86	56-60 歲	6	8.45
31-35 歲	5	7.04	61-65 歲	1	1.41
36-40 歲	11	15.49	66 歲以上	2	2.82
41-45 歲	13	18.31	合　計	71	100.00

資料來源：本研究製作。

3. 填答者的學歷

前述關於填答者的性別與年齡的分佈尚屬均衡，但學歷的分佈上則似乎較集中於高學歷者，其中有碩士學歷超過一半，碩博士加起來，佔了六成。雖然資料展現較偏向於高學歷者，但如前所述，邀請填答時，以曾經拜訪過南美館為前提，並希望願意分享經驗為主，或許也說明，參觀者仍集中於大專以上學歷背景者。

表 8-4　填答者學歷分配表

分　佈	人　數	百分比
高中職	2	2.82
大學／專科學校	26	36.62
研究所	38	53.52
博士	5	7.04
合　計	71	100.00

資料來源：本研究製作。

（二）數量化資料概述

除填答者基本資料外，另外兩項可以提供參考的數量化資料則為填答者到訪南美館的次數，以及給予的評分。針對兩館的到訪次數分佈，大致來說，都是以拜訪 1-5 次為多，超過七成。但拜訪兩館的差異來比較，拜訪次數較高的佔比為 2 館。拜訪 2 館六次以上的佔了 28.2%，有 8.5% 的填答者拜訪十次以上。以開館試營運迄今約兩年半的時間來看，到訪的次數約為每季均會拜訪。

表 8-5　填答者到訪 1 館次數分配表		
分　佈	人　數	百分比
1-5 次	56	78.9
6-10 次	11	15.5
10 次以上	4	5.6
合　計	71	100.0

資料來源：本研究製作。

表 8-6　填答者到訪 2 館次數分配表		
分　佈	人　數	百分比
1-5 次	51	71.8
6-10 次	14	19.7
10 次以上	6	8.5
合　計	71	100.0

資料來源：本研究製作。

調查資料中，請填答者以 1-10 分表達其滿意程度，得出受訪者對 1 館的滿意度平均分數為 7.40，2 館平均分數為 7.17。兩個數字略有差異，但從文字描述的情形來看，的確普遍浮現對 1 館的滿意與喜好度較多正向描述。但喜好度與拜訪次數兩者間沒有完全正向的關係。研究者在此提出可能的解釋包括：一方面是 2 館提供的使用功能較為多樣，多位受訪者提及，是帶外縣市親朋好友參訪，以觀光活動居多。特別是許多受訪者指出，去 2 館不一定是去看展覽，有可能是去拍照、跟朋友約了去裡面小聚，或者是聽音樂會看表演。易言之，由美術館所附屬的設施與活動服務，均可能是提高市民到訪的原因。

後續兩小節分別整理受訪者對兩館的觀感與經驗。在 1 館的部分主要聚焦於古蹟活化再利用的面向。2 館則以地標建築與城市行銷、觀光作為討論核心。這些質性材料一方面用以檢視和分析市民對於兩座博物館建築的空間經驗感受，另一方面，也試圖拼湊出探討古蹟活化為博物館建築，以及新建的名牌建築作為博物館，對市民日常生活與藝術文化經驗可能產生何種對話關係與議題。

（三）對南美 1 館的看法

關切文化古都臺南的文化資產活化議題為本章的重要切點。在初步的意見收集階段中，研究者接觸到許多臺南市民，紛紛對善用古蹟改造為美術館表示高度認同，這與過往一般人的經驗印象有異，引發研究者的好奇。過往的經驗印象中，臺灣文化資產活用及相關資訊，似乎較少得到市民清晰明確的認識；其次，一般市民也較少關切如「美術館」等文化設施的實質發展情形；而融匯了以古蹟活用為美術館的南美 1 館，獲得市民極為正向的認同等現象，研究者將前述這些觀察，納入對一座由古蹟活化為美術館的博物館建築之際，由市民觀眾經驗所可能拓展出來之研究課題探討。

經由彙整受訪者的意見，南美 1 館以古蹟活化為美術館建築的經驗，大致可以歸納出六種不同的觀察面向，而經過本研究受訪者資料的討論來看，南美 1 館在這些議題與面向的表現上，均呈現出相當正向的評估與感受，闡述出古蹟活化為美術館建築的積極性價值。這些面向包含：1. 古蹟建築的美學有助於強化博物館建築美學。2. 以古蹟活化為美術館有效彰顯出古蹟的公共性價值。3. 古蹟建築周邊空間場域提供美術館所需的環境寧適性。4. 古蹟活化為美術館可以重新連結臺南城市記憶。5. 美術館的策展活動有助於帶動古蹟美術館的活用。6. 應審慎調整因應以古蹟作為展場可能出現的空間使用限制。以下分別從受訪者自身的闡述來描述這些課題。

1. 古蹟建築美學有助強化博物館建築美學

因為古蹟本身具有的建築美學，讓文化資產活化為博物館建築之際，本身即已涵納的建築美學，這成為南美館建築美學勝出的頭號優勢（個案44）。此外，舊建築本身的吸引力，有時候可能甚至超越了作品本身（個案45）。

個案 14 認為：原先建築就十分美麗，舊建築再利用可以讓時間凝結，十分棒。「**進到美術館有一種舒緩休閒的感覺，很適合心靈的洗滌**」。這個描述除了在建築形式與物質展現層面，同時強化且再現了古蹟與博物館建築的美學雙重性之外，更在場域精神的面向，以古蹟所能傳遞出的時代氛圍，

進一步地昇華美術館在藝術陶冶層面的價值，這似乎也是先前的討論較少被提及的。

有受訪者提到展覽與建築的關係。個案 23，將原本的「警察局改為美術1 館，非常好，也有特色」；她特別強調，正是由於建築很有特色，因此一來，展覽內容也要能更吸引人，「才不會只有舊建物有特色，而展覽卻無吸引力，民眾拍拍照就離開了，甚為可惜」。個案 45 也提到：「舊建築物本身的吸引力超越了藝術作品本身。」如何不讓古蹟建築專美於前，作品和展覽也必須快快跟上。

個案 50 為年僅 20 歲的大學生，對於環境的感知相當敏銳：「我覺得美術館 1 館和 2 館兩者是呈現強烈的新舊對比，而 1 館因為是舊建築改建會有比較多的古蹟氣氛。晚上經過的時候都會覺得打燈的美術館很有藝文氣息。」這裡同時提到了建築風格與美學上的新舊對照、不同年代建物形式與古蹟傳遞的歷史氛圍，以及夜間照明形塑的場所精神。

2. 活化為美術館，可以有效彰顯古蹟的公共性價值

個案 5 提出，南美 1 館「整個建築保留了原本的味道，是個很棒的構思」。個案 12 也提出：「很好的規劃，很喜歡這樣的環境。」

受訪者 46 提到，過去我們經常看到古蹟歷史建築改造為咖啡廳，但這個方案缺少文化資產生命與價值的延續性，然而，改造為美術館，讓建築本身成為可以被參觀的對象，也可以成為提供寓教於樂的功能，發揮了更大的效益，是一個非常理想的、兩全其美的決策（個案 46）。

與這樣想法類似的有受訪者 4 提到：「我覺得很好，古蹟建築作為辦公區域我認為比較不妥，有歷史意義的建築能以公共展覽的方式讓市民能參觀會比較好，且有固定休館日，可以固定整修以利保存。」這個意見同時表達出，文化資產本身具有的公共性價值，以美術館的形式讓市民得以靠近，會比前述咖啡廳或是辦公廳舍，更有效展現其歷史價值。同時，該受訪者提到因為美術館／博物館有固定休館日，可以穩定地整修以利保存，這個看法似乎是維護古蹟與活用時，較少被關注討論的面向。

　　個案 21 認為：舊建築再利用可以讓市民多親近古蹟，室內展覽和室外廣場都很值得逛。她且強調，「古蹟是府城文化的一環，市民應該關心古蹟的保存與活化」。

　　個案 15 提到：「活化建築對古蹟來說是很重要的，如何建構記憶，如果沒有了具體的形象，很難讓人感受。」個案 52 則具體表達：「我覺得將老舊建築經過翻新後再利用，是很棒的方法，因為可以保留臺南古都的氣息，而且之前林志玲夫婦在這裡舉辦婚禮，也讓不少人重新認識了這個美術館。」

　　文化資產保存如果只是靜態的，無法讓人真的理解或認識其歷史價值與文化意涵，而過往臺南一直給人「文化古都」的印象，但是否真的有助於跟大眾溝通，藉由貼近古蹟，而更認識自身所在的城市歷史呢？個案 50 是一位母親，她提到自身的經驗是：「因為南美館從外觀上就是一般古蹟建築，臨近臺灣文學館、孔廟，單從外觀看不出有任何特色，也不會吸引一般民眾進入。入館參觀後，發現館內參觀動線與建築物本體在陽光照映下，令人產生出一種別有洞天的驚喜。」這個驚喜感，說明了經由主動地、有所主題與內涵的規劃活動，像是作為美術館這樣的公共建築，可以有效結合展覽和教育活動，能夠讓孩子們更認識自身的城市歷史，因此這位母親也具體指出：「建議與臺南市教育局課程規劃安排國中小學生前往南美館參觀。」

　　個案 67 為 40 歲世代的教師，大學在外地就讀，工作幾年後回到南部就職，她從一個市民經驗提到，1 館：「一面是舊的建築，連結到另一面新的建築，我喜歡新舊共構的建築設計。感覺保有歷史的痕跡同時賦予融合不同時代的新樣貌，有種延續生命的感覺。」這樣的描述或許也說明，市民對城市新舊生命延續是相當有感的。

3. 古蹟活化為美術館的環境寧適性

　　1 館建築傳遞出歷史的優雅美感，以其場所精神讓觀眾體驗美術館建築空間靜謐愉悅的寧適性。中庭與樹蔭圍塑出來開放空間，讓美術館的觀展經驗加分許多。不論是看展過程的身心舒緩、朋友交誼休息的社交功能、孩童可以放風跑跳伸展筋骨、或者是搭配館方而舉辦之各式精心規劃的戶外展演活動，這個舒適有著老樹、尺度宜人的空間可以說是 1 館建築的祕密武器。

也是許多受訪者會提到的關鍵。

　　像是個案 25 提到:「整個展區很舒適,尤其喜歡戶外小花園。」個案 33 說:「建築本身及空間美。」個案 28 和 34 都認為:「環境優美。」個案 28 且認為:「設計感強、展覽水平高。」

　　個案 24 為年輕女性,是大學剛畢業的美編設計。她強調:1 館「環境很棒,外觀看起來還好,裡面有一種世外桃源的感覺,當時看的展覽蠻都很有意義,很少商業展覽,所以給人這間美術館很有深度的感覺」。她甚至坦言指出:2 館「跟美術 1 館比起來較無趣,雖然建築漂亮、很適合拍照,但展覽主題比較冷門,和民眾有一種距離感,如果要帶家人朋友去參觀,我會帶他們去美術 1 館」。

　　另一位同樣是年輕人的環境觀察,個案 52 年僅 20 歲,「我很喜歡中庭那棵大樹,結合了一些小桌子的擺放,雖然是在美術館卻有許多大自然的氣息。而樓梯有種古樸的感覺,令人印象深刻」。

　　個案 55 提到:「喜愛日據時期的建築,走動其中。滿是驚喜。」、「1 館像寶藏內含光的老臺南。」

　　個案 56 指出:「該館舍一樓參觀毋須購票,建築修復後環境舒適,如廊道、中間庭院、挑高廣場等。一樓牆面設置幾件大幅作品整體氛圍也很適合。」則是更為具體地指出,從古蹟建築修復與藝術作品之間的有機結合所展現出的整體環境氛圍佳。

4. 古蹟活化為美術館重新連結臺南的城市記憶

　　以美術館的公共性,能讓更多市民接觸過往的歷史記憶,是個相當好的活化提案之外,更有許多受訪者具體地指出了這個基地,跟過往城市歷史的關聯性。

　　個案 14 為 56-60 歲年齡層的居民,他除了求學和服兵役共五年不在臺南之外,其餘時間都住在臺南。他清楚指出,南美 2 館的原址,本來是體育館,改為公園與停車場之後,地方記憶流失,但很高興經由美術館的興建設置:「又開始有對該地之記憶。」市民以這樣的描述來說明場所記憶實令人感動。

個案 23 與個案 14 的年齡層相同，也提到體育館。她認為，雖然蓋了 2 館，市民與有榮焉，但她也提到，或許是魚與熊掌無法兩全。她兒時經常去的體育館跟美術館是完全不同的功能與需求。當年的體育館後來荒廢許久，但這個地段是臺南市舊市區中心，「就活化而言，興建美術館確實是有利觀光文化發展」。

由前述兩個個案來看，50 世代的市民對於興建南美館在城市發展軌跡上的變化，顯然是相當有感，傳達出一種重新連結昔日城市記憶與認同的光榮感。

針對城市集體記憶的議題，30 歲世代的個案 15 也提出類似的感想：「此處原為臺南神社，雖未能有遺址、遺跡呈現。歷史發生過的事件，沒有傳承，也就失去了。期待可以在新的風景裡看到美好的年代。」她也提到了消失的龍王廟。

另一位資深市民也提到龍王廟。個案 19 住在中西區近六十年，他認為，1 館應該可以多舉辦一些和府城傳統工藝有關的展覽；至於播放的紀錄影片，建議可以跟「之前的周邊地景，如龍王廟、兩廣會館、臺灣警察史等議題」相互連結，應該更能凸顯古蹟轉化為美術館的內在價值。

不只資深市民對臺南城市空間歷史有感，珍惜以文化資產作為美術館的機會。年輕世代也提出了相當有趣的見解。個案 49 為一名 24 歲的研究生，他回憶在國中時，看到這附近一片覺得是很破敗的，現在整體美術館和周邊古蹟群整合得相當不錯。他認為，舊建築再利用的手法是正確的，整體空間感是舒適的，但他也提出兩個評論，一個是認為，「綠蔭景觀」還是太少了，不應該讓美術館只是吹冷氣避暑之用，此外，應該在軟體部分，凸顯出臺南市個「慢活之城」。

5. 以策展來帶動古蹟美術館的活用

文化資產具有公共性價值，作為美術館有助於社會溝通。然而，應該規劃什麼樣的展覽，一方面傳遞該古蹟的價值，和市民生活經驗結合，也展現美術館的教育任務定位，的確是同時具有這些不同向度的課題必須討論。

在受訪者表達的意見裡，主要關注在於所謂的「新舊結合」，如何能夠

讓舊建築傳遞出新的時代價值，肩負美術館設置的宗旨，並且滿足市民的期待呢？

個案 66 為一名教師，她提到，「空間再利用本身就是一個值得稱讚的規劃，至於再利用後的營運，臺南有許多在地文化與傳統歷史，蠻適合 1 館的展覽進行規劃。將以別於 2 館的方式，可以拉出區別度」。如同前述對於新舊結合／新舊區隔的思維，如何藉由「展覽」來凸顯兩個館舍之間的定位與個別優勢，看來也是許多市民共同關心的課題。

個案 49 提出了「空間策展」這個相當有意思的見解：「不要都是放一些臺南當地老人的回憶展，雖然作品可能較接地氣，不過還是希望新舊建築整合過後的美術館，應該要有新時代的策展觀念。」

從年輕世代對於古蹟轉化成美術館，提出相當積極而前瞻的「空間策展」的見解，期許能夠藉由文化資產的空間策展，有機地整合在地記憶，以及美術館的創新思維。

另一方面，由於文化資產意涵著累積長期以來不同歷史階段、層層疊疊的使用機能、符號與記憶。像是個案 56 特別提到：

> 「近期聽聞南美 1 館也是促轉會指認不義遺址之一地點，認為該建物有更豐厚的文化／歷史層面可以探討甚至檔案化、消化醞釀為新的策展方向，若對建物的視角尺度放大，可能整體街區的論述也能納入藝術領域，不失為實踐美術館在地化的一種可能性。」

這樣的描述方式一方面點出了建築承載的過往歷史不容淹滅，以物質文化的向度，這座古蹟曾經是警察署，記錄過臺灣過往的暗黑歷史。如何在不過度包裝及掩蓋這樣的歷史詮釋權，美術館或許反而得以其社會教育的組織性能量，以教育和反思的方式來訴說這段歷史，見證過去苦難的轉化與昇華。

6. 古蹟展場的結構性限制

當然，古蹟歷史建築空間已經固定為其結構性的限制，如此一來，各類藝術作品展出形式、展場空間大小等需求彈性有限。這些均為博物館實質空

間層次的議題，的確有受訪者提到類似的問題。但有受訪者從臺南市在地文化的角度來說，「作為一座市立美術館而言，似乎略嫌調性不足」、「以洪通大展為例，展場規劃及展出內容，無法襯托出畫家對本市的重要性，非常可惜」（個案 47）。

該位受訪者世居臺南，也擔任臺南市的古蹟解說員，他特別提到，「美術館應該是認識一座城市歷史、文化的窗口，應該呈現都市的多樣性和豐富性」（個案 47）。但也有人提到，1 館在古蹟建築旁增建空間，大幅改善且支援了美術館展場所需的機能。這樣的描述的確論述出古蹟活化為美術館之際，在建築空間上所需相應的調整，是必須審慎因應、不容忽視的課題。

7. 本節小結

相當有意思地，在這份調查資料中，受訪者提到南美 1 館，一面倒地，都是相當正面的描述與感受。除了提到停車問題之外，或是簡單地表示無意見、沒想法，少有負面評價或抱怨。或是提出一些較為積極、期待品質更提升的正面建議。以一份館所的調查來說，算是特別的現象。也讓研究者非常好奇，這現象是否意涵著受訪者普遍對這座由古蹟改造的美術館，是具高度好感、充滿在地情感？而城市中的文化基礎設施能獲得市民的高度認可，意涵著市民具有高度的文化藝術水平，還是說明有機會藉由美術館更順利推展藝術社會教育？包含原本古蹟本身所可能承載的負面記憶，是否也可能經由設計過的教育方案，可以跟社會大眾有更好的溝通？還是這個高度認同為文化古都居民的特殊在地情感。無論如何，這個階段性地發現應該是值得繼續深究與發展下去的課題。

（四）對南美 2 館的看法

相較於 1 館普遍的正面感受描述，2 館建築收集到的評價似乎就較五味雜陳。各種喜好品味俱陳。從收集整理的意見來觀察，受訪者自發地從「博物館／美術館」和「嶄新建築」這兩個向度來發言，這樣的二元關係固然是討論博物館建築時的重要理解，但在本研究中，還可以觀察到第三個向度，即受訪者會主動以其自身的城市記憶與生活經驗，提及這座新建築／美術館和城市空間的關係。

循此，資料上大致可以整理出四種言論趨勢：對於其建築風格造型的質疑，直言其與城市整體景觀風貌迥異不搭；其次則是正向歡迎，認為有助於歷史城市中心的活化再生，帶動觀光與人潮商業活絡；第三種則是對於建築美學上多所著墨，偏好奇建築表現上的亮眼新潮；第四，從當代美術館各項專業服務要求切入，提出許多服務待改進之處。

有趣的是，這裡可以區分出來，不管對南美 2 館「建築物」是否抱持正向意見，但對「美術館」的設置，則基本上都是高度肯定，且充滿期許的。唯一的喟嘆來自於原本在此基地上的城市記憶不再。故下文以七個段落來闡述受訪者的看法。分別從：1. 南美館作為城市象徵的高度期待。2. 肯定建築物具有獨特美學。3. 認為美術館及其建築美學有助於城市觀光與周邊發展。4. 對建築造型與風格的質疑。5. 對美術館專業角色與空間的詮釋。6. 美術館建築空間專業服務不足與建議。7. 對美術館專業的展望與期許。

1. 代表臺南的都市與藝術象徵：對城市美術館的高度期待／許

個案 46 為 40 歲世代，大學到外縣市就讀，近十年重新返回臺南工作生活。自小在南美館一帶生活，就讀臺南女中，對周邊相當熟悉，也對環境變遷深刻有感。直言，從未想過這裡熟悉的生活環境，會從原本的體育館變為美術館。但對這一帶環境景觀的變化仍是賦予正面價值：「2 館成為臺南市的地標性建築，多項展覽作品作者是臺南人，也讓當地居民能夠更認識家鄉的風土民情，讓藝術走入生活，生活中看到美學。」

「很高興自己的故鄉能夠擁有美術館的設置，一個城市是否真需要藉由一座具體的美術館建築來提升市民的美學素養？看看油畫銅作雕刻品是否就是有氣質有水準？我沒有『是』與『不是』的答案，但走進去後，心情是愉悅的，有所收穫的。即使有些觀眾不自覺的聲音大一些、小孩們下意識的小追逐，卻仍讓我感到，是個美好的開始。」

個案 25 提到，「2 館很美，可惜缺少了溫度。這樣的設計作品的確是焦點，但該怎麼帶動居民走入這個作品，相信是更重要的事」。

　　個案 47 為設計師，58 歲，世代居住臺南。他拜訪 1 館五次，2 館三次，拜訪的緣由都是為了特定展覽而去。亦即，並非只是一次性的偶然拜訪。他給 1 館 7 分，但 2 館只有 4 分。從他的嚴格評價來看，對於美術館如何代表臺南，有著很高的期待。他認為，1 館「**本身為歷史建築，作為展示空間無可厚非**」。但美術 2 館跟 1 館在建築上無法連結，而他認為，「**2 館的現代感不足，建築語彙無法說服市民，第一印象讓人覺得似乎置身百貨公司的錯覺，也無法彰顯本市的文化背景**」。因此，他期待美術館可以呈現都市的多樣性和豐富性，並且以北美館的國際性連結為學習的對象。

　　個案 48 也是從臺南市自己的美術館著眼，提出如何思考城市跟美術館的關係：

> 「建築物本身是 95 分，各方面都不錯。不過覺得沒特別感受美術館對臺南市民的友善，如果每次進去還要 50 元，恐怕市民去的次數很有限。建議不如推市民美術會員卡，一年內期限參觀搭配活動講座。畢竟藝術不是不用學習就自然會的。長遠來說，不可能只靠觀光，如果市民都走不進去或無法藉此機構提升美育，很容易淪為只是一座美麗的博物館建築物。更何況臺南市另一座私人奇美博物館，市民根本不用錢。」

　　個案 49 提及，臺南為文化古都，但不應該只有美食文化及歷史文化。「應該要有一個整合性的規劃，以美術館及古蹟為主體去帶動美學文化」。

　　個案 50 表示：

> 「臺南是充斥著古老氛圍的城市，而南美館 2 館是一座新建築，不管是從建築物外觀上，亦或是建館時間上，應該是代表著前瞻、具創新的。個人覺得臺南已經有臺灣歷史博物館，南美館可不必再展出宗教文物方面的作品，同質性太高。很棒的建築，也很高興南美館成為臺南新地標。」

　　個案 51 為 60 歲的退休人士，對南美館是懷著高度正向期許。他認為，2 館的空間設計很棒，空間很舒適，他很肯定郭柏川老師的固定展間，認為非

常能夠代表臺南。他期待:「這是臺南市區的新地標,建築新穎特別,若能長期紮根經營,相信會是臺灣重要的美術展館」、「單一個美術館是無法彰顯府城的文化價值的,端看如何讓這些展館成為市民願意經常進入,以及活動傳達的訊息。但不可諱言,2館的建築是一個新地標,有助吸引民眾親近。」

個案 57 認為:「可以透過南美館以及其知名建築師,讓臺南有一個新亮點,是公共空間的新地標,是正面的。」

個案 63 相當認同 2 館的建築,認為一棟優質的建築對城市品牌、觀光效益都是加分:「2 館建築是很好的文化地標,為臺南市帶來特殊的文化景觀,也創造市民可以接受的美學(與周遭環境也不產生衝突),新風格可為古都府城展現出創新和具有現代能量的一面。同時,實質上創造了可觀的觀光資本,直接為城市帶來經濟助益。」但她也清楚地指出,這樣的美學風格她個人雖然很高度認同:「但不能確定是否老臺南人的住民是否喜歡。」言下之意,對於新穎建築可能面臨的負面評價也不意外。

至於個案 71 的觀點相當有意思。個案 71 為 27 歲已就職的藝術大學研究生,針對 2 館建築是否能夠彰顯府城價值或風格,她直言:

> 「我認為不是建築體現府城文化價值,而是在這塊土地上的事物都是府城的一部分,所以不會覺得南美館能否體現府城價值,而是她本身就是一種價值,不論是新或舊的價值。若是論對建築體外觀的感受,乍看像是百貨商場,但細細走在其中,很喜歡公共空間的配置。」

這個意見大概是閱讀多份受訪者資料後,最為具體提出對建築空間配置的實質見解與感受。

2. 建築物具有獨特美學值得肯定

個案 52,年方 20 的大學生認為,「全白的建築空間讓人感覺很清新,展覽的空間設計很流暢。很喜歡這個美麗的建築,但在外側的樓梯似乎常常在施工,所以無法到最上層將臺南的風景一覽無遺」。

個案 55 給 2 館 9 分。她覺得:「建築本身就是個舒適的存在,在臺南

日光充足下被曬得閃閃發光。」

個案 58 期待：「希望未來有可以利用中間天井空間的設計或展覽，以及在美術館整體視覺的基礎下，展現各展覽在各樓層的特色。」

個案 63 對於 2 館的建築美學相當高度評價：「場館建築滿意度為 9。場館建築設計相當有創意和特色，尤其戶外多層次面向設計，從每一個角度都可獲得不同視野，特別晚上透過打光創造有多重的視覺效果，適合帶外地朋友造訪。」、「相對於其建築極具創意風格，其展品被批評更多展現地方，在前瞻性、創新性與國際性較為不足。」

前述幾位受訪者共同認可建築物具有特色，主要提及的特徵為：白色量體在都市中顯得醒目；有許多戶外、半戶外或是天井等豐富空間轉換變化；可以拾階而上、有助於觀覽周邊風景；建築不僅只有美術館內部，也和戶外景觀相互連結等。相較於一般博物館／美術館往往給人相當穩定的空間序列，看來南美 2 館建築活潑有機的造型量體，以及大量戶外空間，以期跟城市空間對話的做法，的確也讓市民感受到了。接下來則的確是展覽規劃、美術館服務空間機能、以及戶外空間開放等管理層面的課題了。

3. 有助於城市觀光與周邊發展

社交媒體帶動體驗經濟的觀光活動，南美 2 館的建築造型有助於在社交媒體上的行銷。因此，針對南美 2 館與觀光的討論，受訪者均提及拍照、網美打卡景點等描述。像是個案 68 提到：「不看展的觀光客、拍照網美們明顯的比較多，影響觀展品質。」

個案 39 為 20 出頭的年輕人，「嗯，以外觀來說，非常適合當作大家的約會景點，也很適合當網美拍照攝影地，每個空地都給予一定的隱私，至於內部我覺得有點亂，甚至會覺得參展的心情被空間打斷」、「可能我蠻喜歡熱鬧跟市集，所以我覺得南美館做成這樣比我想像的功用還多，不是只有高尚的藝術品進駐的美術館，更多的是建築與人民之間的互動所發展的利益」。

個案 50 認為：「南美館建館對臺南市民而言，是期待已久的新建設同

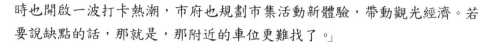

時也開啟一波打卡熱潮，市府也規劃市集活動新體驗，帶動觀光經濟。若要說缺點的話，那就是，那附近的車位更難找了。」

個案 52 同樣對 2 館與觀光的連結有相當鮮活的描述：

「每次經過美術館 2 館時，外頭總有著絡繹不絕的遊客正在拍照，看得出來這裡是觀光客的朝聖地區，如果我的朋友來到臺南，我也會帶來參觀美術館。我覺得他設計的這種不規則形的美術館，有錯落、不規則的美感，非常漂亮，尤其是外頭有階梯可以爬上去看城市的風景，那是我最喜歡的部分。」

個案 58 期待：「南美 2 館為近年臺南觀光聖地之一，吸引許多觀光客參觀及拍攝，但就參觀經驗來看，多數人群多停留在館外而非館內，無法實際吸引民眾入內參觀，期待未來南美 2 館能創造如文章中的『引言』空間的場域，擴大民眾入內參觀的欲望。」

此外，個案 58 也直言：南美 2 館已經是在地的重要地標，但跟地方的連結仍是有限：「僅感受到附近經濟活動提升，近年來，臺南成為熱門觀光景點，在假日時期承受許多來自各縣市的觀光客，進而壓縮到生活在臺南市民的生活品質，因此粗淺就以市民角度看，對南美 2 館可以說是『遠觀』就好。」

個案 60 以其近期的觀察，提出更強烈的用語：「臺南市美術館或許可以提供市民一個休憩假日可以走動的地方或是提升一點臺南的美學空間，但其實只會讓外地的市民在假日湧入臺南，刺激經濟的價值居多而已。」

從前述的幾位受訪者的意見來看，在地居民並不認同以美術館來導引觀光產業，認為只是破壞了在地生活。

針對觀光議題，個案 70 的看法是：「南美館主要吸引來臺南旅行的觀光客，作為觀光產業發展非常的好，文化價值以在地生活為主，符合在地人生活型態，會更好的突顯在地文化的價值。」

另一位也較為正面看待觀光跟美術館的為個案 71：「我認為市民或觀光客的確因為南美館開設而有更多接觸文化藝術的意願，空間的適宜性也讓

許多北部大型特展考量在此展出，另外建築體作為另類的藝術作品，更吸引許多外縣市遊客前往，成為嶄新的地標。」亦即，個案 71 認為南美館建築本身即具有高度藝術性，不僅本身具高度象徵性，也會因此成為話題，吸引觀光客成為美術館的觀眾，進而走進美術館，接觸更多藝術。

4. 對建築造型與風格的質疑

　　相較於前述對南美 2 館建築的正面肯定，認同該建築為臺南新地標，有助於帶動周邊發展與文化觀光。另一方面，有許多受訪者也表達，他們認可這棟建築有其美學上的優勢與價值，同時，也高度認同臺南需要一座美術館，但現有建築似乎難以融入文化古都的城市景觀中，在風格與量體尺度上的不協調，以及和周邊古蹟建築氛圍的落差，是這些受訪者較難以接受的。

　　個案 37 為大學建築系剛畢業的年輕市民，「對於新館的外型存疑，臺南貴為一文化古都，並非現有外型不好，但感覺有更大的機會可以和原本的市容結合，而非一個巨大彷彿外星飛船降臨」。他更近一步解釋：「覺得臺南一直維持著自己的韻味，不會太過密集及高大的建築，身為一個臺南人是可以很驕傲的跟別人介紹自己的家鄉的。」易言之，對於新建築如何跟古都景觀結合，看來應該有更多的討論與磨合。

　　個案 41 同樣為 20 多歲的研究生，她對 2 館建築也有點難接受：「臺南市確實需要新興的美術館，但現在的臺南市美術館 2 館已經失去臺南本地的城市脈絡，不論是歷史上或是都市天際線，整體尺度感在都市之中相當失衡以及失控，且沒有承襲臺南本身特有的氛圍。」、「超越臺南市都市尺度的失控設計，絲毫不顧周遭文化資產斷然地切割。」她也具體指出對照組：「羅馬許多博物館都是藏於街屋之中，在整體立面外觀上融於城市之中，但內部空間卻十分令人驚豔。」此外，她也明確提到，館內的參觀動線凌亂，廁所設置地點不友善等問題，期待有改善的可能：「空間為既成事實無法改變，那在軟體可更改之動線操作上是否能夠有更明確的引導。」

　　個案 45 直言：「美術館本身雖然為國際競圖的作品，但與在地的紋理、歷史軌跡並沒有太多的連結，龐大誇張、鋒芒畢露的幾何造型外觀，掩蓋了內部展出的藝術作品。」

　　這個建築造型上的質疑，也含括許多硬體環境空間品質的不愉快。如個案 46 提出的：

> 「有關於建築物本體，其實設置在鬧區覺得不妥，腹地不足，尤其停車場出口位於狹小的友愛街，遇上大型活動，造成交通阻塞。建築師的名氣沒有辦法解決這個基本問題，建築外觀甚至傳出與同一建築師的香港西九美術館競圖落選作品雷同，如此與在地性的關係似乎僅以文字描述做牽強的關聯，不免覺得難怪會沒考慮到南臺灣炎夏的艷陽，才會做出那樣的玻璃結構，導致內部需要大量的空調，也還不敵日照。」

　　個案 62 的看法較為折衷，認為隨著時間會慢慢調整市民的感受：「剛開始對市中心簇新的南美館 2 館覺得不大習慣，蠻新，也蠻搶眼突兀的，畢竟周遭是古建物與老房子環繞的環境。久了以後，開始比較習慣了。」

　　但大多數的受訪者，的確認為 2 館的建築風格略顯突兀，與古都形象有所矛盾。像是個案 58 認為：「南美 2 館相較於 1 館，不論於歷史、外觀上，與臺南連結性較低，雖透過特殊外觀成為臺南著名地標。但從開幕至今，並未體會到與地區的連結。」

　　個案 64 為 51 歲的市民，從 1998 年起即定居臺南。他認為 1 館的舊建築再利用展現出臺南特色，與有榮焉。但對於 2 館則持著相當負面的描述。他提及，會到 2 館去參訪「完全是為了建物外觀，還有附近區域美食。觀眾不太會去注意展覽內容」。他也不甚認同現在的建築，他直言：「建築比圖評選第二名才符合臺南特色！！！建物量體過大，雖有外觀結構特色，但與周遭環境不相容，簡直是商場化。」

　　針對這個新的建設，他持相反的見解，認為不宜再新增建物，而是應該積極活化老屋：

> 「不要再增建任何硬體設施，那對臺南說是個災難。奇美有錢已經蓋了一個美術館商場，實際上不需要再編列預算蓋任何以美術之名，圖利官商的建設。多利用既有古蹟區域環境發展人文美術，或協助文青租賃古蹟建物發展文創產業才對。這樣臺南有歷史意義的老屋建物才有機會存續下來。」

個案 66 是一位藝術類科的教師，她與個案 64 有著類似想法。「去了那麼多次，其實覺得建築物有氣勢，但是為什麼要設計這樣的建築物在古都裡，似乎沒有聽說過原因」。此外，他也提到了美術館跟商業的關係：「美術館跟太商業接軌適不適合？要拿捏一下，至少在藝術界聽到的評語都不太理想。」

前述的意見多環繞在美術館建築本體，接下來的討論則多聚焦在「美術館」這個組織所需要的空間與服務等相關課題。

5. 對美術館專業角色與空間的詮釋

從美術館建築本身所需要的建築機能來說，受訪者的資料呈現出一個有趣的差異——1 館為古蹟活化改造而成，有先天上的空間結構限制，因此受訪者較少提及對這個部分空間需求的關注，但針對 2 館，因為是完全新建建築，受訪者預期，2 館應該是要具有前瞻性地，提供較完整的美術館／博物館包含行政、教育、賣店、典藏與後勤準備等等各方面的空間需求。

個案 62 本身為藝術行政相關專業，其對於兩館的空間有比較多專業的敘述：

「2 館空間比較大，展覽比較具有多樣性外，也有圖書室、多功能的研習教室，以及文創賣店、咖啡廳與餐廳等。功能更多樣化之外，主要行政與辦公據點也在此。所以，若有與美術館相關的合作需要洽公，也會比較常進出 2 館。外縣市朋友來臺南拜訪，也會想拜訪 2 館的建築空間。所以，相對來說，雖然喜歡 1 館空間的雅緻、舒適，還有生活感。現實上，比較常拜訪的還是 2 館。」

這個說明大致也符合本研究前述的資料所呈現出來的，大多數市民欣賞1 館的場域氛圍，但實際功能需求上，會以拜訪 2 館次數較多：

個案 62 說：「2 館的消費空間比 1 館來得多，價位也比較高，空間氣氛上，人來人往的流動性大，是與 1 館截然不同的節奏與氛圍。通常除了洽公、看展等有目的性的拜訪之外，比較不會想要長時間於此停留。相較之下，在 1 館看展後，會想停留在院子裡休息，與朋友相聚、聊天。」

此外，針對美術館的藝術教育功能，個案 62 也提到：「這些年下來，其實已經習慣南美館 2 館的存在。地方美術教育的推廣，以及各級學校校外教學，2 館也確實提供了很好的資源，以及多功能的學習場域。」

個案 26 相當務實地提到，「似乎大家對建築外觀比室內展示更有興趣，建議可以在展示區中增加對建築外觀的介紹」、「建議可以開放一些免費參觀的區域（不要只是商店），提升民眾購票進入觀看的欲望」。

個案 29 是帶著孩子參觀美術館的媽媽，她認為：「展出方式和內容可以再多元一點，特別是兒童可以參與的部分似乎很少。」

個案 71 相當認真用心地書寫相當多的意見。她對 1 館的評價 8 分，但 2 館只給 2 分。雖未解釋這個給分的緣由，或許是對開幕展未盡滿意。但她對建築空間與展覽關係的描述相當仔細：

「個人認為開館展是標誌美術館定位的重要展覽，但『臺灣禮讚』一展未能看出南美館作為地方美術館的發展方向，可能因為建築風格十分現代且空間寬敞，非常適合放置裝置類或大型雕塑，然而展覽卻是以中規中矩的掛畫來展示，覺得十分可惜未能妥善利用這樣的空間。不過在參觀過程中，注意到許多觀眾互相討論作品，尤其是寫實作品十分吸引觀眾討論技法，也許相比文化中心等展示空間，的確因為空間魅力更能吸引觀眾佇足。」

從這些文字描述可以看得出來，雖然分數不高，但她應該很認同 2 館的建築，及其對於展出現當代藝術作品具有的空間優勢，而期待日後的展覽規劃有更好的呈現。此外，個案 71 也相當細緻地對戶外空間與藝術品提出建議：

「關於美術館公共空間，希望有小規模的戶外常設展介紹美術館周邊的公共藝術，因為公共藝術或許是觀眾真正接觸南美館的第一件作品，只有小小一張說明牌十分可惜，也可能錯失吸引觀眾入場的機會。另外，該地以前停車場並設有公共藝術，因興建美術館而拆除，這段世代交替的過往未被書寫亦十分可惜。」

從這些相當具專業視野的描述和建議來看，或許館方日後可考慮以焦點團體等方式，收集更多在地意見，以回應在地社區對於美術館的高度期待與情感。

6. 美術館建築空間專業服務不足與建議

前一段乃是從美術館空間需求與機能切入的觀察。這一個小節則集中討論受訪者針對南美 2 館實質環境各細節的具體批評。

個案 44 為兒童閱讀的專業教師，對美術館有許多較為高標準的期待與評論。她提到，「重視外表建設也要重視內在軟體服務。南美館的設立影響許多市民停車、飲食及其他的庶民生活利益」、「空有設計的空間，軟體服務完全不及格」。

個案 62 也指出：「美術館展覽與活動規劃，仍有待加強。市中心的街道狹小，曾舉辦市集，出現市區交通湧塞，人潮過多，動線規劃不良等，影響市民生活的情況。」

個案 49 提醒，雖然能體會人流控管的困難，「但好不容易有個國際級的建築設計，結果門都關死死的很可惜」。但這個提醒其實也凸顯，美術館接待大廳是博物館設計上，相當重要的緩衝空間。

個案 56 也提到很類似的問題：「非常建議一樓大廳重新調整管理使用方式，一進門在還沒有空間停留沉澱的時候，便有被紅龍拒於門外的感受，強烈感覺到該館的『購票催促』，非常不親人。」

針對門口大廳在管理層面的不友善，個案 56 的認知與解釋為：「建築設計初衷跟使用管理方式可能有落差，尤其在跨國設計團隊可能觀念上便跟地方不同。」因此，她期許：「本館戶外環境有趣，室內就蠻明顯可以感覺這種落差，我認為美術館本身除了展覽外，希望把『藝術空間』（建築硬體）視為其呈現的一部分的話，最重要仍是提高其公共性質、近用的感受。不知是否可能嘗試比照北美館、國美館將一樓大廳讓出部分範圍予民眾暫留。」

此外，個案 56 也語重心長地提醒：

「很高興臺南有一個和古蹟並存的美術館，也認為南美館要談在地的
藝術、收藏相關藏品很重要。同時我認為談論『文化價值彰顯』是一
個過於老套的目標，『府城』可能也是一個過大的枷鎖，以美術館或
藝術來說有其演變和進展的潮流，如何在既有文化（歷史）基礎之
上，不停回返詮釋，讓新的創作萌發（與舊並置），而成為富有底蘊
的當代的美術館，如此才會保有活力與觀眾。」

個案 31 和 69 都提到是否可以延長服務時間，讓晚上也有機會參觀美術
館。

從前述的各項觀眾意見的具體回饋，舉凡兒童空間需求與感受、動線規
劃設計、大廳接待空間、美術館進出的緩衝與服務空間、以及開放服務時段
等等問題，的確是一座年輕美術館可以持續調整改進所在。

7. 對美術館專業的展望與期許

針對南美館的未來與任務想像，觀眾的建議大致呈現三個趨勢，第一是
關於博物館／美術館的社會教育功能。其次為關注何謂臺南在地的藝術內
涵；第三，則是關於臺南如何和國際對話，與世界接軌。

個案 45 為藝術方面的專業教師，他相當高度評價新館：「新館有系統
的開放嘗試新一代藝術的作品，作品展出的尺度較為寬闊，能呈現藝術的
進程。」因此他提到：「是否可以多加充實圖書資訊館的對外開放功能，增
加臺南美術相關的史論研究、推廣教育。」推廣教育本即為美術館肩負的功
能，值得期待，但他另外也提及的是更為根本的，美術館任務與定位問題，
他認為，由於臺南有許多在地的工藝，在純美術之外，應該也很適合納入典
藏的範疇：「從廣義的美術而言，臺南地區有更豐富的工藝美術作品、作
家，比狹義的視覺美術更加的寬廣與充滿內涵。是否可以開設相關的傳承
教育，訓練薪火相傳的人才，鼓勵研究議題，並向下扎根至青少年的美術
工藝課程。」

個案 30 提到：「1 館與 2 館各有春秋與空間上的配置，除了展出出身
臺南的藝術家作品之外，也可試著展出 Fine Art 或實驗性質濃厚的作品。

後者是高難度，畢竟臺南人偏實際，還是需要一點抽象刺激。」而針對國際化的議題，個案 30 也指出：「以前臺南是文化沙漠，開始有國際重要作品在臺南發表是非常好的事情。臺南既然是古都，表示有深厚的文化涵養，非常適合做新舊融合的建築作品發表。」

個案 49 具體建議：「一樓可以多一點在地藝術家的作品，可以鼓勵在地藝術家創作。二樓以上的希望可以像北部這樣邀請國際的藝術家，展期再拉長一點。」他直言自己的憂慮：「既然已經請了坂茂來設計，結果展覽內容都不夠轟動，很擔心淪為一次性的蚊子館。」這樣的感受或許來自於社會大眾對於這類名牌建築的憂慮，擔心建築美學風格上的表現，超過展覽實質內容與魅力。

個案 53 為 26 歲的研究生，他認為，2 館是很不一樣的建築風格，有了在地特色。可以成為臺南的重要代表。然而，除了只代表臺南在地之外，「如何能跟臺灣乃至跟世界接軌但不失其在地性呢？」。

個案 58 提醒：

「雖屬於行政法人，但還是希望南美館可以在公共利益跟營運可以達到平衡，對市民的休閒娛樂、藝文培養、知識獲取、觀光發展等等產生正面的影響。畢竟一直都有看到南美館相關爭議新聞，比如南市府出了經費卻沒辦法監督、應該回到行政法人的專業分工等等，希望南美館可以成為面向市民大眾的美術館，可以發揮起社會責任，而非停留在網美打卡的美術館。」

個案 69 位一位專業設計者與教師，他著眼於較少人提及的市民參與課題：「可以從更生活面的方式，更多的藝術面向來讓民眾有更多參與的機會。」他認為，臺南有這樣一座美術館，身為市民雖與有榮焉，「但規劃設計時，有市民參與會更好」。

本章著意於收集臺南在地居民對於南美館的真實感受，從前述這些具體意見的陳述與整理，不難發現，居民對於南美館充滿高度期許，也提出許多相當專業的觀察與改善建議。

五、文化引導都市再生過程中的市民美術館經驗

引用凱文・林區關於城市意象的研究概念與知識架構，本章一方面關注於市民的城市空間經驗與認知，以期將居民對臺南的城市記憶與理解，置放於對臺南市博物館／美術館建築的討論。另一方面，林區的知識實乃隱含了排除專業壟斷，關切市民環境情感，主張個別主體均具有認知空間與訴說環境意義的能力；也因此，任何城市空間與環境規劃的決策過程，不僅應充分讓市民理解，與其溝通，尊重其對於環境的情感與記憶，這才是建構一個可被辨識的、具有自明性的城市。

此外，本研究將臺南市建立美術館，視為一個以文化引導都市再生的文化治理過程。為凸顯對市民城市經驗的關注，取材自居民對於兩座南美館建築的空間感受與認知經驗，收集受訪者意見與經驗敘事，以此來建構與探討博物館建築空間生產課題。特別是這兩座建築，分別為古蹟活化再生、以及欲以明星建築師與名牌建築，作為城市行銷地標這兩個迥異的類型，提供討論博物館建築議題時的多元面向。綜言之，在城市文化治理的框架下，聚焦於市民經驗的在地觀點，從文化資產活化再生與美術館建築文化基礎設施，同時在博物館建築的文化政策和研究兩個層次，開展出進一步的思考。以下分別以本章結論、政策方面的具體建議，以及後續研究上的思考幾個向度闡述。

（一）本章結論

受限於篇幅，本章針對南美 1 館聚焦於古蹟活化的議題；2 館則是以新建的地標型建築的角度切入歸結出幾項觀察。

1. 居民高度認同臺南市擁有自己的美術館，雖然受訪者從美術館的角色、定位、任務、功能等等，抱持著各種不同的想法，但均傳達出高度的期許與期待。

2. 古蹟活化為博物館建築所蘊涵的場所精神，使居民一面倒地高度評價南美 1 館。凸顯出居民對在地文化資產的高度認同。

3. 受訪者對南美 2 館地標性建築風格相當有感，雖評價不一，但認同該建築有

助於臺南的城市行銷，並在意城市景觀的和諧。

4. 對南美館的任務角色期待，含括了推動藝術教育、傳承臺南在地民俗技藝，並讓臺南與國際接軌這三個面向。

以臺灣過往的經驗來說，文化資產活化經常伴隨著許多爭議與質疑，或被視為需要花費大量政府預算而無實際效益。一座美術館／博物館的誕生，往往夾雜著是否僅為華而不實、服務少數菁英的辯論；甚或，當被視為以此作為城市行銷或帶動經濟的資本投資時，在地社群如何看待與期待博物館，或地方的真實需求為何，似乎是個較少被討論的視角。然而，從本研究上述的簡要結論來看，受訪者傳遞出「美術館」為臺南城市文化治理中的正向產出。即民眾普遍對這樣的文化設施植入具高度評價。以文化資產活化的 1 館，獲得民眾的高度喜愛。2 館雖有著較為多樣差異的評價，但受訪者仍是對南美館此後的角色，充滿期待。後設地來說，這個研究結果是否為文化古蹟居民的特殊表達，抑或因為這類的地方美術館的風潮方興未艾，而在地社群的真實感受還有待持續地挖掘？

（二）政策回應上的建議

南美館自籌備到正式開館，為近年來在文化建設推動工作經驗中，相當難得地能緊扣預算與時程，幾乎準時地按照原定計畫完成的美術館。然而，硬體建設營造過程，通常也是軟體建置的籌備階段。工程相當順利地完成，可能也意涵著，許多需要更多時間的軟體內容工作，還得慢慢調整，急不得。

換言之，與其說想對正式營運迄今才兩年多的南美館，提出什麼政策上的建議，不如說，更期待讓館方擘畫出更長的緩衝期，逐步調整開館營運以降的各面向的挑戰。再以三個層面來說。

首先，以美術館的任務設定來看──美術館設置有其自身被賦予的任務與宗旨。善用自身優勢、回歸在地社群的期許這兩個原則，似乎是支撐美術館的重要基礎。因此，除了推動藝術教育、促進國際交流之外，針對臺南地區的悠久的工藝和民俗傳統等應用藝術，是否會考慮納入成為南美館的特色之一？或者，基於南美 2 館在國內博物館建築美學上的優越性，以及南美 1 館以古蹟活化運用方面

的卓越表現，是否可以將「博物館建築」和「古蹟活化」作為南美館重要的優勢條件，並以此來發展自身特色？這樣的建議清單可以無限發展，但決策過程如何納入在地社群的聲音，則顯然是地方美術館必須審慎因應的課題。

其次，本研究收集受訪者意見中，包含是否考量兒童美術的需求、策展規劃的方向、服務空間有待改善、展覽空間動線規劃、商店等收費性空間過多、入口門廳等緩衝空間不足、較不具歡迎性的入口、外部與周邊空間的緩衝與管理、開放時間是否可以彈性調整等等，諸多實質的問題，相信館方在日常營運上，也獲得相當多的民眾反映，而這些課題可以依照館方既有的營運管理方針，逐一修正調整，上述相關意見則作為參考。

第三，也是最重要的思考在於，這座美術館期待跟民眾發展出何種連結？亦即，是否能夠建立起跟市民持續對話溝通的管道與機制？

在本次的資料收集中，有許多受訪者表達出，針對美術館，他們有很多話想說。不論是對城市發展、市民生活記憶、藝術教育或者是地方再發展等諸多面向。這個現象實反映出，何以都市文化治理必須關注於利害關係人的意見收集與效益評估，也強調公私協力、中介組織或是網絡治理等概念的重要——民間擁有的文化資源與能量，無疑是更難以計量。特別是在民間社會文化資源豐沛的臺南，以及南美館一開始即決策採取法人模式來經營。這些因素具體說明，不僅是南美館的後續經營需要仰賴大量的民間資源投注，在地的文化能量也積極渴望取得相互溝通的管道，讓這個臺南在地盼望了數十年的文化設施可以朝向更好的發展。館方若定期辦理各種焦點團體或工作坊，相信可以取得更多在地意見的回饋，收集可能的改善方案，以集體智慧共同經營在地的美術館。

（三）針對後續研究的思考

博物館建築同時具有「博物館」與「建築」兩者的特徵屬性——既需要滿足博物館此文化設施在實質空間與機能的需求，考量所欲提供服務的對象與設定的任務。從建築的角度言，建築營造所處的政治經濟與社會歷史條件，自然影響其生產過程（MacLeod, 2013）。本章研究發展的過程中，從受訪者資料的整理中發

現，受訪者回答問題時，已經主動將「美術館」這個文化設施所需的各項機能和需求，以及「博物館建築」所扮演的角色，有著相當清晰的兩條觀看、理解與分析軸線。

因此，循著本文從兩館的差異中，梳理出來的幾個範疇，應可作為後續持續發展的課題參照。

針對古蹟活化為美術館／博物館可以持續探問的課題包含下列幾項：

1. 古蹟建築本身所具有的美感，如何有助於博物館建築美學與文化價值的傳達。
2. 古蹟建築的場所精神，如何以其環境寧適性提供美術館正向空間感受。
3. 古蹟活化為美術館，如何彰顯古蹟的公共性價值。
4. 古蹟活化為美術館如何有助於連結在地城市記憶，以及在地文化藝術教育推展。
5. 如何以美術館的策展與教育活動，正向推動古蹟的活用再生。
6. 如何提出如增建等模式，因應古蹟作為博物館的結構性限制與空間機能需求。

從南美 2 館新美術館建築，市民經驗提示出值得進一步探討的議題：

1. 市民對美術館所象徵的在地城市文化精神是否高度認同與期待。
2. 如何期許新建築能完善地裝備當代專業美術館應有的各項服務與機能。
3. 社交媒體日益重要，如何期待地標建築有助提升城市自明性、行銷和觀光能量。
4. 建築物所傳達的美學價值是否能彰顯在地的創新價值。
5. 如何期許以美術館的新節點來凝聚在地文化藝術能量。

如前所述，受訪者對兩座博物館建築的意見，雖略顯評價差異，但意見卻相當專業的現象來看，市民對兩座藝術博物館具高度感受力是毋庸置疑的。這個現象提醒我們，針對這類文化基礎設施的投資與開發，如何能適時收集與廣納市民

參與討論，不僅是從公眾參與、草根民主的概念切入，這些公共建築原本亟欲傳遞的是公眾文化價值，透過討論對話，讓公共性思辯更多差異所在，實為民主精神價值所在。同時，城市歷史層肌理中，各種不斷地重寫與抹去，抹除了究竟是誰的歷史與城市記憶呢？在面對歷史可能被不斷被抹去與消音的危機，我們都無法視而不見或置身事外。

參考文獻

王志弘（2019）。〈臺灣都市與區域發展之文化策略批判研究回顧，1990s-2010s〉，《文化研究》，(29): 13-62。

Bigio, A. G. and Licciardi, G. (2010). *The Urban Rehabilitation of Medinas : The World Bank Experience in the Middle East and North Africa.*

Jones, P. and Evans, J. (2013). *Urban Regeneration in the UK: Boom, Bust and Recovery*. Sage.

Lynch, K. (1960). *The Image of the City*. MIT press.

Lynch, K. (1972). *What Time is this Place?* MIT Press.

Leary, M. E. and McCarthy, J. (2013). "Introduction: Urban regeneration, a global phenomenon." In *The Routledge Companion to Urban Regeneration* (pp. 1-14). Routledge.

MacLeod, S. (2013). *Museum Architecture: A New Biography.* London: Routledge.

Yuen, B. (2013). "Urban regeneration in Asia: mega-projects and heritage conservation." In *The Routledge Companion to Urban Regeneration* (pp. 127-137). Routledge.

後　記

本書結合了研究者 2012 年至 2021 年這十年間，持續探討博物館建築與空間經驗研究的數篇文章，加以綜合改寫而成。這些論文均為發表於具雙盲學術審查的專業期刊與專書論文，依出版時間順序，文章出處等相關資訊如下表：

篇章	出處
第一章 臺灣博物館建築形式與文化治理變遷歷程	殷寶寧（2015 年 04 月）。〈臺灣當代博物館建築形式與博物館文化治理變遷歷程探討〉。《博物館學季刊》，29(2): 23-45。
第二章 博物館建築空間文化表徵之生產與詮釋	殷寶寧（2012 年 03 月）。〈博物館建築空間文化表徵之生產與詮釋：以中國陝西歷史博物館為個案〉。《建築學報》，79: 105-130。
第三章 古蹟活化再生與博物館建築	殷寶寧（2018 年 01 月）。〈是展品？還是空間盒子？：從古蹟活化再生到博物館建築與展示轉化歷程個案研究〉。《博物館學季刊》，32(1): 59-83。
第四章 社區博物館、古蹟活化與都市再生	殷寶寧（2017 年 10 月）。〈都市再生、菜市場文化空間與參與式藝術實踐：新富市場古蹟活化與市場小學計劃個案〉。《人類世的博物館：藝術。科學。當代社會變遷》（ISBN：9789860535259）（頁 429-448）。臺北：國立臺灣博物館。
第五章 藝術策展與臺灣主體性想像	殷寶寧（2017 年 07 月）。〈藝術策展與臺灣主體性想像——以米蘭外帶臺灣館與倫敦設計展修龍／相撞為分析個案〉。《博物館學季刊》，31(3): 31-53。
第六章 展覽敘事空間與時間雙重性	殷寶寧（2021 年 04 月）。〈展覽敘事的時間性、空間性與詩意：「花園裡，植物記憶纏繞」展覽個案分析〉。《博物館學季刊》，35(2): 101-116。
第七章 大學生博物館經驗初探	殷寶寧（2012 年 12 月）。〈大學生博物館經驗初探：以觀眾認同與服務品質為核心〉。《文資學報》，7: 47-79。
第八章 博物館建築、城市空間經驗與市民生活想像	殷寶寧（2021 年 10 月）。〈博物館建築、城市空間經驗與市民生活想像：臺南市美術館經驗初探〉。《南美館學刊》，2: 6-39。

巨流圖書股份有限公司

學術專書審查出版證明

茲證明

　殷寶寧 君所撰之《知識展示重構：博物館建築空間與觀眾經驗》一書，業經巨流圖書股份有限公司，送交相關研究領域兩位學者專家匿名審查通過，於民國 111 年 2 月出版。

　此證

出版單位：巨流圖書股份有限公司
負 責 人：楊曉華
地　　址：高雄市苓雅區五福一路 57 號 2 樓之 2
電　　話：07-223-6780
統一編號：04202062

中華民國 111 年 1 月 4 日

Reconstructing Knowledge and Exhibition: Museum Architecture, Space and Audience experience

Pao-Ning Yin

Summary

This book focuses on the process of reconstruction of knowledge and exhibitions. Museum architecture and space production are the cut-in knowledge paths. Taking some case studies to investigate the changes in museum architecture in varieties. Taking some case studies to investigate the changes in museum architecture in varieties. Including the production process and history on the changes of museum architectures in Taiwan, the analysis of the architectural form of Shaanxi History Museum in China, the reuse of historic monuments turned into as Museum Architectures in different cities, such as Taipei, Tainan, Penang, Malaysia, and make comparisons between these cities and countries experiences, and to find out how these transformations on architectures themselves have reconstructed the formation and flows of knowledge production in museums.

Exhibitions are explored both inside and outside Museums. The significance of special case of Taiwan Optogo Project during Milano Expo in 2015, which was organized by younger generation in Taiwan and taking it as a project of citizen diplomacy was discussed based on the concept of relational aesthetics proposed by Nicolas Bourriaud. The special exhibition 'Entangled Garden for Plant Memory- A solo-exhibition of Janet Lawrence' in Yu-Hsiu Museum of Art was also reviewed through the analysis of the temporality, spatiality and poetics of the narrations of Exhibition.

Besides, the museums visitors experience is also valued in the volume. Taking the concept on the museum experience brought by John Falk and his colleagues, the museum experience of college students in Taiwan was interpreted through interviews. Moreover, the citizen's museum experience and difference between the two buildings of the newly built and remodeled Tainan Art Museum was also probed.

The museum is where knowledge is produced and passed on. The museum architecture and the space undertake these missions. The exhibitions in museums are recognized and expected as the core locus of the flow of knowledge. Being highly emphasized exhibitions made the curatorial practice and the critique of the curatorial discourse an emerging field. Museum architectural space production is rooted in the interweaving contexts of all aspects of society, culture, history, politics, and economy. Certainly, it will naturally lead to changes in museums from the perspective on the architectural and space production in the meantime.

Contents

Introduction

Part1: The Representation of Museum Architecture and Cultural Governance

Part2: The Curatorial Space and Audience Experience

Notes

Notes

Notes